AFGESCHREVEN

Het genootschap van de laatste dieren

Jeffrey Moore

Het genootschap van de laatste dieren

Vertaald door Gerda Baardman en Wim Scherpenisse

Uitgeverij De Arbeiderspers
Amsterdam · Antwerpen

Voor de vertaling van de dichtregels van Rainer Maria Rilke op pagina 5 is gebruikgemaakt van de vertaling van Menno Wigman in *Wie nu alleen is. Twintig liefdesgedichten*, Bert Bakker, 1996.

De uitgever ontving voor de vertaling van dit boek een subsidie van de Canadian Council for the Arts

Omslagontwerp: Nico Richter
Omslagfoto: © John Spencer/iStockphoto

ISBN 978 90 295 7601 7 / NUR 302

www.arbeiderspers.nl

De schoonheid en genialiteit van een kunstwerk kan opnieuw tot uitdrukking komen, ook al is de eerste materiële manifestatie ervan vernietigd; een verdwenen harmonie kan de componist ten tweeden male inspireren; maar wanneer het laatste individu van een stam van levende wezens is opgehouden met ademen, moeten er een nieuwe hemel en aarde ontstaan voordat zo'n stam weer kan bestaan.
  William Beebe, *The Bird, Its Form and Function*, 1906

Altijd weer, hoezeer wij ook het landschap van de liefde kennen
en het kleine kerkhof met zijn klagende namen
en de onheilspellend stille kloof waarin de anderen

sterven: altijd weer gaan wij met ons tweeën naar buiten
onder de oude bomen, leggen ons altijd neer
tussen de bloemen, tegenover de hemel.
  Rainer Maria Rilke, 'Immer wieder, ob wir der Liebe
  Landschaft', 1906

Er is maar één werkelijk belangrijk filosofisch vraagstuk, en dat is zelfmoord.
  Albert Camus, *Le mythe de Sisyphe*, 1942

Deel 1 – Voor Kerstmis

Brightly shone the moon that night
Though the frost was cruel...
uit 'Good King Wenceslas'

I

Het was donker – noordelijk donker – toen ik de plek bereikte, maar dit moest wel zijn wat ik zocht: de kerk van Ste-Davnet-des-Monts. Op de voordeur waren twee kletsnatte bordjes gespijkerd met strepen vuil erop, nauwelijks leesbaar in het licht van mijn zaklamp. Het ene, met zwarte, onbeschaamd huilende middeleeuwse letters, was een kennisgeving van onteigening ondertekend door de aartsdiaken:

Met smart herroepen we de wijding van deze plek en
stellen dit gebouw met bijbehorende grond beschikbaar
voor andere doeleinden, maar wij bidden dat Gods werken
en het welzijn van de plaatselijke bevolking ook in
de toekomst zullen worden gediend...

Het tweede was aangebracht op iets wat op de binnenkant van een cornflakesdoos leek, met grote rode hanenpoten, alsof iemand de tekst met zijn verkeerde hand had geschreven:

OUDERE VRIJWILLIGERS GEVRAAGD
VOOR MARKTONDERZOEK
HOGE LEEFTIJD OF PSYCHISCHE AANDOENING GEEN BEZWAAR

Ik bewoog mijn lichtbundel in dansende ovalen naar de top van de toren en toen weer omlaag, van de ene kant naar de andere, en het licht streek over de ruwe grijze muren als over het vel van een stokoude dikhuid. Ze zaten vol kleine gaatjes, alsof er met een geweer op was geschoten.

9

Was dit de goede kerk? Op de foto zag het gebouw er veel... kerkachtiger uit. In plaats van gebrandschilderd glas zag ik triplex, in plaats van sierlijk maaswerk graffiti. En waar was het bordje TE KOOP? Ik richtte mijn zaklamp zijwaarts en bescheen een verroest hek dat uit de hengsels hing, een slingerende greppel die zich moeizaam een weg baande over stenen en puin, en een grafkruis dat volgespoten was met rode hakenkruisen.

Iets verderop begon met een dof geluid een kerkklok te slaan. Op het laatste randje van november, om klokslag middernacht, kwam er een ijzige regen naar beneden, grote spetterende druppels die dik werden als glycerine en bleven kleven aan alles wat ze raakten. Mijn zaklamp sputterde, ging zwakker branden en doofde. Ik had beter tot morgenochtend kunnen wachten. Dat zou misschien verstandiger zijn geweest.

Ongeveer honderd meter verderop, voorbij de oprijlaan van de kerk, naderde gegrom en één enkel lichtpuntje. Een motor... Nee, het ding was groter, met iets glinsterends op het dak. Een zwaailicht?

Ik vluchtte snel in de richting van mijn busje, dat verdekt stond opgesteld aan de andere kant van de kerk, maar rende bij de splitsing in het pad de verkeerde kant op, zodat ik op de begraafplaats belandde. Twee roofdieren, katten of wasberen, schoten weg tussen de grafstenen en ik gleed ongelukkig uit toen ik ze ontweek, want aan mijn stadse schoenen had ik net zoveel als aan pantoffels. Ik greep me vast aan een grote grafsteen – een stenen sculptuur van een onbekende engel door een onbekende kunstenaar – en dook erachter weg. Ik haalde een nachtkijker uit mijn rugzak en wachtte tot de auto in zicht kwam.

Het landschap lichtte op in bovenaardse, onnatuurlijke kleuren: de rij bomen was neongeel, de weg nicotineoranje, de auto spookachtig horrorfilmgroen. Ik draaide aan het wieltje en stelde het wazige beeld scherp. Er flakkerde inderdaad iets, maar het was geen politiezwaailicht. Het was iets onheilspellenders: een groot behaard dier met poten die... drupten? Waren ze afgehakt?

Het licht kwam uit zijn bek, die was opengespalkt met iets wat op een gloeilamp leek.

De auto, een pick-up met verhoogd chassis, lichten op het dak en een grote grille, scheurde recht op de voordeur van de kerk af. Op het laatste moment boog hij af, een smal pad op dat om de kerk heen liep, van mij vandaan, naar de andere kant van de begraafplaats. Hij remde abrupt en draaide om zijn as, de motor sloeg af of werd uitgezet. Een stilte van vier of vijf seconden en vervolgens een *péts*, en een knappend geluid als van brekend glas.

Zodra ik dat geluid hoorde, wist ik dat ik het nooit zou vergeten. De pick-up werd weer gestart, de bovenmaatse banden gierden over zwart ijs en deden steentjes en zand opspuiten. De auto schoot weg over de oprijlaan, de kolkende ijskoude mistdampen in, en was verdwenen.

Ik bleef even roerloos staan, me verward afvragend wat ik hier te zoeken had. Wat ze daar uit de auto hebben gegooid, gaat mij niks aan. Ik deed de kijker weer in zijn hoes en liep terug naar mijn volkswagenbusje, een gestolen roestbak die moeilijk startte. Hij kwam meteen bij de eerste poging tot leven. Ik reed met gedoofde lichten naar het eind van de oprijlaan.

Ik bleef minstens een minuut met mijn handen om het stuur geklemd zitten, keek naar de ruitenwissers, luisterde naar het geluid van metaal dat langs glas schraapte. De regen liep stroperig langs de voorruit en werd hard. Ik schoof de voorruitverwarming in de hoogste stand. Ik staarde naar mijn handen, die van iemand anders leken te zijn. Van onder de bank trok ik een fles Talisker 16 tevoorschijn en dronk het laatste restje op. De zoveelste terugval, weer een streepje dieper gezonken.

Ik keerde de wagen, waarbij het chassis over de grond schuurde toen hij erg scheef kwam te hangen, en reed terug naar de begraafplaats. Bij de grillige slipsporen knipte ik mijn grote licht aan: aan de ene kant rezen een stuk of tien lisdoddenfakkels uit de dampen op als enorme hotdogs op spiesen, aan de andere kant stond een rij grafstenen, schots en scheef en wegrottend als

11

een slecht gebit. Alle zwarte plantenwortels en ranken eromheen hadden een zilverwit randje. Ik reed achteruit en gaf een harde ruk aan het stuur. Daar had je het. Er lag iets in de besneeuwde greppel: een bleekbruine bult. Ik stapte uit om hem beter te kunnen bekijken.

Het ding zat zo te zien in een jutezak die kruiselings was dichtgebonden met een rood touw, als een kerstcadeautje. Een partij drugs? Een zak met geld? Ik was niet van plan het touw los te maken om meer te weten te komen – totdat ik iets hoorde, een zucht of een zacht gekreun. Het viel moeilijk uit te maken of het dierlijk of menselijk was.

Ik klauterde naar beneden; mijn hoofd gloeide en mijn hart bonkte als een razende. Onder de sneeuw zat een korst ijs met de consistentie van een cracker, en daar zakte ik tot mijn knieën doorheen. Het was geen greppel, het was een moeras. Maar ik voelde slechts een heel lichte tinteling toen mijn schoenen volliepen met ijskoud water. Ik trok mijn voeten los uit de zwarte drab en strompelde verder, waarbij ik telkens door het ijs zakte en de scherpe stank van bederf in mijn neus kreeg – van turfdrek, moerasgras, mest. Ik werd verrast door het gewicht van de modder, de kracht die nodig was om mijn voeten op te tillen, alsof ik met een kogel aan een ketting liep. Ik had sinds de kleuterschool niet meer door de modder gebaggerd.

Toen ik bij de zak was, trok ik met de weinige kracht die ik nog in me had met één hand aan het rode touw; ik stond wankel op mijn benen en er kwam nauwelijks beweging in de zak. Hij leek langzaam weg te zinken in het schuimachtige moeras, tussen het riet en de verrotting, en mij mee de diepte in te trekken. Het voelde alsof er een hand aan mijn schoenen trok. Ik zette me met één voet af op een versteende stam, als een krokodil die uit een tijd van reuzenreptielen omhoog werd gestuwd, trok met beide armen en voelde dat de zak loskwam. Centimeter voor centimeter sleepte ik hem over de verbrokkelende ijslagen en vandaar naar hogere, drogere grond.

Ik peuterde en trok aan het touw als een achterlijk kind, als iemand die niet vertrouwd is met het verschijnsel knoop. Ik beet er zelfs op, alsof ik staal met een schaar probeerde door te knippen. Langs mijn gezicht droop koude regen, die zich vermengde met zweet en in mijn ogen brandde. Er moest een makkelijker manier zijn... Mijn wazige blik ontwaarde een roze ding dat door een scheur in de zak naar buiten stak. Een duim? Een elleboog? Ik trok aan alle kanten aan de zak en scheurde hem blindelings van onder naar boven open.

Nadat ik mijn ogen met een bevroren vuist had afgeveegd, zag ik iets wat me de adem benam, iets wat de meeste mensen nooit zullen zien. Gedurende drie of vier hartslagen stond de tijd stil; ik zweefde in een krachtveld van schrik dat mijn botten deed verstenen en mijn spieren verschrompelen.

Plotseling voelde ik een geheimzinnige lichaamseigen stof, iets defibrillerends, door me heen bruisen. Ik tilde de zak op alsof het een kussen was en droeg hem naar mijn busje, waarbij de bevroren steentjes luid knarsten onder mijn voeten. De felle koplampen zetten de stof van de zak in een schril fluorescerend licht, waardoor de rode vlekken glanzend zwart leken. Van de druppels die in de sneeuw vielen, sloegen stoomwolkjes af.

Voor me bewoog een schaduw en ik verstarde. Hij schoof droomachtig traag in de richting van het moeras. Op vier poten. Toen bleef hij staan en staarde met ogen als fonkelende smaragden in het licht – niet mijn licht, maar dat van de volle maan. Hij draaide zijn kop heen en weer, stootte een lage jammertoon uit en liep daarna met zijn lange, gekromde staart soepel en geruisloos verder. Ik deed mijn ogen dicht. De symptomen – begonnen ze weer? Ik deed mijn ogen open en het beest en de maan waren weg.

Met bonzend hart en een vertragende geest morrelde ik aan de achterdeurtjes van het busje en legde de natte zak neer. *Zorg dat er geen bloed op de bekleding komt, je zit al diep genoeg in de shit.* Ik knipte het daklampje aan. Mijn vingers maakten vlekken op alles wat ze aanraakten, ook op een slaapzak waar ik nog niet in geslapen had.

Oké, waar is het politiebureau?

De politie? Wat moest ik tegen de politie zeggen? Dat ik een kind had gevonden dat onder het bloed zat – en o ja, trouwens, meneer de agent, ik ben illegaal in dit land, op de vlucht voor een aanklacht wegens kidnapping. Onder andere. En ja, wat u in mijn adem ruikt is alcohol. Ik zou een officiële verklaring moeten afleggen, met naam en adres. Poeren in een moeras in Quebec – hoe was ik op dat idee gekomen? *Door jarenlange oefening in altijd het verkeerde doen*, om mijn vader te citeren. Een ziekenhuis dan? Daar hoorde ik dat gesmoorde gekreun weer.

'Alles komt goed,' loog ik. 'Hou nog even vol...' Mijn stem trilde, ik hoorde het zelf. 'Ik breng je...' Door warrig haar heen zag ik in een flits het gezicht van het kind – wit en nat als melk, met een doodsbange blik die ik behalve in dromen nooit eerder had gezien.

De ijskoude regen kleefde als hectaren krimpfolie, en mijn kale banden slaagden er maar net in me de eerste heuvel op te slepen. Bij de tweede gaven ze het helemaal op, ondanks twee aanlopen in de eerste versnelling en één in de achteruit. Ik stond scheef midden op de weg en deed mijn knipperlichten aan, wat zinloos was aangezien er vele kilometers in de omtrek geen mens was. Ik telde tot tien en keek naar een verkreukeld groen bord dat afwisselend in het lichtschijnsel opdook en weer verdween. HÔPITAL 8 KM stond er, met een pijl die omhoog wees, naar de hemel.

Ik reed stapvoets achteruit de helling af en stopte bij een kruisende grindweg, waar een bord stond met de waarschuwing CHEMIN SAISONNIER. Ik sloeg rechtsaf en reed verbeten een kilometer of vijf, zes – over spoorrails waarover sinds de Tweede Wereldoorlog geen treinen meer hadden gereden, over een houten boogbruggetje met de mededeling UTILISEZ À VOS RISQUES ET PÉRILS – naar mijn gehuurde hut. De ruitenwissers schraapten voor mijn ogen heen en weer, een ondoorzichtige rijplaag bedekte de zij- en achterramen, mijn banden gierden rond. De motorklep, die op zijn plaats werd gehouden door een springelastiek, klapperde bij elk gat in de weg open en dicht.

Er brandde geen licht in de hut, en evenmin in het huisje ongeveer vijftig meter verderop. Ik zette de motor af, die daarna nog een halve minuut bleef kuchen en sputteren. Ik liet het grote licht aan, gericht op het trapje naar de voordeur.

Ik droeg het kind naar de hut, waarbij zijn hoofd heen en weer zwaaide als dat van een marionet, en besefte te laat dat ik de deur eerst had moeten openmaken. Ik zette het lichaam onhandig tegen de muur, ramde de sleutel in het gat, prutste ongeduldig aan het slot en trapte de deur naar binnen. In het donker strompelde ik naar het verzakte bed, in het besef dat dat onverstandig was, dat mijn enige lakens rood en drijfnat zouden worden. Ik liet het lichaam hard vallen, het belandde bijna op de grond. *Als hij niet al dood was, is hij dat nu wel.*

Ik tastte naar de staaflamp en streek met mijn bebloede vingers langs het bordje GEEN DIEREN VILLEN boven het hoofdeind. Voelde het witte knopje en drukte. En stond vervolgens verbijsterd in het harde fluorescerende licht, knipperend, hijgend, zwetend. Ik voelde aan de halsslagader van het kind. Niets. Ik liet me op mijn knieën zakken, boog me voorover en voelde een zwakke adem die zich met de mijne vermengde.

Ik gooide twee nieuwe blokken in een houtkachel waarin de as nog gloeide. *Jarenlange oefening in altijd het verkeerde doen...* Moest ik hem terugleggen op de plek waar ik hem had gevonden? Hem naar het ziekenhuis brengen? Hoe, met een hondenslee? Zelfs als ik tegen die heuvel op kwam, zouden we er nooit op tijd zijn. Dan kon ik hem net zo goed meteen bij het mortuarium afleveren. Ik keek naar de opvlammende blokken.

Stelp dan in ieder geval het bloeden. Kun je dat? Denk diep na, probeer het je te herinneren... Ik pijnigde mijn hersens af, maar het was alsof ik naar iets tastte dat uit mijn zak was gegleden en in de voering zat.

Ik trok aan een houten la, die mijn eerste poging weerstond en bij de tweede helemaal uit de rails schoot. Hij viel uit mijn handen en de inhoud verspreidde zich over de vloer. Ik misbruikte de naam des Heren zo luid dat het me zelf verraste; mijn stem weergalmde in de hut en leek de muren te doen trillen, nog kilometers verderop was te horen dat ik vloekte. Ik zocht haastig op handen en knieën wat geïmproviseerde instrumenten bij elkaar. Mijn oog viel op een als een piratendolk gekromd vleesmes, een tube Krazy Glue en een goedkope oranje schaar...

Ik slikte hevig alvorens ik het lichaam uit zijn juten cocon bevrijdde en de kleverige stukken die in de huid vastzaten losknipte. Het lichaam was dubbelgeklapt als een knipmes, met rood touw om de hals en onder de knieën. Godzijdank niet erg strak aangetrokken. De handen waren met plastic boeien op de rug vastgebonden. Ik morrelde blindelings aan de sluiting, zocht in de zakken van mijn overhemd en mijn jas naar een leesbril en zaagde de verbinding ten slotte door met de dolk. Het touw sneed ik door bij de nek en de knieën.

Nu de kleren. De jeans afrollen tot de knieën, de bloeddoordrenkte boxershort. Ik sjorde aan de broekspijpen en trok ze over de ongeschoeide voeten. Vervolgens een shirt en een trui, allebei aan flarden. Nu had de jongen alleen nog een...

Alles leek nu viermaal zo traag en in een andere dimensie te gebeuren. Ik stond bij de gootsteen en werkte als een robot – wassen, spons uitwringen, steelpan met water vullen. *Het is een meisje, stomkop, geen jongen.* Ik keek rond naar iets om het bed af te dekken, de gordijnen in de huiskamer, het doorgestikte vloerkleed. Beide onbruikbaar. In de badkamer scheurde ik een lichtgekleurd plastic douchegordijn los dat bespikkeld was met een melkweg van schimmel; de metalen haakjes schoten een voor een los. Ik propte het in het bad en hoopte dat ik onder de gootsteen iets zou vinden om het mee schoon te maken.

Tussen hard geworden oude lappen stonden een blik klonterig Ajax-schoonmaakmiddel en een doos staalwol met een Bulldog-logo die al sinds de jaren tachtig niet meer in de handel was. Ik draaide de kranen open totdat het water klaterend en heet in het bad stroomde. Keek naar mijn moddervoeten en besefte dat ik ze niet voelde. Rukte mijn schoenen en sokken uit, rolde mijn

16

broekspijpen op en stapte in het bad. Begon te boenen, met een manische gedrevenheid die ik in geen jaren had gevoeld, niet meer sinds ze me hadden opgeborgen.

Toen het gordijn schoon was, schoof ik het voorzichtig onder het meisje. Ze was klein en stevig en had een engelengezichtje. Ik schatte haar op een jaar of twaalf. Kleine diertatoeages op beide schouders: rechts een lichtbruine beer, links een gelige poema. Een kring van rode wonden op haar polsen – net winterhanden, die dickensiaanse aandoening – en alle nagels gebroken, de nagelbedjes vol zwartachtig bloed.

Ik had haar net afgesponsd toen ik gekrab aan de voordeur hoorde, als van een hond die erin wilde. Ik hield op met wassen en luisterde. Nee, het gekrab kwam van de bovenkant van de deur of het dak... Ik liep in de richting van het geluid, maar op dat moment zwaaide de deur al wijd open. Er stond een duister silhouet op de drempel, doodstil, met een volle maan als aureool. Een Mountie in een bontjas? Een beer op zijn achterpoten? Ik kwam dichterbij.

Niets, niets dan die vervloekte... symptomen, nabeelden. Alcoholische hallucinose of ziekte van Wernicke of syndroom van Korsakoff of encefalopathie van Joliffe. Of gewoon ouderwetse krankzinnigheid. Ik stopte mijn gedachten. De truc, had ik lang geleden geleerd, was weer bij nul beginnen, me concentreren, doorgaan met waar ik mee bezig was. Ze konden je niet te pakken krijgen als je gewoon doorging. Ik smeet mijn lijf tegen de deur en drukte hem tegen de aanwakkerende wind in dicht. Er zat een ouderwets uitziende koperen sleutel in het slot, en die draaide ik om.

Er was bij lange na niet genoeg licht, dus ik verplaatste een van de staande koperen lampen; het gerafelde snoer siste en knetterde en maakte toen kortsluiting. Ik vloekte opnieuw hartstochtelijk en liep terug naar de keuken om iets te zoeken waarmee ik het kon repareren, iets wat ik tussen de gevallen voorwerpen op de vloer had gezien: een halve rol groen isolatieband. Ik herstelde het contact, stak de stekker er weer in en draaide de lampenkap zo dat er zo veel mogelijk licht op mijn operatietafel viel. Rond het gezicht van het meisje zweefde als een aura een spookachtig blauw nabeeld van de lamp.

Op haar buik zat een snijwond, aan de linkerkant, vlak onder de ribbenkast. Er welde traag maar gestaag donker bloed uit op. De andere wond zat aan de binnenkant van haar rechterdij, midden in de langste spier van het lichaam, de kleermakersspier, die van de buitenkant van de heup naar de binnenkant van de knie loopt. Daar was het bloed helderrood, direct afkomstig uit het hart, naar buiten lekkend bij elke samentrekking.

Geweldig. Een bed vol bloed en een lijk in mijn hut. Het lijk van *een minderjarig meisje*. Wat zullen mijn ex en haar advocaat zich hier gretig op storten.

Mijn knieën knikten, ik wankelde en het bloed bonkte oorverdovend tegen mijn slapen. Was ik bezig gek te worden? In een poging om weer wat helderder te worden schudde ik mijn hoofd een keer of tien krachtig heen en weer. Toen dat niet werkte, sloeg ik met mijn voorhoofd tegen de deur, niet één keer, niet twee keer, maar drie keer. Ik deed de deur open en liet me door de wind met scherpe hagelkorrels bekogelen, die zo koud waren dat ze warm aanvoelden. Toen stapte ik naar buiten, de sneeuw in.

Uit mijn handschoenenvakje pakte ik een plastic .38 en een leesbril, en van onder de bijrijdersstoel de overlevingskit van mijn vader. Ik maakte hem voor het eerst open en keek erin: een zaklantaarn die je kon opladen door hem heen en weer te schudden, een radio/lantaarn, een EHBO-doos en een opwindbare oplader voor mobiele telefoons. Maar geen telefoon. Gereedschapskist, ik moest mijn gereedschapskist hebben. Ik rommelde onder de bijrijdersstoel, maar hij was er niet. Gestolen? Nee, hij had nooit onder de bijrijdersstoel gelegen. Hij lag bij de wielkast van het achterwiel. Ik griste hem naar me toe, samen met mijn nylon slaapzak.

Onder de gerepareerde lamp inspecteerde ik de inhoud van de EHBO-doos. Die voldeed aan alle voorschriften, zoals alles wat van mijn vader was. Ik pakte er twee kompressen uit, vouwde ze open, legde ze op de wonden en drukte ze aan. Ze waren allebei al snel doorweekt, dus maakte ik pakjes gaas open en legde de gaasjes in lagen op de kompressen.

Het bloeden hield niet op. *Denk na, probeer het je te herinneren, schraap over de bodem van de resten van je hersenen.* Er zijn zesentwintig drukpunten op het lichaam, dertien aan elke kant. Maar waar, en op welke moest je drukken? Ik drukte de muis van mijn hand direct op de snee in de lies, midden in de bikinilijn, bad dat het de goede plek was en begon te drukken. De bedoeling was de dijslagader dicht te drukken, maar het werkte niet... Ik duwde mijn knokkels tegen mijn lippen, bijna in paniek, rook en proefde haar warme, koperachtige bloed.

Een papje van cayennepeper kan een bloeding binnen een paar seconden stelpen, schoot me ineens te binnen. Althans volgens kruidenvrouwtjes. Maar ik herinnerde me niet kruiden te hebben gezien, noch hier noch bij mijn buurman.

Met mijn platte vingertoppen drukte ik vlak boven de slagader, en met de muis van mijn andere hand oefende ik extra druk uit. Ik telde tot zestig, tot negentig. Ja, iets beter... Tot honderdtwintig, honderdtachtig... veel beter. Ik slaakte een zucht die ik die volle drie minuten leek te hebben vastgehouden.

En nu? De wonden omhoog brengen, tot boven het hart. De stroming vertragen, het stollen bespoedigen. Ik keek om me heen. Ik pakte een kussen van de bank om dat onder haar te schuiven, maar verwierp dat plan snel weer. *Errore molto grande* als ze fracturen heeft. Ik gooide het kussen op de vloer, tilde een uiteinde van het bed op en schopte het kussen eronder. Daarna pakte ik het andere kussen en herhaalde de procedure aan de andere kant.

In de keuken draaide ik de kraan helemaal open over een lepel die in de gootsteen lag, waardoor het water in mijn gezicht spoot. Ik veegde mijn ogen af met mijn vuist, vulde een grote metalen pan met water en zette hem op het fornuis. Hetzelfde deed ik met een oude waterketel, een zwaar gietijzeren geval waar een hevig geschrokken spin uit spoelde. Ik streek een lucifer af en stak twee pitten aan. Propaangas. Voor hoe lang zou er nog genoeg zijn?

Uit een binnenvak van mijn rugzak haalde ik een naaisetje uit een Best Western-hotel, met een naald en een kaartje met zwart draad. Ik gooide ze in de pan water. Uit de gereedschapskist pakte ik een pincet en een tangetje. Krammetjes, ik moest krammetjes hebben...

Ik rommelde op handen en knieën op de keukenvloer in het allegaartje van gereedschap. Niets. Ik liep terug naar het bed en staarde naar de snee in de lies, waar kleine stroompjes rood uit kwamen. De cijfers van het alarmnummer, 9-1-1, begonnen als loterijballetjes door mijn hoofd te stuiteren. *Hoe kun jíj haar nou redden? Jíj die alles zo vakkundig hebt verkloot. Je kunt jezélf niet eens redden.* Er was geen telefoon in mijn hut, maar misschien wel in die van mijn buurman...

Ik was al vergeten hoe donker het in het noorden kan worden. Ik keek omhoog en vroeg me af of ik mijn ogen dicht had. Een gitzwart doodskistdeksel, een noordwestenwind die zwarte wolken langs een zwarte lucht dreef. In het zwakke licht van de zaklamp zag ik alleen silhouetten van bosjes en coniferen, van enorme rotsblokken als beesten uit sprookjesboeken.

De sneeuw is vol zuchtende spoken, die zweven
en hopend op antwoord aan 't glas blijven kleven...

'Jezus, niet weer,' zei ik dringend tegen mezelf. Van bestaande geluiden en vormen andere geluiden en vormen maken, auditieve en visuele luchtspiegelingen. Een regressie naar de dichotomische geest uit prehistorische tijden, is me eens uitgelegd.

Het busje wilde niet starten dus ik zette het in zijn vrij, stapte uit en duwde tegen het portier. Op een flauwe helling rolde de wagen een paar meter verder. Ik knipte het grote licht aan, zag zilverwit oplichtende, wild dansende vlokken en korrels, en in de verte, vaag, de stoep voor de hut van mijn buurman. Ik zou een mijnwerkershelm en -houweel nodig hebben om daar te komen. Glibberend en met mijn armen maaiend volgde ik de bleker wordende lichtbanen.

Op de voor- en achterdeur zaten constructies met grendels, beugels en koperen hangsloten, dus ik pakte een blok cederhout van een stapel brandhout op de veranda en begon daarmee op het raam aan de voorkant te beuken, fanatiek, onnodig hard, als een bezetene. De geluiden galmden luid na in mijn schedel, net als het vloeken en de klap in de keuken. Ik plukte met mijn blote handen glasscherven los en wurmde me door de sponning naar binnen. Ik voelde een krachtige weerstand aan mijn arm en rug trekken, hoorde het geluid van vastzittend en scheurend textiel. In het pikdonker knerpten stukjes glas onder mijn schoenen terwijl ik de muur aftastte naar een lichtschakelaar. Klik. Er was stroom! Maar de enige telefoon die ik kon vinden was een zwart draaischijftoestel in de keuken, en daarvan was het snoer uit de muur gerukt.

Wat nu? Een postduif op pad sturen? Terwijl ik naar de afgescheurde draden stond te kijken rook ik iets weerzinwekkends, de stank van Javex-bleekmiddel, wat me deed denken aan een strakke witte jas die ik ooit had moeten dragen.

Ik rukte de laden en kasten open – die vreemd genoeg allemaal barstensvol waren. Blikken met alle mogelijke levensmiddelen, in hoeveelheden alsof de bewoner een belegering verwachtte: soep, mais, erwten, wortels, stoofvlees, zalm, tonijn, gecondenseerde melk, ahornsiroop, warme chocolade... Minstens twintig pond rijst. Talloze dozen pasta, crackers, poedermelk, havermout, pannenkoekmix, bakpoeder, inmaakzout... Maar geen koffiebonen, alleen potten oplos, en geen alcohol.

In een la, nota bene in de badkamer, vond ik een setje krammen van oranje plastic, maar veel groter dan ik nodig had. Ook vond ik onder de gootsteen een EHBO-kit met verband, toverhazelaarextract, een rol verbandgaas, rubberhandschoenen, plakpleisters, steriele strips, hansaplast, losse gaasjes, een pincet, betadinezalf, babyshampoo... *Babyshampoo?* In de spiegel boven de gootsteen zag ik dat ik bloedende wonden op mijn arm en mijn rug had en dat mijn gezicht en mijn handen onder de kleine sneetjes zaten. Ik plukte er stukjes glas uit en plensde ijskoud, roestkleurig water in mijn gezicht.

Ik dekte het kapotte raam provisorisch af met twee groene vuilniszakken. Vervolgens stopte ik zoveel eten en EHBO-spullen in een derde zak als ik kon. Ik was al op weg naar de deur toen ik besefte dat ik iets was vergeten. Een TAG Heuer-horloge met een blauwe wijzerplaat dat ik op het nachtkastje had zien liggen. Op mijn steeds verder uitdijende strafblad zouden nu ook inbraak, vernieling van andermans eigendom en diefstal prijken.

In mijn gietijzeren pan, waarin het water inmiddels kookte, gooide ik een prop ongebruikte keukendoekjes en een schaar. Ik temperde de vlam en zette een deksel op de pan. Met kokend water uit de ketel spoelde ik een glazen kan om, die ik vervolgens met kraanwater vulde. Ik gooide er drie lepels van het inmaakzout van mijn buurman in, en één lepel bakpoeder. En nu roeren... Ik trok de bestekla open en pakte er een broodmes uit. *Roeren met messen geeft gillen en kressen,* hoorde ik de stem van mijn moeder zeggen. Ik legde het mes neer en pakte een plastic slavork. *Roeren met vorken, dat is iets voor horken.* Ik legde de vork neer. Pakte een slalepel, spoelde hem met kokend water af en roerde. Het deksel van de pan begon te rammelen.

Met dezelfde lepel viste ik het hotelsetje eruit. Het draad was zacht en haast vloeibaar, begon al uit elkaar te vallen. Ik doorzocht alle laden en kasten naar iets vervangends. Niets.

Tussen de dakspanten zag ik iets veelbelovends, iets dat aan een balk hing... Ik ging op een keukenstoel staan en trok eraan: een kluwen ingevet takelgaren. Aan het ene uiteinde was al een naald bevestigd, een zeilnaald. Maar het garen was te dik en de naald te groot. Wat nu? Dan maar niet hechten. Met plakband ging het ook. Of Krazy Glue.

Ik keek op mijn blauwe horloge en schuurde exact drie minuten lang een koekblik met staalwol en Ajax. Ik spoelde het in het bad af met heet water en liep terug naar de keuken om de ketel en de rubberhandschoenen van mijn buurman te halen. Ik goot gloeiend heet water over het blik en de rubberhandschoenen heen.

Ik viste de tang, het pincet, de schaar en de keukendoekjes uit de pan met kokend water en legde alles op het koekblik. Sneed de doekjes in kleine vierkantjes. Vouwde vervolgens een theedoek in tweeën en bond hem als een bankrover voor mijn mond en neus. Ik probeerde hem achter mijn hoofd vast te binden maar hij was te kort, dus ik maakte hem vast met een elastiek. Daarboven zette ik mijn leesbril op. *Als ze haar ogen opendoet, stikt ze van het lachen.*

Ik trok de rubberhandschoenen aan en zette het koekblik op een keukenstoel, samen met de zoutoplossing en de betadinezalf, en droeg alles naar het bed. Met opgeheven rubberhanden knielde ik neer, als in gebed.

Met de tang doopte ik een stuk of vijf doekvierkantjes in de zoutoplossing tot ze ervan doordrenkt waren. Nadat ik de wonden had schoongeveegd, plaatste ik bij allebei aan weerskanten een vierkantje.

Met het puntje van mijn tong tussen mijn tanden trok ik de randen van de bovenste snee naar elkaar toe en deed er een hansaplast op. Ik kneep kloddertjes betadinezalf uit over de pleister en zette alles voor de zekerheid vast met elkaar overlappende stukken gaas.

Ik veegde mijn voorhoofd eerst met de ene en daarna met de andere onderarm af en wijdde me daarna aan de tweede snee, die op de dij. Die zou lastiger worden. Om te beginnen was hij dieper – ik zag langs de randen lagen onderhuids weefsel. Een verband zou moeilijker op zijn plaats te houden zijn, losgaan als mijn patiënte zich bewoog en weinig helpen bij wondoedeem. Ik moest draad hebben, de boel vastnaaien...

Ik deed mijn ogen dicht en concentreerde me. Ik heb een naald maar geen draad. Wat kon ik in plaats daarvan gebruiken? Haar eigen haar? *Denk na.* Mijn buurman. Hij moest iets hebben. Moest ik teruggaan, nog beter zoeken? Ik keek naar de wond, waar met regelmatige tussenpozen straaltjes bloed uit spoten. *Je hebt niet veel tijd meer...*

Ja! Nu zie ik het voor me, in zijn medicijnkastje! Opgerold in een wit plastic doosje. Ik rende weg – gemaskerd, zonder jas of schoenen – om het te halen.

Met het pincet en de tang wurmde ik het flosdraad van Johnson & Johnson in de naald. Waarna ik diep nadacht. *Er zijn drie soorten hechtingen: de individueel geknoopte, de matrashechting en... wat was de derde ook weer? De doorlopende hechting? Doet er niet toe, want ik weet alleen de tweede nog.* Ik maakte in het midden een steek en trok de randen van de wond dicht naar elkaar toe. Ik legde een platte knoop in het gladde flosdraad en knipte het af. Het vastnaaien was makkelijker dan ik had gedacht. De naald doorboorde de huid, de draad ging er soepel doorheen, mijn patiënte verroerde zich niet. Het deed me denken aan het dichtnaaien van een kerstkalkoen.

Vijf steken, ongeveer een halve centimeter uit elkaar. Het leggen van de knopen was het moeilijkst: ik moest zorgen dat het flosdraad de randen van de wond bijeenhield zonder dat het in de huid sneed, zoals het in je tandvlees snijdt en het laat bloeden.

Ik ging op de grond zitten om uit te rusten; mijn armen gloeiden van de spanning en mijn ogen traanden. Ik ademde diep in, hield mijn adem in en keek. Er kwam bloed naar de oppervlakte, dat de doekvierkantjes vulde. Maar geleidelijk, niet in stoten. Ik depte het bloed op en kneep een sliert betadinezalf langs de wond. Ik wist niet zeker of dat nodig was, maar ik deed het toch. Daarna maakte ik een pakje plakgaas open en plakte het op de huid, goed oplettend dat ik het gedeelte dat op de wond zelf kwam niet aanraakte.

Beide reparaties zagen er knullig en amateuristisch uit, als een door een kind hersteld knuffelbeest, maar ik dacht dat ze wel zouden voldoen. Niet dat het veel zou uitmaken. De toestand van mijn patiënte was onveranderd: ergens tussen de intensive care en het crematorium.

In de huiskamer, met mijn rug tegen het raam, staarde ik naar een bijzettafeltje waarop de vorige bewoner een schaakprobleem had opgezet dat ik niet kon oplossen (er was met een vinger 'MAT IN 3' in het stof geschreven). Met een armzwaai smeet ik de stukken door de kamer. Daarna draaide ik me naar het raam toe zonder iets waar te nemen, me niet meer bewust van tijd en afstand, en voelde alles droomachtig en vaag worden.

II

Achter mijn gesloten oogleden werd ik belaagd door een reeks schrille, zich telkens herhalende beelden uit mijn geheugen. In mijn geïmproviseerde bed van in de knoop gedraaide lakens slaagde ik er niet in ook maar één scène van de vorige avond te wissen; de afgrijselijkheid van alles ging me door merg en been en ik begon te trillen. Ik zag ieder moment, ieder steekje, genadeloos helder, alsof alles onder een microscoop duizend keer werd vergroot. Steeds opnieuw probeerde ik de helling op te komen, naar het ziekenhuis – maar acht kilometer ver! – en draaiden de wielen dol op een wegdek dat geen wegdek was maar een glibberige stroom zwartbruin bloed die snel steeg, het busje zou verzwelgen, ons weg zou spoelen als een plastic speelgoedbootje...

En dat geluid, dat *péts* waarmee het lichaam neerkwam – ik werd er telkens weer wakker van, het dreunde door mijn hoofd, zo regelmatig als een kerkklok. Een absurde associatie, maar het deed me denken aan het *péts*-geluid waarmee de *Star-Ledger*, een krant die ik als kind bezorgde, altijd op de stoepen landde.

In het melkachtige licht van zes uur 's ochtends stond ik op om bij mijn gast te gaan kijken, mijn jonkvrouwe van de moerassen en het riet. Het kleine zusje van Lazarus. Wonderbaarlijk genoeg ademde ze nog. Nu moest alles schoon. De kamers, ikzelf, zij. Terwijl de zon door het voorkamerraam priemde, lapte ik het douchegordijn af met een gaasje met desinfecteermiddel, waarvoor ik haar voorzichtig en met veel moeite moest verplaatsen. Toen waste ik haar van top tot teen en wreef ik haar nylon slaapzak schoon. Voor het eerst vroeg ik me af waarom de sneden niet dieper waren, waarom ze geen van alle op een vitaal orgaan waren gericht. Het leek de bedoeling dat ze langzaam zou sterven – leegbloeden. Waarom?

Haar verklitte haar zat aan haar hoofd gekoekt met opgedroogd bloed en dikke modder waar een zwakke urinelucht uit opsteeg, dus schoof ik een kussen onder haar schouders en liet haar hoofd in een bak water zakken. Met de babyshampoo van mijn buurman waste ik haar haar. Dat was gitzwart en schouderlang, recht afgeknipt zoals dat van Jeanne d'Arc.

Terwijl ik het aan het drogen was, moest ik opeens hoesten en kon niet meer ophouden. Ik liet me op mijn knieën vallen, drukte mijn hoofd tegen de grond en probeerde de vorige dag te reconstrueren aan de hand van de blokjes op het vloerkleed. Als een hond braakte ik over de jarenlang ingelopen etensresten en andere troep heen. Toen kwam ik moeizaam overeind en leunde tegen het raam. Ik trok het dikke bruine gordijn opzij, moest door het opwolkende stof nieuwe braakneigingen onderdrukken en tuurde naar buiten. Het busje zag eruit alsof het geglazuurd was als een taartje en de koplampen brandden zwakjes, niet feller dan de lichtjes in een kerstboom, bijna uit.

De volgende paar uur controleerde ik haar voortdurend op tekenen van infectie: roodheid, verhitting, pus. Als ik zoiets zag, zou ik de hechtingen moeten verwijderen en de ontstoken plek draineren. Maar nee, ze leek goed vooruit te gaan. Toch vroeg ik me telkens af of ze sliep of dood was als ik haar zo met haar ogen dicht op het bed zag liggen.

Bij mijn buurman vond ik in een afgesloten kast waarvan de sleutel ernaast aan de muur hing een magnetron, nog in de doos, met een Walmart-sticker met een vrolijk gezichtje erop. Ik sjouwde hem naar mijn huisje en warmde in groezelige Tupperwarebakjes een ratjetoe op van runderbouillon, tomatensoep, gebonden champignonsoep, groentesoep, appelmoes en warme chocola. Geen vast voedsel, want daar zou ze in kunnen stikken. Mijn patiënte raakte niets aan. Ze sliep nog steeds, met haar arm bungelend over de rand van het bed. Eén keer zuchtte ze en even leek ze haar ogen open te doen, maar ik wist niet zeker of ik het goed had gezien. Ze had een beurse plek op haar keel, een almaar uitdijende wegenkaart van blauwe, grijze en paarse lijntjes. Toen ik haar op bloedingen controleerde, bleek het plastic gordijn drijfnat te zijn. Maar niet van het bloed. Christus, dat ik daar niet aan had gedacht! Ik haalde de keuken overhoop op zoek naar iets wat als ondersteek kon dienen.

Ook de tweede dag at of dronk ze niet, en haar temperatuur ging omhoog. Bij koorts niet eten, zeggen ze altijd, maar dat ging hier niet op: ondervoeding vertraagt de stolling. Ze moest eigenlijk een infuus hebben, maar ik moest met een ouderwetser type dwangvoeding genoegen nemen. Ik wrikte haar mond open alsof ik een paard onderzocht. Haar tanden waren vuil en stonden schots en scheef, als de grafstenen op het kerkhof. Ik hield haar hoofd achterover en druppelde met een oogdruppelpipet zo veel mogelijk water in haar keel. Ik dacht dat ze het weer zou uithoesten, maar dat gebeurde niet. Toen probeerde ik wat melk. Ook dat ging goed naar binnen, druppel voor druppel. Ik hield op toen ze het weer uit begon te spugen, samen met wat groenig slijm dat langs haar kin droop.

Zelf at ik trouwens ook niet, al dronk ik aan één stuk door: koffie met zwarte drab erin waarvan ik vierentwintig uur klaarwakker bleef, de ene kop na de andere, totdat mijn handen trilden. Ik had hooguit twee uur geslapen sinds ik haar gevonden had. En misschien nog twee uur staand, als een paard. Maar mijn hoofd was verrassend helder. Ik was clean, een nieuw gevoel, een nieuwe onschuld, terug naar het lieve lang geleden.

Tegen middernacht hoorde ik zwakke geluidjes, zoals een baby maakt. Ik boog me over haar heen en zag dat haar lippen trilden en haar ogen langzaam opengingen. Ze had geen ogen! O nee, ze waren alleen donkerrood. Ik gaapte haar aan alsof ze een object

op de kermis of in de dierentuin was, en ze keek uitdrukkingsloos terug. Haar lippen bewogen, of verbeeldde ik me dat? Heel
langzaam, in de vorm van een O.

Bedoelde ze *eau, de l'eau*? Ik rende naar de keuken en kwam
terug met een vol waterglas. Ik hield de rand bij haar lippen,
maar ze tilde haar hoofd niet op. Daar had ze de kracht niet
voor! Met mijn vrije hand bracht ik haar hoofd voorzichtig omhoog. Toen kantelde ik het glas. Te snel – het water liep haar hals
in. Ik probeerde het nog een keer. Dit keer voelde ik haar nek-
spieren aanspannen en hoorde ik een zuigend geluid, alsof ze
naar lucht hapte. Ze dronk zelf! En ze slikte, telkens weer, als een
uitgedroogde nomade in de woestijn. Toen keek ze me aan alsof
ze wilde zeggen 'genoeg'. Ik liet haar hoofd weer in het kussen
zakken. Ze deed haar ogen dicht en viel in slaap.

Ze sliep het grootste deel van de tijd, dronk af en toe – water,
groentesap, sinaasappelsap – en at niets. Ik probeerde haar belangstelling te wekken voor de runderbouillon, maar ze snuffelde er alleen aan en hield haar mond stijf dicht. Ik moest iets
nieuws bedenken: ik verkruimelde wat brood in een glas melk
en wekte haar elke twee uur om haar te dwingen daar een paar
lepels van te eten.

Als ik haar verband verschoonde, haar waste of de ondersteek
weghaalde, bleef ze roerloos liggen en keek strak naar mijn gezicht met haar angstaanjagend felle, gespannen tijgerogen vol
groene diepten, exotisch voorouderlijk bloed – oud Macedo-
nisch misschien, of een onbekende indianenstam.

'*As-tu mal?*' vroeg ik. Ik bestudeerde de paars geworden
bloeduitstortingen, die haar ogen wasbeerachtig maakten en
haar keel tatoeëerden. '*Est-ce que tu souffres?*'

Meer dood dan levend schudde ze haar hoofd, al is 'schudden'
nauwelijks het juiste woord voor die pijnlijk trage beweging.
Het was ons eerste echte contact, afgezien van de borende blikken van die bloeddoorlopen groene ogen. Ik had eerder groene
ogen gezien, maar deze waren heel anders, afkomstig uit een andere tijd, een andere wereld.

De volgende twee dagen sneeuwde het. Een dikke sneeuwlaag deed de boomtakken doorbuigen en maakte de rivier wit en onzichtbaar. De derde dag klaarde het even op en schoot de zon fel tussen de wolken door, maar de vierde dag werd het nog erger: muren van zilveren stof, opgejaagd door de huilende noordenwind. De bomen kreunden onder het gewicht van de sneeuw, zwiepten en schudden heen en weer totdat de zwaarste takken afknapten, vielen en in de zachte witte diepte verdwenen.

Er volgden ijskoude dagen, donkere, sterreloze nachten, de ene sneeuwstorm na de andere. Er leek geen patroon in de wind te zitten; die woei uit alle richtingen, met steeds wisselende snelheid. Later ontdekte ik dat ik op een record was gestuit: de zwaarste sneeuwval sinds '71. Die beroering in de natuur bracht me niet uit mijn doen, ik vond het juist opwekkend, een welkome afleiding van de beroering in mijzelf. Ik was ook niet bang om te verhongeren of dood te vriezen – er was meer dan genoeg te eten en brandhout in overvloed. Waar ik me wel zorgen over maakte, was de medicijnvoorraad. Haar verband moest dagelijks worden ververst en ze had ook meer ontsmettingsmiddel, pijnstillers en antistollingsmiddelen nodig. Maar hoe kwam je daaraan? De noodaccu van het busje was leeg en zelfs met een volle accu was de weg onbegaanbaar. Wat nog erger was: het was een *chemin saisonnier*, en dat hield in dat hij 's winters niet sneeuwvrij werd gemaakt.

Op een ochtend vroeg, na een lange derwisjdans met de slapeloosheid, mijn gebruikelijke nachtelijke bezoeker, ging ik weer naar het buurhuis om te kijken of daar sneeuwschoenen lagen. Het stoepje ging schuil onder hoog opgejaagde sneeuwhopen, die ook tegen de deur drukten. Met een blauw schepje, dat eerder geschikt was voor in de zandbak, maakte ik een pad vrij.

Binnen begon de boel ondanks de rammelende plintverwarming te bevriezen, dus ik stak de houtkachel aan. En spijkerde een wollen deken voor het kapotte raam. Terwijl ik daarmee bezig was, zag ik voor het huis iets staan, half ingesneeuwd. Een sneeuwscooter.

Dat zou al onze problemen kunnen oplossen, dacht ik jubelend, al had ik nog nooit met zo'n ding gereden en al had ik de sleuteltjes niet. Maar die bleek ik ook niet nodig te hebben, want toen ik de scooter had uitgegraven, zag ik dat hij gewond was, dodelijk gewond, met doorgeknipte leidingen, doorgesneden slagaderen en een dashboard dat eruitzag alsof het met een bijl was ingeslagen. Ik gebruik die woorden doelbewust, want de bijl zat nog in het glas. Er zat een sticker op het chassis met de tekst RIJ VEILIG, RIJ NUCHTER. Ik sjokte weer naar binnen, en omdat ik weinig anders te doen had terwijl mijn patiënte sliep en de sneeuw zich ophoopte, begon ik rond te snuffelen.

Ondanks de hertenkop boven de schouw, een drietal olieverfschilderijen van indrukwekkende berglandschappen en een grote kalender met een plaatje van een eland die zich bij volle maan de wolven van het lijf probeert te houden, leek het huis eerder een winkel in survivalartikelen dan een jachthut. In een inloopkast die was afgesloten met een hangslot dat ik moeiteloos open kreeg, vond ik een kookplaat met een butagastankje, een pooldeken, blarenpleisters, verband, kompressen, een poolslaapzak met een windschermpje, een GPS, een rood flitslicht met autoadapter, en het allermooiste: een injectienaald met morfine. In een rugzak zaten cashewnootjes, een reep melkchocola, water, Advil, theezakjes en een homp beschimmelde kaas.

Maar het intrigerendste van alles was een grote metalen koffer, zo'n ding waar de roadies van een band de apparatuur in versjouwen. Er zat een heel geavanceerd digitaal slot op dat ik onmogelijk kon forceren, dus ik schroefde de scharnieren los, waar ik meer dan een uur over deed. Ik telde langzaam tot drie en tilde toen het deksel op.

Groene plastic vuilniszakken, allemaal dichtgeknoopt, met daarin nog meer groene plastic zakken, als een matroesjkapop. In de derde en laatste zak zat een schat, een groot kerstcadeau: een fleece trui, dikke wollen sokken, een camouflagejack, sneeuwschoenen, berenspray. Daar zou ik het bij gelaten hebben als ik niet had gezien dat de bodem van de koffer nogal hoog was en niet uit metaal, maar uit hout bestond. Een koffer met dubbele bodem? Ik wrikte de plaat triplex los en zag een grote zwarte parka, zonder verpakking. Op de borstzak zat een blauw met geel embleem met middenop een regenboogforel en een Canadese gans, onderaan U.S. DEPARTMENT OF THE INTERIOR en bovenaan FISH & WILDLIFE. In de uitpuilende zijzakken vond ik een taser en een dienstrevolver. Binnen in de dichtgeritste jas zat een kogelvrij vest en een holster met daarin een Winchester Magnum .300.

III

Zo ver was het dus met mij gekomen. Ik had bij een wetshandhaver ingebroken. Maar waarom woonde hij hier, waarom was het een Amerikaan en waar was hij nu? Waar was zijn auto of pick-up of waar die houtvesters ook maar in rijden? Ik had verhalen gehoord over mensen die tijdens een autorit door sneeuwblindheid waren getroffen en pas in het voorjaar, als hun lijkkist van sneeuw was ontdooid, waren teruggevonden. En over houtvesters die door stropers waren doodgeschoten en als slachtoffers van jachtongelukken waren gemeld, of in het bos waren achtergelaten om weg te rotten. Moest ik dit melden? Maar hoe?

Ik dubde over deze vragen terwijl ik mijn oprit schoonveegde met mijn plastic schop. Het was slopend en zinloos werk, alsof ik sneeuwballen tegen een berg op rolde. Ik stond op het punt er de brui aan te geven toen ik een zacht knarsend en schurend geluid hoorde dat steeds luider werd. Een vliegtuig? Een vliegtuig met motorproblemen?

Ongeveer honderd meter van me vandaan dook een eigenaardig uitziend voertuig aan de horizon op, als een luchtspiegeling. Het rondde de bocht, minderde vaart tijdens de afdaling van de heuvel en reed voor me langs, waarbij het aan het eind van mijn oprit een hogere sneeuwbank opwierp dan ik zojuist had weggeruimd. Het was een sneeuwploeg – ofwel een zelfgefabriceerde, ofwel een model uit lang vervlogen tijden. Aan de voorkant zat een uitstulping van plexiglas, die als een geschutskoepel aan het raam van de cabine was bevestigd.

Ik hief mijn speelgoedblauwe schop op naar de bestuurder.

Die stopte en zette de motor af, waarna hij me met open mond en naar buiten hangende tong bleef zitten aangapen.

'Ik had niet verwacht u hier te treffen!' riep ik in het Frans.

Hij draaide zijn raampje niet omlaag, want beide raampjes stonden al open. Er zat rijp aan zijn oogleden en neusgaten en in zijn zwarte baard krioelden witte slangetjes. Hij nam me zorgvuldig op voor hij antwoord gaf. 'Volgens mijn baas zit hier een nieuwe opzichter. Een dierenbeschermer of houtvester of zoiets. Bent u dat?'

Hij sprak een plattelandsvariant van het Québécois waar ik met moeite een touw aan kon vastknopen. 'Nee,' antwoordde ik.

'Wat doet u hier dan, als ik vragen mag? Jagen? Vallen zetten?' De woorden schoten als kogels uit zijn mond, begeleid door rookwolkjes.

'Zoiets, ja.'

Hij draaide een kwartslag op zijn stoel en klom uit de cabine. Het was een boom van een kerel, twee meter twintig lang, maar met een vlezig middengedeelte: een ectomorf met een pens. Hij droeg een legergroene parka, een sneeuwmobiel-camouflage-broek en een wollen Montreal Canadiens-muts, allemaal strakgespannen en te klein. Aan zijn voeten had hij sneeuwlaarzen met bont die op twee wasbeertjes leken.

'Hoort u bij die groep houthakkers bij Hawkshead?' Hij veegde zijn neus en baard af met een vettige sneeuwmobielhandschoen. Een neus die gemaakt was voor het nasale *joual* en die als een kurk uit zijn gezicht stak.

Ik had de neiging met mijn hand te wapperen tegen de stank van kleren die al twee weken of langer waren gedragen, maar ik besloot dat maar niet te doen. Ik schudde mijn hoofd.

'Is dat uw jagershol?' Hij knikte naar de hut en grijnsde een rij cementkleurige tanden bloot. 'Voor af en toe eens wat plezier buiten de deur?'

Het duurde een paar seconden voor het tot me doordrong wat de man vroeg, en dat het geen jagerslatijn was. 'Of ik hier mijn vrouw bedrieg, bedoelt u?'

Hij grijnsde nog steeds.

'Nee, ik ben eh... kluizenaar, zeg maar. Met vakantie.'

De sneeuwploegbestuurder staarde me aan met waterige bleekblauwe ogen die leken te wijzen op een slechte gezondheid, achterlijkheid of beide. Zijn armen hingen omlaag als die van een holbewoner, met de handruggen naar voren. 'Alleen?'

Kluizenaars zijn over het algemeen alleen, ja. Ik knikte.

'Is het niet vreselijk eenzaam hier? Midden in de wildernis?'

Niet eenzamer dan een jarenlang vruchteloos samenzijn. 'Niet echt, nee.'

'U geniet van de zeldzame schoonheid van onze ruige bossen, dus?'

Deed ik dat? Wat betekende de zeldzame schoonheid van ruige bossen voor me? De afwezigheid van mensen. Een systeem dat perfect functioneerde zonder mensen. 'Zo zou je het kunnen zeggen, ja.'

'Bent u er zó eentje? Een bomenknuffelaar? Bladereneter? Bambi-fan?' Hij had zijn ogen opengesperd en zijn mond half open en leek op bevestiging van de grap te wachten, zodat hij kon losbarsten.

'Nou nee, dat niet. Maar mag ik u iets vragen? Ik moet naar een ziekenhuis. Mijn schouder – ik denk dat-ie uit de kom is gegaan bij het sneeuwruimen...'

'Ik heb mijn vaste ronde, hè.'

'Ik vraag u niet om een lift, ik heb startproblemen. Mijn accu is leeg en ik...' Ik haalde mijn portemonnee tevoorschijn. 'Ik zal u betalen.'

'Alles ligt plat. De stroom is overal uitgevallen. Het ziekenhuis draait op het noodaggregaat. Het verbaast me dat er hier nog elektriciteit is...' Hij zweeg en keek onderzoekend naar de voetsporen in de sneeuw die van en naar de hut van mijn buurman liepen. Vervolgens zette hij zijn muts af en krabde op zijn hoofd. Hij was zo kaal als een biljartbal. Zijn oren waren verfrommeld en rubberachtig, alsof ze gekookt waren. Hij keek van opzij naar de hut en hield zijn hoofd eerst naar de ene en toen naar de andere kant scheef.

Ik draaide me om om te kijken wat zijn aandacht had getrokken. Een schaduw voor het raam aan de voorkant, het donkere gordijn dat op zijn plaats terugviel.

'Ik dacht dat u zei dat...' De bestuurder knipoogde. 'Hé, stop die portemonnee maar gauw weer weg. Hebt u startkabels? Oké, geef dan maar drie twintigjes. Waar is uw auto trouwens? Je ziet hier geen reet.'

Ik deed een hangslot op de stormluiken en trok de gordijnen dicht. Op het nachtkastje van mijn slapende patiënte legde ik als barrière tegen mogelijke gevaren de spuitbus met berenspray, de tazer en de revolver van mijn buurman, in de hoop dat ze de kennis en de kracht bezat om ten minste een van die dingen te gebruiken. Ik liet een tweetalig briefje achter, graaide een dikke prop bankbiljetten mee en deed twee grendels voor de deur.

Ik schoot in het busje met de opgeladen accu de oprit uit, die door de man met de sneeuwploeg min of meer was schoongeveegd, en sloeg in het kielzog van zijn ploeg opnieuw de weg naar de kerk in. De weg was als een tunnel, met takken als overkapping en torenhoge witte sneeuwbanken aan weerszijden. Ik naderde voorzichtig de oude brug en zorgde dat de wielen precies midden over de twee houten planken gingen. Ik bleef in de eerste versnelling rijden tot ik de grote weg bereikte.

Ditmaal lukte het me de heuvel op te komen, die inmiddels met kaneelkleurig zand was bestrooid, en weldra kwam ik bij een groen bord dat de grens van het dorp aangaf:

BIENVENUE À SAINTE-MADELEINE
POP. 4200, ÉLÉV. 810 m
(JUMELÉE À GEEL, BELGIQUE)

In alle nullen zaten gaten, zo te zien van kogels.

De man van de sneeuwploeg had gelijk wat de storm betrof.

Er waren afgebroken takken en elektriciteitsdraden op de weg gevallen en alle gebouwen aan de noordkant waren donker. Ik passeerde een groot granieten bouwwerk van vier verdiepingen met een gemetselde, zes meter hoge muur eromheen: het ziekenhuis, nam ik aan. Er was geen verkeer, dus ik stopte ervoor en keek naar een hoge kraan die achter een van de gebouwen spastisch in de weer was, als een prehistorische plunderaar. Ik keek rond of ik ergens de naam van dit bouwwerk zag en vond hem op een hek tussen twee stenen, door bollen bekroonde pilaren:

L'INSTITUT PSYCHOGÉRIATRIQUE DE STE-MADELEINE
POUR LES CRIMINELS ALIÉNÉS
PSYCHOGERIATRISCH INSTITUUT ST. MADELEINE
VOOR PSYCHISCH GESTOORDE CRIMINELEN

Ik reed verder, door een winkelstraat waar kerstversieringen aan de lantaarnpalen hingen, langs een zootje autodealers, fastfoodtenten en motels met zwembaden vol sneeuw naar een spiksplinternieuwe Walmart. Het parkeerterrein werd net schoongeveegd en gepekeld toen ik aankwam.

Twee met elkaar concurrerende spandoeken hingen tussen oude sparren die even groot waren als de kerstbomen in het Vaticaan of op Trafalgar Square die ik als kind had gezien. Het ene riep op tot aansluiting bij een vakbond, het andere poneerde:

OUI NOUS AVONS DU COURANT! DES DINDES AUSSI!
WIJ HEBBEN STROOM! EN OOK KALKOENEN!

Het begon me op te vallen dat op alle tweetalige borden in deze provincie de Franse tekst driemaal zo groot was als de Engelse, alsof alle Franstaligen bijziend waren.

Het steenzout knerpte onder mijn voeten terwijl ik naar de ingang liep, wat me deed terugdenken aan het grindpad waar ik in de herfst op had gelopen in de rouwstoet achter de kist van mijn vader. En met het geluid kwamen er ook beelden – de kist die heen en weer zwaaide aan canvas riemen die hem over verchroomde katrollen op groen vilt lieten zakken, de scheppen aarde die met doffe ploffen neerkwamen...

Uit buiten opgehangen luidsprekers klonk opdringerige kerstmuziek. Ik was zo diep in gedachten geweest dat ik was vergeten waar ik was, en wanneer.

Later on we'll conspire
As we dream by the fire
To face unafraid
The plans that we've made
Walking in a winter wonderland...

Binnen werd ik joviaal begroet door een oude *gaillard* met een Kerstmannenbaard, een echte volgens mij, die een rood karretje voor me tevoorschijn trok. Het had één wiebelend wieltje, maar ik duwde het toch maar naar de Comptoir Santé. Van de schappen met EHBO-spullen pakte ik pleisters, gaas, watten, zalf, een tang en een thermometer. Ik vroeg de apotheker – die volgens zijn naamplaatje Emad Azouz heette – waar ik een ondersteek kon vinden. Gangpad 7. En een bladtafeltje voor op bed, u weet wel, met van die kleine pootjes? Gangpad 13. Vervolgens vroeg ik om slaappillen, paracetamol met codeïne, injectiespuiten en een literpot betadinezalf, en hij haalde alles glimlachend van achter de toonbank tevoorschijn. Maar hij trok een bedenkelijk gezicht toen ik om andere dingen vroeg, zoals cloxacilline, morfine en lidocaïne. En Cymbalta, de antidepressiva die ik stom genoeg in mijn vaders auto had laten liggen. En tevens mijn Risperdal (tegen hallucinose), Antabuse en Baclofen (om me van de drank te houden), allemaal voorgeschreven door mijn vader. *Generation* RX, dat was ik ten voeten uit – op mijn lijf geschreven.

When it snows, ain't it thrilling
Though your nose gets a chilling
We'll frolic and play

Verder naar de etenswaren, waar ik mijn karretje begon vol te stouwen met instantrotzooi: zwaar voorbewerkte magnetron-maaltijden, zwaar gezoete cornflakes, zwaar gezouten snacks... alles waar mijn kleine Brooklyn altijd dol op was. Voor mezelf pakte ik zes flessen van een middelmatige merlot en rangschikte ze met zorg in het karretje. Waarna ik er met trillende handen twee terugzette, mijn karretje een meter verder duwde en de andere vier ook terugzette.

Ik liet het karretje staan en ging een tweede halen. Daarmee liep ik naar de afdeling kinderkleding, waar ik het volgooide met flanellen pyjama's, wollen sokjes (poppensokjes!), katoenen ondergoed en katoenen T-shirts met verstevigde col, drie voor tien dollar, *made in* Bangladesh. Ik wist alle maten omdat mijn geheimzinnige patiëntje maar een heel klein beetje groter was dan Brooklyn. Maar wel flink wat breder. Op de terugweg naar de apotheek gooide ik impulsief nog meer spullen in het karretje: een 17-inch flatscreen-tv en een knalroze dvd-speler van Chinese makelij, een stuk of wat dvd's, een stuk of wat cd's, waaronder *Neon Bible* van Arcade Fire en *Ocean Will Rise* van de Stills, een speelgoedbeer (die ik bij nader inzien weer teruglegde) en een legpuzzel met duizend stukjes van een sneeuwuil in een sneeuwstorm, waar alleen een herstellende zieke genoeg geduld voor zou hebben.

Daarna terug naar mijn andere karretje en rechtsomkeert naar de sportafdeling om te kijken of ik een portofoon kon vinden. In de wandeling wordt zo'n ding 'walkietalkie' genoemd; in het Frans is het *talkie-walkie*. Een verkoper van middelbare leeftijd met een Beatle-kapsel, die mijn aandacht afleidde met de dikste brillenglazen die ik ooit had gezien, liet me er een zien. Een goeie, verzekerde hij me, geen atmosferische storingen, en op voorraad. Met paniekknop. Bereik: dertien tot vijftien kilometer.

'En een mobiele telefoon?' vroeg ik. 'Zou dat niet beter zijn? Praktischer?'

Hij keek me aan over zijn zware bril met zwart plastic montuur, het model dat Amerikaanse soldaten gratis krijgen. 'Praktischer? In de bergen? Met de talloze plekken waar je geen bereik hebt? Dan werken zelfs rooksignalen waarschijnlijk nog beter.'

Terug richting apotheek met mijn *talkie-walkie*, waarbij ik de tekst van een kerstliedje playbackte, en daarna naar de gereedschappen voor de laatste aankoop. Propaan.

> *...though the frost was cruel,*
> *When a poor man came in sight,*
> *Gathering winter fuel...*

'*Ça va bien?*' vroeg de caissière toen ik met mijn konvooi van twee karretjes aan kwam zetten. Ze had vlechten en zag er bijna even jong uit als mijn patiënte. Misschien een klasgenote.

'Zo goed als onder de gegeven omstandigheden te verwachten,' antwoordde ik in het Frans. 'Kon beter, kon slechter.' Terloopse vragen beantwoorden, ontspannen babbelen, ik heb het nooit gekund. Dat zit gewoon niet in mijn genen. Ik geloof overigens niet dat ze me hoorde, want de kassa weigerde de streepjescode van de puzzel te scannen. Dat bracht haar vreselijk van de wijs. Ze werd rood, keek hulpzoekend om zich heen en ging de cijfers toen maar zelf intikken.

'Die spullen zouden jou wel passen, denk je niet?' Ik wees naar de stapel kleren die ze nu aan het scannen was. Ze werd nog roder, en ik vroeg me af waarom. Dacht ze dat ik ze haar cadeau wilde doen?

'*Je... je pense que oui.*'

Ik betaalde haar met twintigdollarbiljetten uit een prop Amerikaans geld die dikker was dan een sokkenbolletje, maar ze vertrok geen spier. '*Bonne fin de journée*,' zei ze, en ze gaf me een paar Canadese biljetten, paars, groen en blauw, en een handvol fleurig kleingeld.

'*Pareillement*,' antwoordde ik terwijl ik de bronzen vogels, nikkelen bevers en zilveren elandenkoppen bestudeerde. '*Et joyeux Noël*.' Ik gaf haar een groen Amerikaans twintigdollarbiljet, dat ze inspecteerde alsof het vals was. Wat het in zekere zin ook was.

Toen ik op weg was naar de uitgang, vroeg de oude man die op de Kerstman leek of ik een kalkoen had gekocht. Voordat ik iets terug kon zeggen, vertelde hij dat hij in zijn jonge jaren een kalkoen in precies twintig minuten kon slachten, plukken, braden en opeten. Dat was een record in deze contreien.

Ik laadde mijn aankopen in het busje, bracht de twee karretjes terug en keek rond of ik ergens een munttelefoon zag. Er was er een in de McDonalds naast de Walmart. (McDonalds, Mikes, Moores, Wendys, Tim Hortons – was de apostrof in deze provincie in de ban gedaan?) Uit het bungelende telefoonboek, met een omslag van zwart vinyl, waren stukken gele pagina's gescheurd, maar de V was compleet. *Véhicules, Vêtements... Vétérinaires*. Ik stopte twee kwartjes in de gleuf en toetste het nummer van het Hôpital vétérinaire de l'Avant-Mont in. Terwijl de bel overging, keek ik naar een onthutsend dikke vrouw op het parkeerterrein die een golden retriever met een sneeuwbezem sloeg, één keer, twee keer, drie keer. Wat is er toch mis met deze wereld?

'Dank u, ik kom eraan,' zei ik nadat ik de routebeschrijving had herhaald en in mijn hoofd geprent. Ik holde terug naar het parkeerterrein, maar de vrouw en de hond reden net weg in een zilverkleurige Saab. Ik kon alleen de laatste drie letters van het nummerbord onderscheiden: RND. Ik startte het busje, wat een paar minuten in beslag nam, lang genoeg om haar de kans te geven te verdwijnen.

Op de grote weg draaide ik aan de verchroomde knop van de oude radio en keek naar de rode streep die langs de frequenties schoof en stopte bij 'Le grand héron' van Jean Leloup op 96,9, toen bij de Franse versie van 'Angels We Have Heard on High' op 99,5 en vervolgens 'Bye Bye Bye' van Plants & Animals op 99,9. Wat een signaal moest dat zijn, helemaal uit Vermont! Er gaat toch maar niks boven Duitse radio's, niks boven zo'n Blau-punkt!

Er bungelden zuurstokken aan lantaarnpalen en tussen den-nentakken en engelenhaar knipoogden groene lampjes. Ik reed in bejaardentempo, want ik lette er scherp op dat ik de snel-heidsbeperking geen seconde overtrad. Ook lette ik op dat ik niet hard op de rem trapte vanwege de auto achter me, een bum-perklevende gele Hummer. Het begrip 'afstand houden' was de autobezitters hier blijkbaar even wezensvreemd als in Frankrijk. Ik vertraagde tot een slakkengangetje en schakelde mijn waar-schuwingslichten in. Mijn achterligger knipperde drie, vier keer met zijn groot licht en passeerde me vervolgens door de berm, waarbij hij een lange middelvinger naar me opstak.

Ik tastte naar de .38 in het handschoenenkastje, maar bedacht me bijtijds. Trapte het gaspedaal in, klaar voor een achtervol-ging, maar liet ook dat plan varen. In plaats daarvan schreef ik het kenteken op (666 HLL) en schakelde terug naar 99,5, een sta-tion in Montreal. Klassieke muziek is een goed middel om je woede te beheersen, vertelde de advocaat van mijn vader me een keer. Ze draaiden *The Lark Ascending* van Vaughn Williams, wat prima was, maar ik kon me niet concentreren. Er spookten vra-gen door mijn hoofd. Van de politie, als die me zou aanhouden: *Weet u dat het kentekenbewijs van dit voertuig al twee jaar is ver-lopen en nooit is verlengd? Is het u bekend dat dit voertuig betrok-ken is geweest bij een ernstig misdrijf? Weet u dat u in de staat New Jersey gezocht wordt en dat er een opsporingsbericht is uitgegaan waarin om uw arrestatie wordt verzocht?*

De straatnamen waren allemaal Bijbels: Matthieu, Marc, Luc, Jean. Ik sloeg rechtsaf bij Matthieu en linksaf bij Marc. Passeerde een niet meer gebruikt stadion met een aankondiging van een ijshockeywedstrijd Pumas-Lynx van vorig jaar, een schoolplein met schommels, een klimrek en een glijbaan in de vorm van een dinosaurustong. Maar waar waren de kinderen? Ik had er nog nergens ook maar één gezien. Waarom waren ze niet buiten om te sleeën, te schaatsen of sneeuwpoppen te maken? Of sneeuwballen naar auto's en ramen te gooien? Waar waren ze? Was dit een bejaardendorp?

Rechtsaf bij Luc, langs flitsende nieuwe appartementengebouwen die de berghelling ontsierden naar een dierenkliniek op een heuveltje. De auto's ervoor stonden in een steile hoek geparkeerd, vermoedelijk op de handrem. Die van mij werkte niet, dus ik zette het busje onder aan de heuvel en besteeg de glibberige trap als een chimpansee op schaatsen. Boven op de heuvel keek ik neer op een met ijs bedekt dal, bezaaid met zwarte keien en een rij berken en populieren langs een rivier die de vorst trotseerde. Ik heb kennelijk een zelfmoordcomplex, want ik wilde springen. Het leek allemaal zo mooi, zo zuiver. En ook droevig, alsof ik het einde van de oude wereld zag.

Een rare gewoonte van me: proberen me landschappen voor te stellen uit de tijd voordat Columbus hier landde – bomen zo hoog als een gebouw van vijftien verdiepingen, kolossale vissen die uit kristalheldere stromen opsprongen, woeste bergleeuwen, lynxen en wolven die door weelderige arctische wouden slopen... Of de andere kant op proberen te kijken: naar landschappen van na het uitsterven van de mens. We hebben er tienduizend jaar over gedaan om Moeder Aarde te verwoesten, maar als wij er niet meer zijn zal ze maar tweehonderd jaar nodig hebben om wraak te nemen. Om van betonjungles weer echte jungles te maken. Om alle wolkenkrabbers te doen instorten als een eindeloze reeks 11 septembers. Om alle dammen weg te vagen. Om steden weer in moerassen te herscheppen (Parijs was ooit een moeras, en Londen ook). Om de meeste dieren voor uitroeiing te behoeden...

Ik knipperde met mijn ogen, wiste de beelden uit mijn hoofd en keek naar de lucht. Een van de wolken leek op een springende dolfijn, zijn lijf een sierlijke S, geflankeerd door een springende leeuw met wijd gespreide voorpoten. Hamlet zag kamelen, wezels en walvissen in de wolken voordat híj gek werd, had mijn arts me verteld.

Op de deur van de kliniek hing een tweetalig bord waarop

in piepkleine letters DIEREN VASTHOUDEN OF AANLIJNEN stond. Binnen rook het een beetje zurig – de stank van medicijnen of angstige beesten – en uit het achterste gedeelte was een gesmoord gejank en gejammer te horen.

Ik was niet in de stemming om op mooie mensen te letten, maar ik zag er wel een: een vrouw in een witte jurk met lang, golvend, prerafaëlitisch haar die bij een erkerraam stond, rijzig, kaarsrecht en koninklijk, op onwaarschijnlijk lange benen. En ik werd niet alleen door haar afgeleid, maar ook door de receptionist, een man met gebleekte witte tanden en een huid die met behulp van een chemisch bruiningsmiddel gebronsd was.

Ik vroeg om injectiespuiten, cefalexine en pethidine, gewapend met een sterk verhaal over een bijna dodelijke verwonding van mijn kat, die in een stalen val klem had gezeten. Tot mijn verbazing gaf de receptionist me het gevraagde na een korte knik van de arts. Ik bedankte haar, maar ze was al achter een klapdeur verdwenen.

Terwijl de rekening werd opgemaakt, vroeg ik me af of ik het met de arts over de wonden van mijn patiënte moest hebben. Of haar zelfs hiernaartoe moest brengen om te worden onderzocht. Een arts in een ziekenhuis zou wettelijk verplicht zijn de autoriteiten in te lichten; een dierenarts had die verplichting niet. Althans niet in de Verenigde Staten...

'Dat wordt dan 114,44 inclusief btw,' zei de receptionist. 'En voor tien dollar extra krijgt u er nog een fles antiteekmiddel bij.'

Ik lachte. 'Hebt u niet toevallig wat diazepam?' vroeg ik toen met gedempte stem. 'Of iets vergelijkbaars?' Dat was een kalmerend middel voor mezelf, omdat ik leek te zijn vergeten hoe ik in slaap moest vallen.

'Jawel. Maar daar moet u een doktersrecept...'

'Kunt u niet wat ritselen?' Ik deed een poging tot een verleidelijke knipoog en trok een aanstellerig pruillipje. 'Een monster of zoiets?'

De receptionist beet op zijn lip en keek even naar beide kanten. Daarop draaide hij zijn stoel een halve slag en deed een metalen kast open. 'Rondje van het huis,' zei hij op een theatrale fluistertoon, en hij gaf me een aluminium doordrukstrip.

Zieline heette het spul. Na twee van die dingen zou zelfs een volwassen paard knock-out zijn. 'Eh, ik wil niet moeilijk doen, maar... hebt u niet iets lichters? Voor mensen?'

'O jee! Verkeerde verpakking.' Hij draaide weer een halve slag en rommelde in de kast. 'Is dit wat?'

'Ja, perfect, dank u.' Ik telde zes Amerikaanse briefjes van twintig uit. En legde er nog een zevende bij, ter waarde van twee flessen antiteekmiddel. '*Joyeux Noël.*'

Op weg naar buiten viel mijn oog op een poster op de deur: een oproep tot het verstrekken van informatie over een vermist meisje. Hoogstwaarschijnlijk een dood meisje. Ik keek wat beter. Een veertienjarig meisje met kort donker haar en een bril, het laatst gezien bij het Maison d'Hébergement Jeunesse in Ste-Madeleine: CÉLESTE JONQUÈRES.

Ze sliep nog toen ik terugkwam, zwoegend en pruttelend als een dromende hond. Ik borg de boodschappen zachtjes op, legde de dvd-speler en de puzzel op de stoel naast het bed en installeerde de televisie op een keukenstoel aan het voeteneind. Ik zette hem aan en knoeide aan de draadantenne tot ik één min of meer duidelijke zender vond tussen twaalf sneeuwende. Daarna begaf ik me naar het huis van mijn buurman voor mijn dagelijkse hout-diefstal.

Toen ik terugkwam, baadde mijn vondelinge in het vampierachtige licht van de tv, knarsetandend en met glinsterende tranensporen op haar gezicht. Ik maakte geruststellende geluidjes – zoals je die voor huisdieren en baby's maakt, zoals ik ze vroeger voor Brooklyn maakte – en depte haar wangen met een tissue. Ze reageerde met gegrom en spastische bewegingen die ik niet begreep en die me ongerust maakten. Was ze soms achterlijk?

45

'Heb je... pijn?' vroeg ik in beide talen, terwijl ik op de rand van het bed ging zitten.

Ze schudde haar hoofd op een verstrooide manier en bewoog haar lippen als in een stomme film. Ze raakte met haar wijsvinger haar mond aan en tikte er twee- of driemaal op.

'*Ma pauvre. T'as faim!*' Ik stond op om eten te halen, maar ze omklemde mijn pols zwakjes met haar ene hand. Ze legde opnieuw haar vinger op haar mond, maar ditmaal tekende ze een kruis over haar lippen.

'Aha, ik snap het! Je kunt niet praten!'

Ze knikte zwakjes en deed haar ogen dicht. Of misschien rolde ze ermee omdat ik zo traag van begrip was.

Ik staarde haar een paar seconden aan. Een doofstomme. Nou nee, duidelijk niet doof. Ik schrok op van een bariton uit de luidspreker: drie soldaten uit Quebec, van wie één afkomstig uit de Laurentians, waren in Afghanistan door een zelfmoordterrorist gedood. Ik zette de tv uit. Probeerde de draad weer op te pakken.

Op de enige drie gebaren die ik beheerste – 'Hallo', 'Hoe gaat het?' en 'Ik hou van je' – reageerde ze met een bedenkelijk gezicht. Ze maakte zwakke schrijfgebaren in de lucht. Waarom had ik dat niet bedacht? Ik haalde een potlood en een paar opgevouwen makelaarsfoldertjes uit mijn borstzak.

Achter op een van de velletjes schreef ze iets in het Engels. Ik moest mijn leesbril ervoor opzetten: **Ik ga dood, hè?**

Ik schudde heftig mijn hoofd, maar wist niet zeker of ze het wel zag. Ze schreef weer wat: **Geen politie.**

Ik knikte. Daar waren we het in elk geval over eens.

Ik wil niet gevonden worden.

Er was een tijd, toen ik ongeveer zo oud was als zij, dat ik ook niet gevonden wilde worden. Ze viel terug op het bed en haar hoofd hing over de rand van de matras. Haar ogen bleven strak op het plafond gericht.

'Hoe heet je?'

Ze pakte het potlood, plat op haar rug. Schreef iets op en kraste het weer door. Toen schreef ze iets anders en hield me het papier voor. Église de Ste-Davnet, ken je die?

'Die kerk? Ja, daar heb ik je gevonden. Misschien heb ik je zelfs wel...' Ik liet de zin onafgemaakt terwijl zij weer iets opschreef, in blokletters. Ze schreef niet traag en krabbelend, zoals je zou verwachten, maar snel en netjes.

Sleutelring in vogelhuisje. Achtertuin pastorie. Grote sleutel past op achterdeur. Ik heb mijn bril nodig. En schetsboek.

Om je testament te maken?

Boven, eerste kamer links. Nachtkastje. Kleinste sleutel.

'Goed. Maar hoe ben je...'

En kun je mijn 6 katten eten geven? En wat te roken voor me halen?

'Natuurlijk, maar...'

WEES VOORZICHTIG.

'Oké, maar hoe ben je...'

Ik woonde daar. Met Grand-maman.

'O? En waar is je grootmoeder nu dan?'

Op het kerkhof.

IV

Die handschoen herinner ik me nog. Een oranje rubberhand-
schoen, zo'n huishoudgeval. Ik lag in bed, ik sliep. Ik hoorde de
vloer kraken – het soort gekraak dat Grand-maman altijd maakt.
Ik hoorde de schakelaar van het nachtlichtje, voetstappen van
het bed naar de kast, van de kast naar de kaptafel – het vaste
ritueel dat er altijd mee eindigde dat ze zich over me heen boog
& fluisterde: 'Slaap je?' & dan mijn bromgeluidje dat betekende:
ja, ik slaap, maar ik ben blij dat je er bent & dat we straks samen
gaan ontbijten.

Ik hoorde het gekraak maar vreemd genoeg ging ze niet door
met haar vaste routine & daardoor werd ik wakker. Ik wachtte
slaperig tot het licht aanging, tot de voetstappen van het bed
naar de kast zouden gaan. Op de een of andere manier werd
die gedachte een slang die langs mijn ruggengraat gleed en zich
strak om mijn ribben heen wikkelde. Stakker, zei hij, dat is je
grootmoeder niet. Hoe kan dat nou. Die is toch dood.

Ik deed mijn ogen open & er werd een gehandschoende hand
over mijn mond gelegd. Ik zag een lange schaduw & hoorde ge-
hijg & rook bier. Ik beet in de hand over mijn mond, mijn tanden
drongen in de rubber handschoen en ik zaagde zo hard als ik kon
heen en weer. Maar er was natuurlijk nog een hand & de andere,
een oranje vuist, werd tegen mijn keel geramd. Ik kokhalsde &
hapte naar adem & toen werd alles donker.

48

Toen ik weer bijkwam was ik vastgebonden en zat er allemaal kleverige troep op mijn gezicht en in mijn haar.

* * *

Ik ben helemaal ingezwachteld, als een mummie. Suf van de pijnstillers & misselijk. Als ik alleen maar aan eten denk – of zelfs aan roken! – krijg ik al kotsneigingen.

Zonder bril zie ik haast niets. En met mijn kapotte luchtpijp kan ik haast niet ademhalen. Hij voelt tenminste kapot aan. Het lijkt wel alsof ik een slapende vogel heb doorgeslikt die nu wakker is geworden en in paniek is geraakt & daarbinnen wild met zijn vleugels klappert. Als ik probeer te praten, komt er geen geluid uit. Maar zelfs als ik ooit beter word, wat me niet waarschijnlijk lijkt, zeg ik nooit meer iets, tegen niemand.

* * *

Ik kan niet meer ophouden met huilen & het huilen klinkt verstikt, alsof ik verdrink. Ik voel me net een eend die onder het ijs vastzit en met zijn bevroren open ogen iedereen die eroverheen loopt smeekt hem te bevrijden. Nu. Alsjeblieft.

Ik ben bijna 15, maar ik voel me minstens honderd jaar ouder. Ik ben niet van plan 16 te worden. Ik ga ervandoor, naar mijn grootmoeder. Nog voor kerst.

En na mij
Is het voorbij.

* * *

Voel me inmiddels iets beter. En ik begin me een beetje te 'orienteren'. Ik lig in een blokhut ver van de bewoonde wereld – te oordelen naar het kleine beetje uitzicht door het raam zou het op dat stukje grond bij de rivier kunnen zijn waar Brioche,

49

die idioot, jachthutten heeft neergezet die hij nooit verhuurd krijgt omdat het hier de helft van de tijd onder water staat & de sneeuw hier 's winters niet wordt geruimd. En ik ben mijn stem kwijt. Zoals ik misschien al zei. Ik logeer kennelijk bij een geschifte Amerikaan die dokter is of zo. Hij heeft een nachttelescoop of hoe zo'n ding ook heet, en een pot met zwarte teer en een postzegelverzameling, en hij is nogal schrikkerig. Hij drinkt aan één stuk door koffie en hij ijsbeert door de kamer als een aanstaande vader. Voordat hij gaat slapen, schrijft hij in een klein opschrijfboekje of leest hij in een paperback zonder omslag die Strong Winds heet. Toen ik vroeg waarom dat boek geen omslag had, zei hij dat dat waarschijnlijk komt doordat het zo vaak door de kamer is gesmeten.

Elke dag verzin ik een nieuw achtergrondverhaal over hem. Een hartchirurg die halverwege een operatie ineens niet verder durfde. Een arts die op de vlucht is voor een schadeclaim. Een ontsnapte gevangene die een straf uitzat voor het beoefenen van de geneeskunst met valse papieren. Een weggelopen gek die denkt dat hij dokter is. Maar misschien is hij niet eens dokter. Hij kan ook best voorzitter van de fanclub van de een of andere seriemoordenaar of kannibaal zijn.

Ik weet niet wat hij van mij verwacht als ik beter ben – áls ik ooit beter word. Hij heeft me duidelijk mijn kleren uitgetrokken & god mag weten wat hij nog meer heeft gedaan. Maar als hij mijn leven heeft gered, zal ik hem wel dankbaar moeten zijn, want dan kan ik misschien nog twee belangrijke dingen doen voordat ik doodga. Straks verder, hij komt weer binnen met hout voor de kachel...

* * *

Nu ik zo wazig zie, lijkt een van de watervlekken op het plafond steeds meer op de man met de oranje handschoenen, maar dan met zijn gezicht ondersteboven, de mond boven en de ogen onderaan.

* * *

Probeer er nog steeds achter te komen wie mijn verzorger eigenlijk is. Ik weet dat het een Amerikaan is, want dat hoor ik aan zijn accent, aan de manier waarop hij 'house', 'batteries' en 'can't' uitspreekt, maar hij spreekt ook Frans als een Parijzenaar, zo snel als een mitrailleur, vooral als hij vloekt.

Ik heb hem iets wijsgemaakt over een meidenbende die me heeft neergestoken omdat ik een dikke bijdehante eigenwijze stuud ben die liever leest dan sms't of met merkkleren bezig is. En dat slikte hij. Als hij erachter komt wat er echt gebeurd is maakt hij alles alleen maar erger, dan kletst hij het door & dan worden we allebei vermoord.

Niet dat hij dom is of zo, maar hij lijkt – ik weet niet, niet in zijn element, als een kat in een vreemd pakhuis of een konijn midden in New York. Alsof je hem alles wijs kunt maken. Hij is in elk geval geen partij voor Alcide Bazinet...

Hij denkt dat ik een arm klein meisje ben dat niet kan praten, en dat laat ik maar zo. Net als een benedictijner non in de refter. Bovendien zit ik zo onder de pijnstillers dat ik niet eens zou kunnen praten, al probeerde ik het. Hij moest eens weten wat een kletskous ik ben.

Als ik kan opstaan, ga ik eens rondsnuffelen als hij weer de deur uit is, kijken of ik iets meer over hem te weten kan komen. Zelf zegt hij alleen maar dat hij van Neptunus komt.

V

Céleste lag zachtjes te snurken toen ik die ochtend heel vroeg in het donker wakker werd. In mijn slaap was ik gekweld door nachtmerries, oermensdromen waarin ik twee takken langs elkaar wreef, gespitst op verdachte geuren, mijn blik naar alle kanten schietend, mijn oren op scherp, op zoek naar verborgen gevaren, mijn korte harige benen klaar om sneller te rennen dan de wind. Slaperig, met mijn ogen nog half dicht, keek ik uit het raam van de huiskamer naar een vaag, schemerig tafereel van voorbijdrijvende mistflarden en kolossale gedaanten met slagtanden en hoorns. De bomen waren spookachtig en krom, hun takken kreunden of braken onder het ijs. Ik voelde mezelf op een van de takken zitten met een zaag in mijn hand.

Er begonnen vogels te zingen, wat me eraan herinnerde dat niet alle vogels naar het zuiden trekken. Ik hoorde niets wat me vertrouwd was, zoals het *ietje-ietje-ietje* van de goudkopzanger, het gemiauw van de katvogel of het *ikke-nie!* van de towie. Alleen wat duifachtige geluiden, twee herhaalde lettergrepen, *doe-doe*, zoals de dodo moet hebben geklonken.

Terwijl ik daarnaar luisterde nam ik een besluit, een kloek besluit: ik ging ervandoor, terug naar waar ik vandaan kwam, ik zou de consequenties van mijn handelen onder ogen zien. Ik was mislukt als toerist en als kluizenaar; dit was het eind van mijn natuurexperiment, het eind van mijn doktersrol. Ik had het uiterste uit mezelf gehaald en nu was alles op. Schrijf het maar af als een rotmaand, te begraven bij de herinnering aan andere rotmaanden.

Hoe had ik trouwens ook maar een moment kunnen overwegen met een tienermeisje te gaan samenleven, na de beschuldigingen waarvoor ik was gevlucht? Een tienermeisje *met gevaarlijke vijanden*. Ik was in een deprimerende buitenlandse film beland, compleet met handgeschreven ondertitels. Ik was bezig gek te worden, uit mijn baan te schieten. Mijn farmaceutische voorgeschiedenis – acid uit mijn tienertijd, wiet uit mijn studententijd, coke en alcohol uit mijn volwassen leven, in een onverstandige combinatie – was begonnen met zijn verwoestende werk in mijn hersencellen. Veranderde mijn grijze massa geleidelijk in scheercrème. Wat zocht ik hier anders tussen deze vreemde dennen, bij die leeggeplunderde kerk, omringd door moordlustige moerasmannen? Een hemelse roeping? Waanideeën van heiligheid?

Ik zou naar de politie gaan, mezelf aangeven en melden wat ik had gezien. En een arts voor haar zoeken. Een echte. Céleste weigerde me een verklaring te geven voor wat haar die nacht was overkomen, althans een geloofwaardige, maar de politie zou ze het wel moeten vertellen. En die zou haar beschermen.

Maar eerst ging ik voor haar naar de pastorie, zoals beloofd. Of nee, als tweede. Eerst ontbijt maken. Ik sprong uit bed, wierp een blik op mijn patiënte en rukte toen de deur van de ijskast open. *Nooit opgeven, altijd dapper doorgaan*, pepte een inwendig stemmetje me op.

Terwijl ik naar de ham en de eieren in de pan luisterde, het varken en de kippen die woedend en in doodsnood vloekten en sputterden, drong het tot me door waarom Céleste nooit opat wat ik haar voorzette. Dus zette ik maar water op.

'Je bent vegetariër, hè?' vroeg ik toen ze één oog opendeed. Ik had haar bord met opzet met veel gekletter op het bedtafeltje gezet.

Ze knikte traag.

'Ik heb havermout voor je gemaakt.'

Geen reactie.

'Je zult hier wel een uitzondering zijn. Zijn er hier in de omgeving überhaupt vegetarische restaurants?'

Ze kwam wankel en duizelig overeind en reikte naar het potlood en papier op het nachtkastje. Net zoveel als homobars.

Ik grijnsde. En vroeg me af waarom ze die vergelijking trok. 'Val jij op vrouwen?'

Céleste aarzelde, schreef een paar letters, kraste ze weer door. En knikte toen.

Kun je op je veertiende al op vrouwen vallen? 'Daar heb ik eh... geen moeite mee, hoor.'

Fijn dat je het goedvindt.

Kun je op je veertiende al zo ironisch zijn?

'Hoe voel je je?'

Alsof ik al een jaar in de vuilnisbak lig.

'En geestelijk?'

Ik heb een gevoel van naderend onheil.

Welkom bij de club. 'Nee, ik bedoel lichamelijk-geestelijk, als je snapt wat ik bedoel.'

Alsof ik onder water ben.

Ik aarzelde. 'Waarom kun je... niet praten?'

Ze schreef iets op, kraste het door, schreef weer. Heb geprobeerd me op te hangen, mijn strottenhoofd is beschadigd geraakt.

Ik was er vrijwel honderd procent zeker van dat dat gelogen was. 'Wil je er meer over vertellen?'

Waarover?

'Wie je in het moeras heeft gegooid. En waarom.'

Schrijf je soms een boek? Laat dat hoofdstuk maar een mysterie blijven. Ze legde het potlood neer en draaide zich van me weg, naar de muur.

'En kom me niet aan met gewelddadige klasgenoten, want daar geloof ik niets van.' Ik liep naar de andere kant van het bed. Ik weet dat meisjes van deze leeftijd graag geheimen hebben, maar dit is belachelijk. 'Het wordt tijd dat je het vertelt, Céleste. Alles.'

Ze keek dwars door me heen, staarde in het niets. Haar ogen waren open maar ze leek niets te zien. En toen dreef ze van me weg, haar bloedrode ogen verdwenen achter een droevig waas.

Ik legde de taser, de berenspray en de revolver weer op haar nachtkastje. Maar nu had ze in geval van nood ook een walkie-talkie. Ze kon er natuurlijk niet in praten, maar ze kon me wel een *mayday*-signaal zenden (van het Franse *m'aidez*) door op een knop te drukken. Of een alles-veiligsignaal. Als ze tenminste goed oplette als ik haar voordeed hoe dat moest. En ik me niet verder verwijderde dan dertien tot vijftien kilometer. En als dat ding in de bergen tenminste werkte. Voor alle zekerheid zette ik het jachtgeweer tegen het voeteneind van het bed. Ze komt van het platteland, ze zal wel weten hoe zo'n ding werkt. Ik deed een hangslot op de luiken, trok de gordijnen dicht en schoof beide grendels voor de deur.

Door het raampje van mijn v w-busje kwam de schone, ijskoude lucht, de geur van hars, van rook van houtvuren. Het brandende schip van de zonsopgang op honderdvijftig miljoen kilometer afstand veranderde de sneeuw in een zee van diamanten die haast pijn deed aan de ogen. Zoals alle schoonheid.

Aan het eind van de door ceders omzoomde oprijlaan van de kerk stopte ik, in een soort stilgezette tijd, of liever buiten de tijd, op de rand van het heelal: het kruis van de kerk en de spijlramen van het huis schemerden als een luchtspiegeling tegen een hemel van wit en goud. Een engelenkoor zong in mijn hoofd. Heb drank, o Heer.

Engelkens door 't luchtruim zwevend
Zongen zo blij, zo wonderzacht...

De spanning in mijn lijf, het treurige gevoel dat kerken oproepen, het gevaar dat ik overal om me heen voelde, de gruwelen van het moeras – alles werd verzacht door het vroege ochtendlicht, de lucht van de wildernis, de geur van hout, steen en sneeuw. Opnieuw voelde ik die natuurlijke chemische stof door me heen stromen, oneindig veel sterker dan antidepressiva. *Je bent er. Naar deze plek ben je je hele leven onderweg geweest.* Ik keek naar de zachte pieken en glooiingen van het hoogland van de Laurentians, het gespikkelde zonlicht op de dennen, de oeroude zwarte vijver achter de begraafplaats, het dal waar de half bevroren beek doorheen kronkelt. Ik deed mijn ogen dicht en luisterde naar de geluiden – het neerruisende water, het gejubel van de vogels. Alles strekte zich voor me uit, de pure essentie van... van wat? Vrijheid? Verlossing?

Een geluid in de verte – een geweerschot vanaf een verre bergkam – riep de herinnering op aan een ander geluid: het vochtige *péts* waarmee Célestes lichaam in de half bevroren modder neerkwam. Ik kneep mijn ogen dicht en bedekte mijn oren met mijn handen. Het leek alsof ik gehypnotiseerd was om op dat oorverdovende geluid te reageren. Maar hoe moest ik reageren?

Toen het geweer opnieuw werd afgevuurd, wist ik het. Waarom ik hier gekomen was, wat me te doen stond. Alles werd ineens glashelder. Ik was niet naar het noorden gegaan om een nieuw begin te maken, de stad te ontvluchten, vrede en geluk te vinden in de natuur. Het was niet mijn bestemming om gelukkig te zijn; daar was ik niet voor geprogrammeerd. Evenmin was ik naar het noorden gegaan om iemand te redden, al was dat wel een deel van het verhaal, een belangrijk deel zelfs. Nee, ik was hier gekomen om iemand te doden. En gedood te worden. *Een vakantie om een moord voor te doen.* De aankoop van deze kerk was geen begin, maar een einde.

De pastorie had twee verdiepingen en was rond de vorige eeuwwisseling gebouwd van geelachtig-bruine steen, als het peperkoekhuisje van de boze heks; het dak, dat heel steil was gemaakt om de zware winterse sneeuwval te weren, was een bonte lappendeken van grijze en groene herstelplekken. Aan de dakranden hingen dikke ijspegels, doorschoten met turquoise. De deuren hadden de kleur van pure chocola, evenals de luiken voor de kleine ramen. Aan de voorkant was een smeedijzeren omheining met een roestend hek dat tandenknarsend voor me openweek.

Achter het huis stond een paar grote legerlaarzen met opgedroogde modder eraan op een hennepmat; in de openingen zaten oranje rubberhandschoenen. Op een bordje dat aan de deur was gespijkerd, stond in een handschrift dat ik herkende WACHT U VOOR DE KATTEN. Ik draaide me om. Midden in de achtertuin stond een vogelhuisje op een paal; de houten randen waren bezaaid met gierstkorrels. Was dat bordje een waarschuwing voor de vogels? Ik ging op mijn tenen staan, tastte in de bak en haalde een sleutelring tevoorschijn die in een laag bevroren vogelpoep lag.

De eerste ruimte die ik betrad, was de keuken. Muren van rode baksteen en brede grenenhouten planken. Een groot zwart fornuis, een grote ronde tafel. Overal spullen op de vloer, in een angstaanjagende wanorde, onder andere flessen, borden en messen, maar bij nadere beschouwing leek dat niet zozeer het werk van een vandaal als wel van iemand die wilde gaan schoonmaken.

In de eerste kast die ik opendeed, stonden rijen boeken met harde kaften. In de tweede eveneens rijen boeken met harde kaften. In de derde... Ik twijfelde er nauwelijks aan dat ik nog meer boeken zou zien als ik de ijskast of het fornuis opendeed, daar dan misschien pockets. In de vierde kast zat eten, voornamelijk cornflakes, kíndercornflakes: Frosted Flakes, Froot Loops, Fruity Pebbles, Cocoa Krispies, Cocoa Puffs, Reese's Puffs, Cap'n Crunch, Corn Pops, Count Chocula, Honey-Combs, Honey Smacks, Lucky Charms... In deze productlijn wemelde het van de k-klanken, viel me op, als krachttermen. Op de onderste plank stonden metalen bakjes met reliëfpootafdrukken en rubberen strippen, en stapels kattenblikjes: kalkoen met kaas, kip met zalm, gegrilde tonijn. De katten waren duidelijk géén vegetariër.

Ik vulde zes bakjes met tonijn en zette ze een paar decimeter uit elkaar. 'Kó-óm dan, poes poes poes...' riep ik een paar keer bij de open deur. Geen reactie. Maar waarom zouden ze ook op mijn stem reageren? Ze moeten het eten ruiken. Ik zette de zes bakjes op elkaar, drie in elke hand, en bracht ze naar buiten. Ik ging op de hennepmat staan, naast de grote mannenlaarzen, en riep opnieuw.

Twee katten doken uit het niets op, draaiden algauw spinnend om mijn voeten en wreven hun schouders langs mijn enkels. Een witte en een zwarte, allebei half uitgehongerd. Twee of drie andere waren schuw en stoven weg, weer een andere ging op zijn rug liggen en mauwde droevig. Ik zette de bakjes neer.

Ik wilde ze niet bij het eten storen, dus ik ging naar binnen en keek door het erkerraam van de keuken, waarvan de vensterbank bedekt was met opgedroogde modderpootjes. Vijf katten aten gulzig, maar de laatste, een schuwe lapjeskat, kroop ineengedoken, met de buik tegen de grond, naar het zesde en laatste bakje.

Op de keukentafel lag een stapel post, die ik nieuwsgierig doorkeek. Vooral rekeningen, die ik in mijn beide jaszakken stopte, en folders, waaronder een van de s aq (Société des alcools du Québec), de enige plek in deze provincie waar je sterkedrank kunt kopen. Ze verkochten een Californische pinot noir voor 19,49 dollar in plaats van de gebruikelijke prijs van 19,99. Zou ik er nog op tijd bij kunnen zijn voordat de winkel bestormd werd? vroeg ik me af.

Er zat een hondenluik in de keuken, maar er was nergens een hond te bekennen. Ik had het best gevonden als er één of twee waren geweest. Ik was altijd een hondenman geweest. Niet omdat ik als vijfjarige door een kat in mijn oog was gekrabd, omdat ik op mijn zevende een kat een eekhoorntje had zien opeten of omdat op mijn negende een abessijn mijn grootvader had vermoord door tussen zijn benen door te lopen, zodat hij struikelde en met zijn hoofd tegen een chippendalekast knalde. Nee, het was vanwege de beruchte gereserveerdheid van katten, hun weigering te komen als je ze roept, blijdschap te tonen als je thuiskomt. Dat is volgens vele dichters een deugd; zo schrijft Swinburne:

> Honden kwispelen voor wie ze zien,
> Vreemde, vriend;
> Gij, gezel van eed'ler geest,
> Trekt naar uw zielsverwant het meest.
> Alleen uw poot, zacht op mijn hand,
> Verhaalt al van een vriendschapsband.

Toen al het eten naar binnen was geschrokt, ging ik opnieuw naar buiten met bakjes water. Terwijl de katten – althans twee – aan het drinken waren, liep ik snel langs de rijen stenen op de begraafplaats. De aanhankelijkste kat, een pluizig wit beest met een rode halsband, liep met me mee. Ze sprintte en sprong de hele tijd voor me langs, alsof ze me wilde laten struikelen. Eerst begreep ik daar niets van, maar toen vroeg ik me af of het een list was om van de koude grond opgetild en gedragen te worden. Dat bleek het geval. De kat vond het niet alleen goed dat ik haar oppakte, ze leek het zelfs te eisen. Ze liftte de hele terugweg naar de pastorie op mijn schouder mee.

De kamer boven aan de trap, kennelijk de studeerkamer van Célestes grootmoeder, was in een meer-is-meerstijl ontworpen. Er stonden twee leren stoelen en een kamerbrede boekenkast van vloer tot plafond, helemaal volgestouwd met boeken van een halve of een hele eeuw oud over diverse onderwerpen: *The Bird, Its Form and Function* van William Beebe, *Le Mythe de Sisyphe et autres essais* van Albert Camus, *Das Buch der Bilder* van Rilke, Voltaires *Candide, The Book of Common Prayer, The Atheist's Bible, Bring Up Genius!, L'Enfant prodige...* Veel ervan waren stoffig of verkleurd door het zonlicht, terwijl andere, waaronder *Where*

Angels Fear to Tread van E. M. Forster, *The Complete Poems of Hart Crane* en de autobiografie van P. T. Barnum, bibliotheekboeken waren, met plakkertjes met decimale genrecodes en kaarten met uiterste inleverdata uit de jaren veertig.

Er lag een rood-wit Perzisch kleed, dat bezaaid was met verschrompelde kamerplanten en hoopjes potaarde. Een kat of een ander dier had de planten uit hun potten gekrabd. Achter een leunstoel van het Leger des Heils, waarvan de armleuningen waren toegetakeld door kattenklauwen, zag ik twee fonkelende paren gemaskerde ogen. Wasbeertjes. Toen ik dichterbij kwam, renden ze met hun typische hompelige sprongen de deur uit; hun nagels tikten op de gangvloer. Ik hoorde ze de trap af en de keuken in stuiven. Ik moet dat hondenluik dichtmaken...

Tegen de andere muur, tegenover de boekenkast, was een stenen schouw met een grote atlas op een mahoniehouten lessenaar op de plaats waar het haardrooster had moeten staan, en daarboven een vlag van de Canadese anglicaanse kerk: een rood sint-joriskruis op een witte achtergrond met vier groene esdoornbladeren in de deelvlakken. Daarnaast stond een enorm houten bureau met paperassen, boeken en allerlei voorwerpen erop, waaronder een ingelegd schaakbord met ivoren stukken, een Telefunken-kortegolfradio, zo te zien van vlak na Edison, en een mechanische schrijfmachine, een Smith Corona met twee blaadjes papier en een velletje carbonpapier ertussen. Voordat L. C. Smith schrijfmachines maakte stond hij bekend om zijn geweren, had mijn grootvader me een keer verteld.

Op de muur boven het bureau, die beplakt was met niet bij de rest van de inrichting passend behang dat bij de kroonlijsten gescheurd was en omkrulde, hing een artikel over Céleste uit een plaatselijke krant, over een toelatingsexamen voor de universiteit dat ze op haar twaalfde had gehaald. Ook hing er een foto van haar en een vrouw met lang grijs haar in een klein vliegtuigje, met Céleste aan de stuurknuppel. Het vliegtuigje, dat metalen platen aan de wielen had, stond op een bevroren meer.

Ik bekeek de oudere vrouw, waarschijnlijk de grootmoeder, wat beter. Haar gezicht was verweerd maar fijnbesneden. Ze straalden allebei. Ik had Céleste nog nooit zo zien lachen, had haar überhaupt nog nooit zien lachen.

Verderop in de gang vond ik, na eerst twee kastdeuren te hebben geopend, Célestes kamer, die een eigenaardige L-vorm had, als een paardensprong uit het schaakspel. Er waren onverklaarbare koude plekken in de kamer, als in een meer met koude bronnen, en de grenenhouten vloer was smerig, bedekt met grote moddervoeten en grove dweilsporen.

Net als in de rest van de pastorie stonden ook hier meer boeken dan meubels. Dit hele huis was een bibliotheek. Op de bovenste plank van een lange boekenkast, een uit bakstenen en spaanplaat in elkaar geflanst geval, stonden miniatuurbeesten van gips of tin. Het waren er minstens dertig, en ik herkende er vele van: tyrannosaurus, brontosaurus, titanosaurus, stegosaurus, hadrosaurus, albertosaurus, pterodactylus, eohippus, triceratops, megalodon, mastodont, sabeltandtijger... We hadden iets gemeen, Céleste en ik.

Op de doorbuigende planken daaronder stond een overvolle asbak op een stapel tijdschriften, maar niet van het soort dat normaal door tienermeisjes gelezen wordt – *The Philosophical Review*, *The New Atheist*, *Wildlife Forensics* – naast boeken als *The God Delusion*, *Animal Farm*, *Dominion*, *The Ethical Assassin*...

Op een hoog grijs bureau waarvan het blad eruitzag als een lijkbaar in een mortuarium, lag een opengeslagen nummer van *North American Wildlife* waarin een advertentie rood omcirkeld was:

WORD NATUURRECHERCHEUR

Niet meer aan een bureau, pc of McCounter vastzitten. Met dit simpele thuisstudieplan werkt u toe naar een spannende baan als natuurbeschermer en ecoloog! Natuurrechercheurs sporen bedreigde soorten op, springen met parachutes uit

vliegtuigen om gestrande dieren te redden en betrappen
stropers op heterdaad. Leef in de vrije natuur. Slaap onder
dennen en sterren. Een rijk, fantastisch leven!

Een rijk, fantastisch leven? Wat zou dat betekenen? Ik neusde verder rond. Aan de muur naast het bureau hing een briefje met
de tekst HET GEVAARLIJKSTE DIER TER WERELD, vanwaar
een pijl omlaag wees naar een manshoge spiegel. Daarnaast een
strip: op het eerste plaatje richtte een jager zijn geweer op een
beer die rustig water uit een meertje stond te drinken; op het
tweede plaatje stond de opgezette beer in de woonkamer van de
man, met dreigend ontblote tanden en klauwen.

Op een prikbord was met punaises een door intensief gebruik
gesleten plattegrond van Parijs geprikt, met daarnaast minstens
een stuk of tien elkaar overlappende krantenknipsels, waaronder een uit de *St. Madeleine Star* van december 1958. Het was
vergeeld van ouderdom en zat in beschermend plastic:

PLAATSELIJKE HELD

Vorige week schoten twee jagers bij Ravenwood Pond een
poema, die zeldzaam is in deze
streek. Het dier werd door zes
jachthonden het ijs op gejaagd. 'Na mijn eerste schot
was hij al behoorlijk traag, en
zo slap als een vaatdoek,' aldus
een van de jagers, de 44-jarige
Moss Bazinet. 'Toen we bij hem
kwamen, stonden de honden
te blaffen en naar hem te bijten, en hij keek me aan alsof
hij om zijn leven smeekte. Ik
schoot hem van drie meter
afstand door zijn kop. Dwars
door zijn ene oog.' De plaatselijke bevolking noemt hem een
held, maar Moss wuift die lof
weg. 'Ik doe wat ik kan,' zegt
hij bescheiden. 'Met de hulp
van God.'

En een recenter bericht over hetzelfde onderwerp:

OTTAWA (CP) – De mysterieuze Oost-Amerikaanse poema – die sinds 1958 niet meer was gezien en waarvan werd aangenomen dat hij was uitgestorven – waart misschien weer rond in de Laurentians in Quebec.

Een aanwijzing daarvoor is DNA uit een pluk haar in het microbiologisch laboratorium van dr. Marie Sabin aan de Laval-universiteit in de stad Quebec. Een stuk geelbruine vacht was dit najaar blijven hangen in een haarval in het ruige gebergte.

'Toen we twee jaar geleden met dit project begonnen, zeiden we lachend tegen elkaar dat dit het monster van Loch Ness van de oostkust was. Maar nu hebben we echt harde bewijzen voor iets concreters. Het is vreselijk spannend.'

De poema's, die ooit in heel Noord-Amerika in groten getale voorkwamen, werden tijdens de Europese kolonisatie bejaagd en teruggedrongen tot in drie leefgebieden: de Rocky Mountains, het schiereiland Olympic in de staat Washington en de Everglades in Florida.

De laatst bekende Oost-Amerikaanse poema werd in 1958 geschoten in de Laurentians in Quebec. Sindsdien hebben duizenden waarnemingen van poema's Ontario, Quebec, de Maritimes en New England in hun ban gehouden, maar harde bewijzen voor de aanwezigheid van deze katachtigen ontbraken.

Om ze te lokken plaatste Sabin in alle beboste delen van Quebec palen waarop de geur van poema-urine was aangebracht. De palen waren bedekt met klittenbandstof om haar van de dieren te oogsten. De doorbraak kwam in december, toen een haarmonster dat Sabin in de Laurentians had geoogst een positieve uitslag gaf. Het was afkomstig van een poema.

Waar kwam het dier vandaan? Er zijn maar drie mogelijke verklaringen. Allereerst kan het ontsnapt zijn uit een dierentuin of bij een particulier die het als exotisch huisdier hield. De tweede mogelijkheid is dat poema's uit andere gebieden in Noord-Amerika terugkeren naar hun oude leefgebied in het oosten om dat opnieuw te koloniseren. En tot slot kan het zijn dat de schuwe Oost-Amerikaanse poema nooit echt is uitgestorven.

Met de kleinste van de drie sleutels opende ik de onderste la van Célestes ladekast, en op hetzelfde moment kreeg ik een schok. Op een gescheurde, vervaagde foto staarde het gezicht van de dierenarts me aan. Het was onmiskenbaar dezelfde vrouw. Ik schoof de foto opzij terwijl de gedachten door mijn hoofd tolden, en rommelde tussen een verzameling beeldhouwgereedschappen – boetseergereedschap, beitels, lussen van ijzerdraad, staven, klinkbouten, gaas – totdat ik een brilletje vond, het idealistische *communard*-model met ronde glaasjes en een montuur van flinterdun metaal. Ongetwijfeld een reservebril, te oordelen naar de krassen op de glazen. Onder dat alles lag een blauw schetsboek met minuscule zwarte lettertjes op de kaft. Ik moest Célestes bril opzetten om te kunnen lezen wat er stond: NIET LEZEN VOOR MIJN DOOD.

Op de bovenverdieping was nergens een telefoon, maar in de keuken hing een zwart wandtoestel. Ik verwachtte geen kiestoon te horen en die kwam ook niet: het toestel gaf alleen een reeks snelle piepjes. Ik toetste het interlokale nummer van Brooks mobieltje in, waarmee ik een rechterlijk bevel overtrad, en sprak een bericht in dat zo lang was dat het werd afgekapt. Vervolgens belde ik J. Leon Volpe, mijn advocaat.

'Besef je dat je het zwaar hebt verkloot, Nightingale?' zo begroette hij me. Hij was eigenlijk de advocaat van mijn vader, en hij was chronisch geïrriteerd, smeet met krachttermen, droeg Italiaanse pakken en had aan iedereen een hekel, in het bijzonder aan mij. Hij had een hese, bevelende stem, die meer aan een gangster deed denken dan aan een advocaat.

'Ja.'

Op de achtergrond hoorde ik zijn favoriete radiozender, een middengolfstation dat in de jaren vijftig was blijven hangen en dat hij altijd en eeuwig aan had staan.

'Godsammekrake, Nile, ik probeer je al drie weken te bereiken. Jezus man, luister jij je berichten nooit af? Stúúrt iemand jou überhaupt ooit een bericht?'

Hij had onder andere een hekel aan me vanwege mijn advocatengrappen. 'Wat moest je van me?'

'Wat ik van je móést? Wat dénk je, godverdomme? Ik wou van je weten waarom ik *met al die shit wordt bestookt.* Rechtbankattesten, arrestatiebevelen, omgangsverboden, aanklachten wegens het toebrengen van schade. Telefoontjes en mailtjes van Katz, Carp & Ferret. Ik verdrínk er gewoon in. Ben ik jouw advocaat?'

Hoe voorkom je dat een advocaat verdrinkt? Eerste antwoord: schiet hem dood voordat hij kopje onder gaat. Tweede antwoord: haal je voet van zijn hoofd. 'Als jij wilt wel.'

Een ostentatieve zucht. 'Mag ik dan om te beginnen zeggen dat ik graag zou hebben gezien dat je zo attent was geweest *van tevoren even met me te overleggen*? En dat ik je handelwijze *in hoge mate onverantwoordelijk* vind?'

Zijn werk leek voor het grootste deel te bestaan uit mensen op hun nummer zetten. 'Ga gerust je gang.'

Vijf seconden stilte. 'En in welke hogere sferen bevind je je nu?'

Dat sloeg op mijn drugsgebruik. Voormalige drugsgebruik. 'Ik bevind me op een begraafplaats.'

'Waar? In Colombia? Afghanistan?'

Door een berijpt raam aan het eind van de gang zag ik in een flits iets wat op een sneeuwploeg leek. Het ding zette koers naar de kerk, wat vreemd was omdat de oprijlaan al geveegd was. Halverwege bleef het staan.

'Vertel me nou eens één ding, onder ons gezegd en gezwegen en zonder eromheen te lullen. Heb je Brooklyn Jessica Martin ontvoerd en aangerand, ja of nee?'

Ik liep met de telefoon de gang in, waarbij ik het in elkaar gedraaide spiraalsnoer zo ver uitrekte dat het geen spiraal meer was, maar voordat ik beter had kunnen kijken was de sneeuwploeg alweer achteruit gereden en brullend verdwenen.

'Luister je nog, Nile? Of zit ik hier voor de kat z'n kut een monologue intérieur te houden?'

Een monologue intérieur, toe maar. 'Ik luister.'

'Heb je Brooklyn Jennifer Martin ontvoerd en aangerand, ja of nee?'

Hij had de naam briljant te zijn, al had ik hem nog nooit iets briljants horen zeggen; mijn vader had daarentegen aan de lopende band briljante dingen gezegd. 'Haar tweede naam is niet Jennifer.'

'Nile, godverdomme man...'

'Natuurlijk niet.'

'Wat heb je dan in allejezusnaam wél met haar gedaan?'

'Ik ben met haar naar de dierentuin geweest. Op verzoek.'

'Op wíéns verzoek? Wélke dierentuin?'

'Van Brook. Cape May.'

'Zonder toestemming van je ex-vrouw.'

'Ze was mijn vrouw niet.'

'Maar jullie woonden samen.'

Op de achtergrond hoorde ik vage flarden van 'Earth Angel' van de Penguins. En het getik van een toetsenbord, alsof hij twee dingen tegelijk deed. Zelfs als je tegenover hem zat, had je de indruk dat hij tegelijkertijd met iets anders bezig was.

'Ja,' antwoordde ik.

'Op de begrafenis leken jullie zo'n leuk stel. En je vader was dol op haar – en verrukt dat hij een kleinkind kreeg. Waar is het misgegaan, Nile? Kwam het door jou en je... problemen?'

Ik laat het weghalen, wen maar aan het idee, dat waren de woorden van mijn ex. 'Nee, het kwam gewoon... nou ja, soms gebeuren die dingen, weet je.'

'Kwam het door jouw *Wehmut* of *Weltschmerz* of hoe de Duitsers dat ook allemaal noemen?'

'Nee.'

'Hoor en zie je nog steeds dingen? Prehistorische beesten, sprookjesmonsters, dat soort shit? Hoe heet het ook weer?'

Mijn vader, die nooit zijn mond dicht kon houden, had hem blijkbaar verteld over mijn bezoek aan een neuropsycholoog in Frankfurt. 'Pareidolie,' was de conclusie van dokter Neefe, en hij legde met zijn zware Duitse accent uit: 'Een aandoening waarbij de hersenen willekeurige patronen als herkenbare beelden interpreteren. Iedereen doet dat tot op zekere hoogte, *ja*? Je ziet gezichten of dieren in wolken en vlammen, of het gezicht van de Heilige Maagd in een stuk *Bratwurst*, of een geslachtsdeel in een vijg. Of een *Steckrübe*... een knolraap. Of een rat in een drol in de wc-pot. Of we horen verborgen boodschappen als we een Beatles-plaat achterstevoren afdraaien. Veel kunstenaars hadden het – denk aan Bosch, Blake, Munch en Magritte. Munch schilderde *De schreeuw* nadat hij een zonsondergang had gezien waarbij de wolken hem als "gestold bloed" voorkwamen. Hamlet en Scrooge hadden het. Lewis Carroll. Veel wetenschappers ook, met name Hermann Rorschach. Maar u hebt een heel interessante variant, meneer Nightingale. Een psychotomimetische. Bij u lijken de visioenen neurologische echo's, nabeelden, van het bombardement met psychedelische middelen waaraan u uw hersenen hebt blootgesteld.' Een beetje zoals bij beroepsvoetbalspelers, bedacht ik destijds: de schokken en klappen die hen blijven achtervolgen, hen slopen, nog jaren nadat ze zijn gestopt.

'Hallo? Nile? Ben je er nog?'

'*Meine Halluzinationen gehen Sie nichts an.*'

'Ho, wacht even – wat zei je?'

'Mijn visioenen doen hier niet ter zake.'

'Dus jij hebt honderdvijftig kilometer met dat kind gereden zonder toestemming van de moeder.'

'Brook belde me, zei dat ze me miste en dat haar moeder zei dat het mocht, padvinderserewoord. Ze stond me voor de oprit op te wachten.' Met een roze plastic koffertje.

'Maar jullie hebben de dierentuin nooit bereikt.'

'Nee.'

'Maar wel een motel.'

'Was het mijn schuld dat de auto kapotging?'

'Nee. Zo'n antiek model móét wel kapotgaan. Maar het was wél jouw schuld dat jullie in Atlantic City belandden. Dat is nou niet bepaald in de buurt van Cape May.'

Hoe kun je nee zeggen tegen een klein huilend meisje? Ik heb dat nooit gekund. 'Brook vroeg me – sméékte me – haar erheen te brengen. Ze zei dat ze er nog nooit was geweest en dat ze in de grootste achtbaan ter wereld wilde.'

'Zeg dat maar niet voor de rechtbank.'

'Want...?'

'Want die achtbaan is niet in Atlantic City.'

'Dat ontdekten wij ook, ja.'

'En dus ging je maar met haar naar een casino.'

'Is dat een serieuze vraag? Hoe had ze daar naar binnen moeten komen? Christus, ze draagt een béúgel.'

'Je ex beweert dat je haar make-up opdeed en met haar naar een casino ging, waar ze... eens even kijken... negenentachtig dollar vijftig won. Ze had dat bedrag in haar... roze koffertje gevonden.'

'Onzin. Een belachelijke leugen. Dat van die make-up, bedoel ik. Maar ze heeft inderdaad wat geld gewonnen.'

'En waar was dat precies?'

'In het motel.'

'Was er een casino in het motel?'

'Ik heb haar leren pokeren. Na zes bloedspannende spelletjes kwartetten.'

'Op jouw kamer.'

'Klopt.'

'Strippoker?'

Zucht. 'Nee, geen strippoker.'

'Je was dronken, neem ik aan? Of high?'

'Een beetje.'

'En zij?'

'Nou en of, ze stuiterde. Ze heeft vier chocolade-ijslollies en een berg M&M's soldaat gemaakt.'

'En waar hebben jullie gepokerd? Op het bed?'

'Ja. Het was een hartvormig bed. Met een sprei van roze chiffon.'

'En daarop won zij negenentachtig dollar van je.'

'En vijftig cent.'

'Ik moet gruwelijk pissen, wacht even.'

Als Volpe je in de wacht zette, kreeg je automatisch zijn radio, luid en duidelijk. Hij bleef gedurende het hele nummer 'Chapel of Love' van de Dixie Cups weg. Ik legde de hoorn neer en riep Céleste op via de walkietalkie, al verwachtte ik niet dat het zou lukken of dat ze wakker zou zijn. Maar ze antwoordde bijna onmiddellijk met een alles-veiligsignaal. Slim kind.

'Nile? Nile? Nog iets... De advocaat van je vrouw heeft het over een morbide handeling, een soort satanisch ritueel dat jullie hebben uitgevoerd. Iets met de hand van een dode man?'

Ik schoot in de lach. Haar advocaat had tijdens zijn rechtenstudie blijkbaar stand-upcomedy als bijvak gedaan.

'Fijn dat je het zo grappig vindt, Nile. Maar hoe zou je deze vraag in de rechtbank beantwoorden?'

Met een schaterbui. 'In het laatste spelletje poker had ik schoppenaas, klaveraas, schoppenacht, klaveracht en ruitenboer. Dat heet een dodemanshand.'

'Nooit van gehoord.'

'Er zijn heel veel dingen waar jij nog nooit van hebt gehoord,' zei ik bijna, maar ik zeg dingen veel vaker bijna dan dat ik ze hardop uitspreek. 'Toen Wild Bill Hickok in zijn achterhoofd werd geschoten, vielen die kaarten uit zijn hand, vandaar.'

Stilte. 'Is er iets tussen jullie tweeën gebeurd? Na het pokeren, op dat hartvormige bed?'

'Nee.'

'Maar jullie hebben samen geslapen.'

'Letterlijk geslapen, ja.'

'Had je een kamer met één bed genomen?'

'Nee, twee. Maar Brooklyn kroop bij mij. Ze kroop vroeger ook vaak bij haar moeder en mij in bed. Als ze nachtmerries had of niet kon slapen.' Ze kon alleen slapen als alle lampen in de slaapkamer brandden.

'En toen je de volgende ochtend met haar in de jacuzzi stapte, wat hadden jullie toen aan?'

'Ik protesteer. Beïnvloeding van de getuige. Het staat niet vast dat de heer Nightingale met mevrouw Martin in de jacuzzi is geweest.'

'Ik bereid je alleen maar voor op de *helse marteling* die de openbare aanklager voor je in petto heeft.'

Daar wist Volpe alles van, hij was zelf aanklager geweest. Na zijn rechtenstudie aan Fordham University was hij als strafrecht-advocaat begonnen, maar hij was naar het openbaar ministerie overgestapt omdat hij geen zin had de rest van zijn leven elke dag leugens aan te horen. Daarna had hij volgens mijn vader voor de FBI gewerkt, een organisatie die zich had ontpopt tot een soort toevluchtsoord voor advocaten die onder de militaire dienst uit probeerden te komen. Nu is hij bedrijfsjurist en stelt hij volledig dichtgetimmerde contracten op voor hedgefunds van criminele families uit New Jersey. Waarom vroeg ik hem dan mij te verdedigen? Een man die al decennia geen strafzaak meer had gewonnen? Omdat hij bijna familie van me is: hij was al vanaf de kleuterschool de beste en trouwste vriend van mijn vader. Hij is in Europa bij ons op bezoek geweest, en zelfs in China. Aan alle anderen had hij een hekel, maar de dokter kon bij hem geen kwaad doen.

'Brooklyn is in die jacuzzi geweest, ik niet. Voor zover ik me kan herinneren droeg ze een badpak. Ik stond op dat moment onder de douche.'

'Naakt?'

Ik viel stil. Was dat een serieuze vraag? 'Ja, ik douch naakt. Ik geef toe, dat is een rare tic van me.'

'Denk je niet dat het verstandiger was geweest om twee kamers te nemen?'

'Achteraf wel, ja. Maar Brooklyn wilde niet alleen op een kamer. Ze was bang, zei ze. Ze was *tien* – ik zou op die leeftijd ook bang zijn geweest.'

'Waarom heb je haar moeder niet gebeld?'

'Dat heb ik wel gedaan, ik heb twee berichten ingesproken. Ondanks het feit dat Brook zei dat ik geen moeite moest doen, dat haar moeder het hele weekend bij haar "gladde nieuwe vriendje" was.'

'En hoe zit het met dat incident op de terugweg?'

'Wat bedoel je?'

'Volgens het politierapport maakte je op de Interstate 9 in dronken toestand ruzie met een andere automobilist, schreeuwde je hem bedreigingen en obsceniteiten toe, sneed je hem herhaaldelijk en zwaaide je door het autoraampje met een pistool naar hem.'

Soms, als ik wat gedronken heb, doe ik weleens onbesuisde dingen. 'Hij sneed mij eerst, waarbij hij met zijn zielige snorretje naar me grijnsde. Nadat hij eerst dertig kilometer lang aan mijn achterbumper had gekleefd.'

'Maar de rest is waar? Je was dronken, stelde je dreigend op en sloeg obscene taal uit?'

Alcohol is een van de valstrikken waar ik weleens in trap, het spul maakt me overgevoelig voor wangedrag bij anderen.

'En klopt het dat je meer dan zestig kilometer per uur te hard reed?' vervolgde Volpe.

Snelheid is de ultieme drug en raketten lopen op alcohol. 'Dat zou kunnen.'

'En het pistool?'

'Dat was van Brooklyn.'

'Heeft Brooklyn een vuurwapen?'

'Een Walther .38. Het merk van James Bond.'

'Ik hoop dat dit een grapje is.'

'Het was een anatomisch correcte plastic versie.'

'Het type dat door metaaldetectors komt... o, jezus christus, Nile, een waterpistool? Van wie heeft ze dat gekregen?'

71

'Ze had er een voor haar verjaardag gevraagd. Ik heb haar het topmodel gegeven.'

'Wist je dat moordenaars hun eerste lessen krijgen met water-pistolen?'

'Hou op, zeg. Ik heb er als kind wel tien versleten. Jij niet?' Ik kon me niet voorstellen dat Volpe ooit een kind was geweest.

'Heb je dan geen moment bedacht wat de gevolgen hiervan konden zijn? Voor een onschuldig, beïnvloedbaar meisje dat wellicht nooit helemaal over dit incident heen zal komen? Nee, hè?'

'Ze lachte zich dood. Ze zat me op te hitsen. Niet alleen om die vent te pakken te nemen, hem naar de kant te dwingen, maar om hem in zijn gezicht te schieten. En dat deed ik. Toen ik door de politie werd aangehouden, kon ze geen woord uitbrengen omdat ze de slappe lach had. En toen we weer bij haar moeders huis waren, zei ze, ik citeer letterlijk: "Dit was het gaafste week-end van mijn leven, oom Nile, zullen we volgende week weer?" Heeft ze dat tegen haar moeder gezegd? Misschien is haar moe-der dat detail vergeten.'

Volpe slaakte opnieuw een lange, luide zucht. 'Hebben ze in-ternet daar in... midden-Quebec?'

'Hoe wist je...' Ik onderbrak mezelf omdat ik het al snapte. 'Nee, ze hebben hier geen internet. En ook geen kleuren-tv.'

'Niet?'

Wie hield wie voor de gek? 'Nee, het is hier prehistorisch. Ben je hier nooit geweest? *The Flintstones* werd hier altijd opgeno-men.'

'Wat voer je daar eigenlijk uit, sarcast?'

Er zijn drie dingen waar ik sarcastisch van word: nervositeit, alcohol en Volpe. 'Niet veel.'

'Tjonge, mèèn je dat nou? Jij, niet veel uitvoeren? Weet je nog wat je vader altijd over jou zei, graaf Slappov?'

Eens kijken, wat zou die ouwe over me hebben gezegd? Dat ik een zwaar gefrustreerde puber was die zijn eigen glazen in-gooide? Dat mijn klasgenoten stuk voor stuk volwassener waren dan ik? 'Nee, help me even.'

'"Hij wil niet werken, maar wel eten."'

'Erg geestig. Bedankt.'

'En dat kinderloosheid een mens veroordeelt tot...'

'"Kinderachtigheid".'

'Ja, precies. God, wat was die man gevat. Ik kon hem nooit bijbenen. Het moet heerlijk zijn geweest hem altijd in de buurt te hebben.'

Ik knikte. 'Eén lange schaterbui.'

'Hij had genoeg energie voor zes man.'

En ik niet eens genoeg voor één.

'En jij niet eens genoeg voor één.'

'En nog maar eens bedankt, meneer Volpe.'

'Dat is een van de zeven doodzonden.'

'Dat heb ik gehoord, ja.'

'Heb je het hem ooit vergeven?'

'Wat?'

'Wat hij je in Parijs heeft geflikt.'

'Ja, natuurlijk.'

Er viel een ongemakkelijke stilte en we luisterden allebei naar zijn AM-station: 'Trouble in Paradise' van de Crests. 'Heb je wel alle inentingen gehaald voor je vertrok?'

'Inentingen? Waartegen?'

'Weet ik veel wat ze daar allemaal hebben. Gekkekoeienziekte? Mond-en-klauwzeer? Varkensgriep?'

'Ze fokken hier geen dieren. Het zijn kannibalen.'

'Oké, betweter. Maar luister, wat je ook doet, rij niet te hard, drink niet en zorg dat je geen bekeuring krijgt. Zodra ze je aanhouden, zit je tot je nek in de shit. Ze hebben een opsporingsbevel uitgevaardigd.'

'Wat houdt dat in?'

'Als je wordt aangehouden voor rijden onder invloed of een verkeersovertreding en de agent geeft je gegevens door, dan gaan alle rode lampjes in de centrale tegelijk branden. Dát houdt het in.'

'Geldt dat ook voor Quebec?'

'Schijten beren in het bos?'

'Ik dacht het wel.'

'Heeft een hobbelpaard een harde lul? Ja, nimrod, het geldt ook voor Quebec.'

'Ik zal zorgen dat ik niet word aangehouden.' Ik word al mijn leven lang te pas en te onpas aangehouden, bedacht ik terwijl ik die woorden uitsprak.

'Jij wordt al je leven lang te pas en te onpas aangehouden.'

'Ja, dat zeggen ze. Zeg, heeft er al iets over me, eh, in de krant gestaan?'

'Ja joh, vette koppen. Voorpagina van *The New York Times*: "Postzegelverzamelaar voortvluchtig". Natuurlijk heeft er niks over je in de krant gestaan.' Ik zag hem een zorgelijk gezicht trekken, net als mijn klassenleraren op de middelbare school. 'Ik zal kijken wat ik kan doen, Nile, omwille van je vader. Maar ik zal er geen doekjes om winden – het zou zomaar kunnen dat je straks op een roestvrijstalen plaat slaapt die aan een muur is geschroefd.'

Na diverse vergeefse pogingen om het busje te starten bleef ik zwijgend achter het stuur zitten en bedacht dingen die ik mijn advocaat had moeten vragen: *Hoeveel wil mijn ex? Aan welk deel van mijn vaders nalatenschap zou ze genoeg hebben om de chemische leefstijl voort te zetten waaraan ze gewend is geraakt?* En ik pareerde vragen van de geest van mijn vader: *Heb je hier nou iets van geleerd, Nile? Het is niet voor niets geweest als je er iets van hebt geleerd. Nou?* Ja, pa. Ik heb met een mooie vrouw samengeleefd en geleerd hoe weinig schoonheid betekent.

Eindelijk sloeg de motor aan, en ik was al halverwege de oprijlaan toen ik haar zag. De witte kat met de rode halsband. Aan de kant van de weg, uiterst kalm, alsof ze op haar limousine zat te wachten. Ik trapte op de rem en deed het portier open, en ze sprong als een hond naar binnen, op mijn schoot. En vandaar op de bijrijdersstoel, waar ze recht voor zich uit ging zitten staren, als een douairière die naar de opera wordt gereden.

Maar helaas waren we niet op weg naar de opera; we waren op weg naar een soort spiegelzaal, een galerij van steeds gestoordere figuren, die me terug deden denken aan de tijd dat ik opgenomen was. Tenzij het allemaal hersenspinsels waren die aan mijn eigen brein waren ontsproten.

De RE/MAX in Ste-Madeleine, het makelaarskantoor waar ik mijn hut had gehuurd, was open maar verlaten. Ik hoorde mezelf zenuwachtig fluiten, wat ik niet vaak doe en waar ik niet goed in ben. '*Il y a quelqu'un?*' informeerde ik.

Er werd een wc doorgetrokken, er klikte een slot en uit een deur met het opschrift FEMMES kwam een graatmagere vrouw met dik grijs haar en een peuk tussen de lippen tevoorschijn. Toen ik vertelde waar ik voor kwam, wees ze met haar sigaret. '*Jusqu'au bout, à gauche.*'

Ik liep in de aangewezen richting en bleef staan op de drempel van een verrassend schemerig kantoor. Het gezicht van de makelaar, die geconcentreerd bezig was met zijn tong uit zijn mond en een frons op zijn voorhoofd, had iets angstaanjagends in het licht van zijn monitor. Ik schraapte mijn keel om zijn aandacht af te leiden van het scherm, waarop geen onroerend-goedgegevens of internetpagina's te zien waren, maar een game.

'Bent u dáárin geïnteresseerd?' vroeg de makelaar in het Frans, zonder zijn blik van het scherm af te wenden. Hij had gelig haar dat aan versnipperde volkorencornflakes deed denken en over zijn voorhoofd en zijn ogen hing, en zijn gezicht zat onder de pukkels. Hij leek meer op een jonge inpakker bij een supermarkt dan op een makelaar. 'In die negorij?' Hij legde zijn linkerarm om een archiefmap naast zijn laptop, als een kind dat een proefwerk afschermt zodat zijn valse buurman niet kan spieken. Hij maakte de indruk strak te staan van de coke. En daar had ik wel kijk op. 'Er wordt gekletst, hm?'

'Gekletst?'

'Over rituelen en zo. Vage shit. Akelige dingen die lang geleden gebeurd zijn. U kunt beter een flat nemen. Of zelfs zo'n ondergelopen trailer uit New Orleans.'

Hij toetste met zijn rechterhand een paar cijfers in op een mobieltje, wendde zijn hoofd af en praatte zachtjes. Daarna klapte hij zijn telefoon dicht en begon met zijn wijsvinger tussen zijn boven- en ondertanden te tikken. Het was geen geluid waar ik op zat te wachten.

'Oké, we gaan,' zei hij nadat hij de map in een bureaula had gestopt en was opgestaan. Hij leek steeds maar langer te worden;

net als de man van de sneeuwploeg was hij enorm groot, tegen de twee meter. Zou er hier iets in het drinkwater zitten? 'Naar de bank. We kunnen met de jeep gaan of lopen.' Hij deed oordopjes in voordat ik mijn voorkeur had kunnen uitspreken en prutste aan zijn iPod.

'Met de jeep? Niet met jouw skateboard?'

Hij deed het rechterdopje uit. 'Pardon?'

'We nemen mijn busje wel.'

De Banque Laurentienne was eigenaar van de kerk, legde de makelaar uit terwijl we naar de bank vierenhalve straat verderop reden. 'De bank heeft er beslag op laten leggen en zo, hm?'

'En geëxecuteerd.'

'Dat zeg ik.'

Ik keek in mijn achteruitkijkspiegel of ik de kat ergens zag. Stak mijn hand onder mijn stoel en voelde haar vacht.

'Ik heb nooit eerder in zo'n ding gezeten,' zei de makelaar terwijl hij omhoog, omlaag en om zich heen keek. 'Nogal aftands, hm?'

Ik knikte. Net als de eigenaar, afgeragd en moeilijk op gang te krijgen. 'Hij rijdt.'

'Een versierbak uit de jaren tachtig, zeker?'

'Yep. Maar over die executie...'

'U bent niet toevallig op zoek naar iets beters? Ik kan u voor tienduizend dollar een Ford Bronco bezorgen, alles d'rop en d'raan, puntgaaf en maar tienduizend op de klok.'

'Nee, dank je.'

Hij keek me aan door het haar dat voor zijn ogen hing, zoals sommige hondenrassen doen. 'Maar... ik bedoel, als u die kerk kunt betalen, waarom rijdt u dan in dit barrel?'

Goeie vraag. Misschien moesten we wel bij Freud te rade gaan voor het antwoord. Jeugdsentiment, simpel gezegd. Bij mijn eerste afspraakje reed ik ook in zo'n busje. Maar ik reed mijn hele leven al in wrakken, misschien omdat ik met ze te doen had, of om mijn vader in de war te brengen en versteld te doen staan. 'Dus dit was zo'n subprime-hypotheek?'

'Nee. Degene die de kerk had gekocht, belandde in Ste-Anne-des-Plaines.'

Ik keek mijn passagier vragend aan.

'De gevangenis,' lichtte hij toe.

We passeerden een Esso-bord van een soort dat ik in de Verenigde Staten al zeker dertig jaar niet meer gezien had. En twee katholieke kerken, allebei dichtgespijkerd. 'Er zijn heel wat kerken dichtgespijkerd in deze provincie,' merkte ik op terwijl we het parkeerterrein van de bank op reden.

'Bent u al in Montreal geweest? Daar is het nog erger, hm?'

Dit was een kans om mijn kennis over Quebec te etaleren, een weetje dat ik van internet had opgepikt. 'Volgens Mark Twain was Montreal de eerste stad waar hij was geweest waar je geen baksteen kon gooien zonder een kerkraam te raken.'

De makelaar trok zijn wenkbrauwen op en krabde op zijn hoofd. 'Hm? Je kon er geen drol draaien zonder een kerkraam te raken?'

Daar was iets in de vertaling verloren gegaan. Voordat ik de kwestie kon ophelderen riep de makelaar een groet naar iemand voor de bank: een punkmeisje dat met een hoogbejaarde rillende hond in een deken aan haar voeten op straat zat te bedelen. Toen we dichterbij kwamen, zag ik dat het geen bedelares was, maar een indiaanse die aan één kant van de ingang haar koopwaar had uitgestald. Aan de andere kant lag een man, vermoedelijk haar levensgezel, in een kartonnen lijkkist te slapen.

'De regering van Quebec is onwettig,' zei ze zachtjes in het Engels tegen me terwijl ik haar assortiment bestudeerde, 'zolang er blanken op het grondgebied van de indianen leven.'

'Op welk grondgebied doelt u?' vroeg ik.

'Ga niet in discussie met...' begon de makelaar.

'De hele provincie,' antwoordde ze. 'Ik heb rechten gestudeerd. Ik ga in het systeem doordringen en het van binnenuit vernietigen. Ik leg een tijdbom onder het westerse kapitalisme.'

Terwijl ik een turquoise halsketting pakte die Céleste misschien wel mooi zou vinden en hem van alle kanten bekeek, fluisterde de makelaar in mijn oor: 'Ik zou niet hoger gaan dan honderd ruggen voor die kerk. Sterker nog, als ik u was zou ik hem helemaal niet kopen. Het is die achterstallige belasting niet waard.'

Zoiets hoor je niet elke dag van een makelaar. Ik betaalde de vrouw wat ze vroeg en gaf een fooi van twintig dollar.

De makelaar trok een ongelovig, verbijsterd gezicht. 'Wat doet u nóú in godsnaam...'

'Waarom is het de achterstallige belasting niet waard?'

'Godallejezus, gaf u haar een fóói? Spoort u niet helemaal of zo?'

'Het is stervenskoud buiten,' antwoordde ik bij wijze van uitleg. 'Dus jij zou die kerk niet kopen?'

De makelaar deed nog steeds hoofdschuddend de deur van de bank open en ging naar binnen. Ik volgde hem. We bleven in het felle licht van de hal staan, naast twee geldautomaten. Van een van de twee was het scherm kapotgeslagen, en daaroverheen was een lap met de tekst HORS SERVICE bevestigd. Naast de andere was een poster die ik eerder had gezien, met een foto van een vermist meisje, met plakband aan de muur geplakt.

'Omdat het een anglicaanse kerk is,' legde de makelaar op gedempte toon uit, 'en omdat-ie een dezer dagen in brand gestoken wordt. Of het knekelveld wordt gebulldozerd.'

De vraag lag voor de hand, dus ik stelde hem.

'Waarom?' herhaalde de makelaar. 'Omdat mensen de kerk de schuld geven van het gebrek aan investeerders hier in het noorden, althans in Ste-Davnet. Niemand wil geld stoppen in een behekst dorp. Waar brabbelende spoken rondwaren.'

'Hoezo brabbelend?'

'Engelstalig.'

'Aha.'

De makelaar wisselde een paar woorden met de receptioniste en we gingen op een bank zitten wachten. Om de een of andere reden droop het zweet aan weerskanten langs zijn gezicht.

'Maar waarom zijn er hakenkruisen op de graven geschilderd?' vroeg ik. 'Liggen er behalve protestanten ook Joden begraven?'

'Geen idee, ik dacht het niet. Maar ik eh... kan me er wat bij voorstellen. Ze spreken allebei Engels, hm?'

Heb je hier een of andere giftige chemische stof waardoor de mensen langer worden, maar hun hersenen verschrompelen? vroeg ik me af.

'En bovendien – geloof het of niet – er werden daar huwelijken tussen homoseksuelen gesloten, hm?'

Ik trok een gepast ontzet gezicht.

'En ze begraven daar dieren, hm?' Hij brieste als een paard. 'Ze begraven hun huisdieren, godbetert!'

'Ja, ik heb een paar grafschriften gezien...'

'En ook indianen. En daarbij – die moerassen deugen niet, hm? Stinkende zwarte modder met kwade dampen, zeggen ze. Er gaat daar iets heel ergs gebeuren. Een bodemloze poel is het. Drasgrond als drijfzand. Jagers raken er hun honden kwijt. Lang geleden is er een heel span paarden verdronken, en ze sleurden de voerman mee.'

Dus daarom hebben ze Céleste daar gedumpt. 'Wat had een span paarden op een begraafplaats te zoeken?'

'Rijke Engelstaligen werden er vroeger in een koets naartoe gereden als ze dood waren. Na donker. Door rouwdragers met fakkels.'

'En die jagers die hun honden kwijtraakten – wat deden die op die begraafplaats?'

'Op leeuwen jagen.'

'Pardon?'

'Amerikaanse leeuwen. Poema's.'

'Poema's? Maar die... waren die niet uitgestorven?'

'Ze zijn gesignaleerd, hm? De afgelopen vijftig jaar zo ongeveer elk jaar wel een keer. En er is hier in de streek een... legende of mythe of hoe je het maar wilt noemen. Flauwekul natuurlijk, maar volgens sommige mensen huist er een soort monster in het moeras. *Un diable des marais.* Een kruising tussen een bosduivel en een Amerikaanse leeuw.'

'En die gaten in de gevel van de kerk? Dat is dus het werk van...'

'Nee, dat heeft niks te maken met de jacht op poema's of moe-rasduivels. Zit daar maar niet over in. Gewoon, jagers die een lolletje trappen. Proberen de klok te raken.'

De bankdirecteur, gekleed in een grasgroen pak met een brede gebloemde das, sprong op uit zijn stoel om ons te begroeten. Zijn haar was zo kort en zo netjes getrimd als kunstgras en leek op zijn hoofd geplakt. Toen we elkaar de hand schudden, werd ik afgeleid door zijn bruine riem, die ongeveer vijftien centimeter te lang was en in een slappe krul uit zijn gesp hing.

Hij had een ellenlange naam, Pierre-François O'Hanrahan-Latulippe, als om zijn dwergformaat te compenseren. *Dus niet iedereen hier is kolossaal...* Zijn kantoortje was al even klein – ik had zonder moeite met één sprong de hele breedte kunnen over-bruggen – en leek nog kleiner doordat de muren donkergrijs waren. Zelfs een trappist zou hier licht claustrofobisch kunnen worden. Aan de muur boven het bureau van de directeur hing een poster van een man met een baard en een lange tuniek, een muts en gevleugelde schoenen, met het onderschrift HERMES, DE GRIEKSE GOD VAN DE HANDEL. Wat er niet bij stond, was dat hij ook de god was van de sluwheid, de welsprekendheid, het bedrog, het vals getuigenis en de dieven.

'*Assoyez-vous, assoyez-vous,*' zei de directeur herhaaldelijk, zelfs toen we allemaal al zaten. Hij draaide een paar maal heen en weer in zijn stoel, waarna hij licht als een veertje weer over-eind schoot, met een souplesse die mogelijk werd gemaakt door de geringe greep die de zwaartekracht op zijn anderhalve me-ter lange lichaam had. Met een volstrekt niet bij hem passende, diepe en sonore radio-omroepersstem beschreef hij de kerk in vlekkeloos Frans.

'Ik zal u niet vermoeien met alle historische details, daar vindt u hier in de bibliotheek een mooi boek over, mocht het u interesseren. Informeer maar bij de bibliothecaresse. U mag het misschien zelfs mee naar huis nemen als u mijn naam noemt. Ze is mijn vrouw!' Hij stootte een kort, ietwat angstaanjagend lachje uit, haalde zijn zakdoek tevoorschijn en veegde zijn voorhoofd af. 'De kerk, die meer dan een eeuw geleden is gebouwd, om precies te zijn in 1906, is het zoveelste slachtoffer van twee schijnbaar onmogelijk te keren trends in deze provincie: het verval van het christendom en de afname van het aantal Engelssprekenden ten noorden van Montreal...'

Op dat moment ging het mobieltje van de makelaar af met een aantal snerpende maten uit 'The Number of the Beast' van Iron Maiden. Hij klapte zijn telefoon open en de directeur schreeuwde: '*Ferme ton crisse de téléphone!*'

Daarna hervatte hij op beheerste toon zijn geschiedenisles, maar niet op het punt waar hij was gestopt. 'Volgens een in 1824 aangenomen wet is al het kerkelijke onroerend goed in Quebec eigendom van een bedrijfscorporatie die een *fabrique* heet – dus niet van het bisdom. Niemand kan de sluiting van een kerk afdwingen zonder dat het hoofdbestuur van de *fabrique* daarmee akkoord gaat.'

'Maar dat is in dit geval dus wel gebeurd,' zei ik na een lange stilte, want hij leek de draad kwijt te zijn. Hij staarde naar iets buiten.

'Ja, met de gebruikelijke redenen. Het ledental nam af – in dit geval zelfs tot nul, tenzij je het handjevol oudjes meetelt dat altijd per bus uit het gesticht werd aangevoerd. Te hoge ouderdom – of in dit geval overlijden – van de geestelijke, alsmede de onbetaalbare onderhouds- en verwarmingskosten van twee gebouwen. Maar ondanks dat alles had de kerk misschien kunnen worden gered als ze subsidie van het Fonds voor Religieus Erfgoed had gekregen.'

Opnieuw viel er een stilte die zich, naar het mij voorkwam, zonder moeite tot de volgende ochtend had kunnen uitstrekken. 'Maar die kwam dus niet,' souffleerde ik. De directeur bleef zwijgen en de makelaar leek ergens anders te zijn met zijn gedachten. Hij zat met een zorgelijk gezicht naar een nummer op het schermpje van zijn trillende mobieltje te staren.

'Nee,' hervatte de directeur. 'En zodoende mag er woonruimte van worden gemaakt. Dat was toch uw bedoeling, heb ik begrepen?'

Ik knikte.

'Het terrein grenst aan land dat eigendom is van de provincie, mocht u het nog niet weten,' vervolgde de directeur, 'dus daar zullen geen... bouwactiviteiten plaats kunnen vinden, althans niet in de nabije toekomst. Als u plannen in die richting had, meneer Nightingale. De Weskarini-stam, waarvan eerder werd aangenomen dat die in de achttiende eeuw door de Irokezen was uitgeroeid, heeft een stuk land van zo'n achthonderd hectare opgeëist dat aan het grondgebied van de kerk grenst, en het proces, waarbij zowel de federale als de provinciale overheid betrokken is, zou zomaar tot halverwege deze eeuw kunnen gaan duren.'

Ik verzekerde hem dat ik geen projectontwikkelaar was en niet van zins was het omliggende land op te kopen. Ik wilde spijkers met koppen slaan. 'Wat is de vraagprijs?'

De directeur schraapte zijn keel. 'Voor de pastorie of de kerk?'

'Allebei.'

'Voor de pastorie, die... nodig gerenoveerd moet worden, plus de kerk, die... leegstaat, plus een grondgebied van één komma zeven hectare dat... nat is, twee negenennegentig.'

Thoreau betaalde achtentwintig dollar voor zijn vredige leventje bij Walden Pond. 'Verkocht.'

De directeur trok een wenkbrauw op. 'De begraafplaats is niet bij de prijs inbegrepen. Maar die wilt u waarschijnlijk ook niet.'

Nou, eigenlijk wel. 'Komt er iemand om die te... hoe heet dat, te onderhouden?'

'De begraafplaats? Nee. Die heeft zijn langste tijd gehad. Volgens de Wet op de niet-katholieke begraafplaatsen kan een begraafplaats door het ministerie van Volksgezondheid worden afgekeurd als hij als "een gevaar voor de volksgezondheid" wordt beschouwd.'

'Hoe bedoelt u, "afgekeurd"?'

'Geruimd, dat zei ik toch al,' zei de makelaar.

Ja, maar jouw informatie is ongeveer net zo betrouwbaar als Wikipedia. 'Maar... waarom is hij een gevaar voor de volksgezondheid?' vroeg ik aan de directeur.

'Dat moeras waar ik het over had,' zei de makelaar. 'En de vandalen.'

'Hij wordt niet meer onderhouden,' zei de directeur. 'De vrijwilligers zijn te oud en te zwak geworden om de struiken in toom te houden of zelfs maar het gras te maaien. De hekken vallen uit elkaar en de grafstenen verbrokkelen en zakken in de grond. Het is een dankbaar doelwit voor vandalen geworden.'

'Maar zei u zonet zelf niet dat de begraafplaats van historisch belang was?'

'Ik... ik doelde op de kerk.'

'En als ik nou de grond koop waar de begraafplaats op ligt?'

'En dan? Wilt u de grafstenen herstellen, het hek vernieuwen, het vandalisme een halt toeroepen?'

'Eh, ja, eigenlijk wel.'

'De begraafplaats valt niet onder deze koopovereenkomst,' zei de makelaar.

'Misschien kan ik hem van de eigenaar overkopen. Van wie is hij?'

'De nieuwe eigenaar wenst vooralsnog anoniem te blijven,' zei de makelaar.

Ik had het inmiddels helemaal gehad met die vent. Nog even en ik zou hem een klap verkopen.

'Verandert dat iets aan de zaak, meneer Nightingale?' vroeg de directeur. 'Bent u nog steeds geïnteresseerd in aankoop?'

Minder. 'Ja, natuurlijk. Valt de vijver ook onder de koop?'

'Alleen het recht van overpad,' zei de makelaar. 'Maar ik zou daar maar uit de buurt blijven als ik u was.'

Als ik jou was, zou ik van de dichtstbijzijnde hoge brug springen. 'En waarom dan wel?'

'Dat heb ik u al verteld. Het spookt er en hij is bodemloos

diep en iedereen noemt hem "L'Étang des Noyés".'

'*Allons donc*,' zei de directeur. 'Plaatselijk bijgeloof, anders niet.'

'Er zijn daar mensen verdronken. Schoolkinderen zijn er bij het schaatsen door het ijs gezakt. Hun lichamen zijn nooit teruggevonden.'

'Dat is meer dan een halve eeuw geleden,' zei de directeur. 'Om precies te zijn in de winter van '58. Je mag daar nu niet meer schaatsen, al weet iedereen dat het volkomen veilig is. Vooral de mensen met sneeuwmobielen.'

De makelaar zat nu in zijn stoel te draaien en te wippen als een schoolkind. Ik keek naar beneden en zag een druppel bloed op zijn schoen; ik keek weer op en zag dat een van zijn neusgaten rood was. De gesprongen bloedvaten, het weggebrande neustussenschot. Een cokesnuiver; ik ken dat.

'Ik neem aan dat u nog een bouwkundige inspectie van de pastorie wilt laten doen?' zei de directeur. Hij trok de brede gebloemde das recht, die zijn hele tors bedekte; een steviger gebouwd man zou die das misschien hebben gestaan, maar hij leek met dat ding tot zijn kin in een tropisch oerwoud te staan. 'Voordat u een bod doet?'

'Een bouwkundige inspectie? Niet nodig, ik weet dat het een...'

Op dat punt bleef ik steken. Er kwamen allerlei woorden uit andere talen bij me op, maar geen Frans of Engels. Door mijn jarenlange verslaving waren bepaalde woorden en uitdrukkingen vergaan, als boeken die in dozen in de kelder hebben gestaan en waarvan de pagina's zijn verkruimeld of aan elkaar geplakt als je ze jaren later tevoorschijn haalt.

'...opknapper is?' vroeg de directeur in accentloos Engels.

'De droom van elke klusjesman?' vroeg de makelaar in verre van accentloos Engels.

Ik vulde vliegensvlug de papieren in, voordat ik van gedachten zou veranderen, voordat een andere idioot een hoger bod zou doen. Toen de grijnzende directeur en de snuffende makelaar over een kredietwaardigheids- en een bankverklaring begonnen, schreef ik een cheque van de Central Jersey Bank uit voor het hele bedrag. Ik overhandigde ook de visitekaartjes van de bankier van mijn vader in Neptune en zijn advocaat in Newark. Daar leken ze genoegen mee te nemen, al benadrukten ze dat het wel tien werkdagen kon duren voordat de transactie officieel was goedgekeurd.

'Als alles goed gaat, kunt u er Kerstmis vieren,' zei de directeur. 'Helemaal in stijl!'

Ik dacht aan Céleste. 'Zegt u dat wel.'

'Hebt u een nummer in Quebec waar we u kunnen bereiken, meneer Nightingale?' Hij vroeg het in het Engels, haast alsof hij me op de proef wilde stellen.

'Nee, ik... u kunt het best mijn advocaat bellen als u contact wilt opnemen.'

Daarop sloeg de directeur met zijn vlakke handen op zijn knieën en sprong op. Hij stak me glimlachend zijn hand toe, maar trok die toen haastig terug en ging weer zitten. 'Er is nog één kwestie die we moeten bespreken, meneer Nightingale, ik was het bijna vergeten. Ik wil me niet met uw zaken bemoeien, maar hebt u veel meubels, of bent u van plan alles nieuw te kopen? Ik vraag dat omdat de spullen van de vorige bewoners niet zijn weggehaald en... nou ja, het ziet er niet naar uit dat dat alsnog gaat gebeuren. Maar zit u daar maar niet over in. Het meubilair is in de prijs inbegrepen, dus u kunt de boel laten staan of alles laten weghalen, wat u zelf wilt. Als de koop is gesloten, is het allemaal van u. U krijgt dus heel wat waar voor uw geld.'

'Ik wil de meubels best aan de eigenaars retourneren. Wie zijn dat?'

'Een dikke ouwe heks die nu dood is,' zei de makelaar. Er staken nu sigaretten van wc-papier uit zijn neusgaten. 'En haar freak van een kleindochter. De walvis en het nijlpaardjong.'

'Het waren heel bijzondere mensen, allebei,' zei de directeur met afkeurend gefronst voorhoofd. 'No-nonsense-types, heetgebakerd, pittig en uiterst kritisch. Pienter, getalenteerd en creatief – renaissancevrouwen, allebei. Ze waren te goed voor deze omgeving – zulke mensen zien we hier nooit meer, dat geef ik u op een briefje.'

'Nee, godzijdank.'

'Dr. Jonquères had meer titels dan... het hele dorp bij elkaar. Psychologie, theologie, wiskunde. Mijn vrouw was dol op haar – ze kwam bijna elke dag in de bibliotheek. Zij was de enige hier in de omgeving die las... En haar kleindochter, Céleste, dat is een wonderkind. Er heeft een artikel over haar in de krant gestaan. Die meid is gewoon geniaal.'

De makelaar zat de directeur met open mond aan te staren.

'Ze is nu vermist, het arme kind,' vervolgde de directeur. 'Maar die komt wel weer boven water, wacht maar. Cély is iedereen te slim af. Haar brein is net een stalen berenklem.'

De makelaar deed zijn mond dicht. 'Wat wilden ze ook weer van die kerk maken? Hoe noemden ze dat?'

'Een revalidatiecentrum voor dieren,' zei de directeur.

'En u raadt nooit wat voor dieren ze daar wilden laten revalideren,' zei de makelaar.

Nou? vroeg ik. Mensen?

'Beren!' Hij barstte in lachen uit.

Ik zweeg verbluft. Waarvan zouden beren moeten revalideren?

'Trouwens, Céleste is degene die...'

'Alles is van de bank,' viel de directeur hem in de rede.

Het verband met het voorgaande ontging me, maar de makelaar zweeg. Ik was even van mijn à propos en wist niet meer waar ik het nu nog over moest hebben: de achtergelaten meubels, de revaliderende beren of het feit dat de kerk van de bank was. Ik keek de makelaar aan. 'Zei u niet dat de vorige eigenaar in de gevangenis zat?'

'O, die meneer,' zei de directeur. 'Die is nooit officieel eigenaar geweest, hoor. Hij heeft wel een bod gedaan, en dat zouden we hebben geaccepteerd als er niet bepaalde... nou ja, de rest weet u.'

'Nou nee, eigenlijk niet. Wat is er dan gebeurd? Waarvoor zit hij vast?'

'Vooral voor illegale handel. In lichaamsdelen van dieren. Verbazingwekkend voor een gelovig man, opgeleid aan een van de oudste seminaries van Quebec. Geloof het of niet, maar hij was vroeger *diacre* aan de Église St-François in Ste-Madeleine. Voor zover ik heb begrepen wilde hij de kerk – de anglicaanse kerk dan – veranderen in een... hoe noemde hij het ook weer?'

'Groothandelscentrum voor dierlijke producten,' zei de makelaar.

'Ah ja, een groothandelscentrum voor dierlijke producten. Misschien hebt u zijn oproep voor personeel op de deur gezien...'

'Ja. Zo te zien probeerde hij personeel te rekruteren bij het plaatselijke gesticht.'

'Dat komt omdat niemand anders daar dood gevonden wil worden,' zei de makelaar. 'Zoals ik al zei: het spookt daar.'

Ik werd getroffen door een gedachte, als een uithaal met een mes. 'Heeft hij soms een zwarte fourwheeldrive, met één kapotte koplamp en een grote grille aan de voorkant?'

De minidirecteur en de maximakelaar wisselden een blik. 'Niet dat ik weet,' zei de oudste van de twee. De jongste haalde zijn schouders op.

'Wat is een groothandelscentrum voor dierlijke producten?' vroeg ik.

'Een soort dieren...fabriek,' zei de makelaar. 'Met alles onder één dak, de hele productlijn. Verkoop, inkoop, opzetten, prepareren, opeten, leren hoe je ze slacht. En als de bisschop uit de bak komt, dan zult u nog wat beleven. Ik heb u gewaarschuwd. Als hij vrijkomt, kunt u misschien maar beter naar China verhuizen.'

De *bisschop*?

'Nou, nou,' zei de directeur met de stompzinnige grijns van een vers lijk. 'Let maar niet op hem, meneer Nightingale. Alles komt goed. Zo gaat het hier altijd.'

Ik schudde de grote hand van de makelaar, die zo knokig was als een kippenklauw, en het handje van de directeur, dat wel een duif leek en niet groter was dan Célestes hand. Ze gaven me allebei hun visitekaartje. Daarna liep de makelaar met wapperend haar naar de deur. Hij deed hem voorzichtig open en loerde naar buiten, alsof daar sluipschutters op de loer lagen. Hij gebaarde dat ik naar buiten kon gaan, bleef zelf binnen en deed de deur langzaam achter me dicht. Ik bleef even staan luisteren naar het geluid van de gedempte stemmen binnen.

Door het raam zag ik hun schaduwen op de muur, als in een poppentheater. Zo te zien lagen ze dubbel. Van het lachen.

VII

In het busje tastte ik onder mijn stoel en toen onder de bijrijdersstoel, en daar krauwde ik over een harig kopje. Ik haalde de beide kaartjes uit mijn linkerborstzak en mijn leesbril uit de rechter. De directeur en de makelaar hadden dezelfde achternaam, zag ik. De dwerggroei had in die familie kennelijk een generatie overgeslagen.

Ik overwoog Céleste nog een keer op te piepen, maar besloot haar niet te storen. Tenslotte kon zij mij ook altijd oproepen... Ik sprong uit het busje, stak over en deed mijn best het getintel in mijn nek te negeren dat me het gevoel gaf dat ik in de gaten werd gehouden. Ik liep naar een winkel die Earls heette, een houten gebouwtje dat er gammel en provisorisch uitzag, alsof het van het decor van een lowbudgetwestern afkomstig was. De apostrof in 'Earl's' was met wit tape afgeplakt en de woorden GENERAL STORE waren met oplosmiddel gebleekt.

Toen ik binnenkwam, nam Earl juist een slok maagdrank uit een flesje. Hij was al hoogbejaard, en zijn dunne witte haar deed aan paardenbloemenpluis denken. Zijn wangen waren helemaal dieppaars. Hij had een wollen trui aan die misschien wit was geweest toen hij gebreid werd, maar inmiddels karamelkleurig was, met een ijshockeyer uit de jaren vijftig op de rug.

Ik liep eerst eens langs de propvolle schappen en pakte toen een *Montreal Gazette* en twee pakjes kattensnoepjes, die ik wonderlijk genoeg tussen de stoffige tekenspullen aantrof. Op de toonbank, bij de kassa, stond een mand bananen, op nog geen meter van de compost en een zak broodjes met een sticker KORTING VANWEGE OUD.

'Anders nog iets?' vroeg Earl in het Engels. 'Lucifers?' Hij hield een doosje Redbird Strike Anywhere-lucifers omhoog.

Voor de krant of voor de kattensnoepjes? 'Oké,' zei ik. De winkel zag er niet florissant uit, dus ik nam er ook nog maar een zak ouderwetse Australische dropjes voor Céleste bij en een fles wijn uit Quebec die Harfang des Neiges ('Sneeuwuil') heette. Die stond tussen een rij blauwe Gatorade-flesjes die me aan reinigingsmiddel voor kammen bij de kapper deden denken. 'Hoe gaan de zaken? Houden de separatisten zich een beetje rustig?'

Hij boog zijn vingers en liet de gewrichten knakken. 'Vorige week een inbraak gehad. Ik dacht eerst nog dat ze niks hadden meegenomen. Maar na een dag of zo zag ik dat alle maagdrank weg was. Weet je wel, tegen de schijterij? Stel je voor. Ik geloof dat ik wel weet wie 't heeft gedaan. Een vriend van me, Bobby Adams, nog ouder dan ik. Ik heb 'n tip voor je: vertrouw nooit iemand van boven de negentig. Overstroming hebben we hier ook nog gehad. Ik stond tot mijn knieën in het water.'

'Vorige week, met dat onweer?'

'Nee, in de jaren tachtig. Anders nog? Zoiets misschien?' Hij hield een nieuwjaarsratel omhoog, die hij zwakjes liet ronddraaien. 'Of dit?' Hij pakte een dubbel spel kaarten met op het ene een schaarsgeklede blondine en op het andere een schaarsgeklede brunette.

Kaarten – geen slecht idee. 'Eh, ja, oké, maar hebt u ook andere? Het is voor een jong meisje.' Ik deed mijn ogen dicht en wilde dat ik die laatste zin niet had uitgesproken.

Earl nam de kaarten uit mijn hand en stopte ze in de zak. 'Meisjes vinden zulke kaarten juist leuk. En roken ook.' Hij knipoogde en trok een jute gordijn opzij, zodat er een heel schap met pakjes sigaretten zichtbaar werd, in sloffen en zakken, met merknamen als Native, Montcalm, Broncos en DK. Vijftien dollar voor tweehonderd stuks.

'Doe deze maar,' zei ik; ik nam een pakje chocoladesigaretten van de toonbank en legde het op de kaarten.

Ik betaalde in Amerikaanse dollars en hij gaf me mijn wisselgeld in grote Canadese munten terug. Zijn vingers waren zo bruin en taai als hondenpoten. Later hoorde ik dat die dollarmunten 'loonies' worden genoemd, wat een Amerikaan verstaat als 'halvegare', maar 'loon' betekent ook 'fuut', de watervogel die op de muntkant staat, en de munten van twee dollar noemen ze dan 'twonies'. Dat zijn mooie voorbeelden om aan te halen als een Canadees zich afvraagt waarom Amerikanen zich vrolijk maken om Canadezen.

'Weet je waarom iemand die in de States woont niet in Canada begraven mag worden?' vroeg hij terwijl hij een van de dollarbiljetten tegen het licht hield.

Daar schrok ik even van. 'N... nee, waarom?'

'Nou, als hij daar wóónt, dan leeft hij dus nog.'

Ik slaakte een zucht. 'Goeie.'

'Die heb ik van mijn vriend Bobby Adams. Het is de enige mop die hij kent en hij vertelt 'm zo vaak dat je zijn bek wel kan dichtslaan. Kende je 'm al?'

'Ik eh... nee, nog niet. Ik zal 'm onthouden. Zeg, die Bobby Adams, kent die toevallig de *bisschop*?'

'De bisschop? Welke bisschop? Bisschop Tutu?'

Ik probeerde een andere benadering. 'Rijdt hij toevallig in een zwarte fourwheeldrive met een kapotte koplamp?'

'Wat is een fourwheeldrive?'

'Laat maar.'

'Nee, vertel nou.'

'Een terreinwagen met vierwielaandrijving. Deze had een opvallend grote grille en zo'n rij van die grote lampen. En enorme wielen.'

Hij leek diep na te denken. 'Bobby Adams. Vroeger ging hij met de scharensliep door de buurt. Leverde altijd goed werk.'

Naast de deur stond een smetteloos wit plastic rek met een onsamenhangend allegaartje van... ja, van wat? MICROGROENTE stond erop, in professionele belettering. Bij alles zat een kaartje. Exotische groeisels waar ik nog nooit van had gehoord:

rode paksoi, koriander, perilla, tatsoi, mitzuna, broeivet. Er waren ook soorten die me wel bekend voorkwamen: alfalfa, bieslook, tuinkers, rucola, rode kool, venkel, zuring, Chinese eetbare chrysant... Er waren ook harige, kleverige okra's bij; die gooide ik in de zak.

'Dat is geen microgroente,' deelde Earl mee.

'Doe toch maar.'

'Dat is van m'n kleinzoon,' zei Earl met een knikje naar het rek. 'Die kweekt dat in zijn kas. In de buurt van Hawkshead. Een nicht als een paard, maar een beste jongen. Een misdaad tegen de natuur, zei mijn vrouw altijd. Maar die is dood. En dat spul verkoopt, hè. Stadslui kopen die rotzooi. Langeafstandsskiërs en langlaufers met van die dure sportspullen.'

Ik lachte omdat hij lachte. 'Hier, voor de okra.' Ik rolde een twintigje op en schoof het in de borstzak van Earls trui. Dat gebaar zou die ouwe wel waarderen.

In het busje lokte ik de kat onder de stoel vandaan met kattensnoepjes, die ik haar uit mijn hand liet eten terwijl ze op mijn schoot heen en weer wiebelde. Ze snuffelde ook aan de okra in mijn andere hand, maar die liet ze voor wat hij was. Toen ging ze weer op de passagiersplaats zitten, kaarsrecht, en keek bedaard voor zich uit. Naar huis, James.

Terwijl ik de motor aan de praat probeerde te krijgen, zag ik een sneeuwploeg hoger op de weg. De ploegschaar stond omhoog en hij kwam met een behoorlijke snelheid op me af. Toen hij steeds dichterbij kwam, drong het tot me door dat hij niet bijtijds ging stoppen. Maar dat zou toch wel... De kat sprong van mijn schoot, maar ik kreeg haar te pakken voordat ze zich weer onder de stoel kon wurmen. Ik stopte haar in mijn jas, gooide het portier open en sprong naar buiten.

De sneeuwploeg stopte pas toen de ploegschaar een paar centimeter van mijn voorruit verwijderd was. De bestuurder boog zich door het open raampje naar buiten en lachte kakelend. Het was dezelfde man als toen, die met de zwarte baard. 'Lang niet gezien, *mon ami*!'

Ja. Lang niet geroken. Ik krabbelde overeind en zette de doodsbange kat op de bestuurdersplaats. Ik deed het portier dicht en de man zette zijn motor af.

'Je trapte erin, hè? Dacht je dat ik je ging rammen?' Zijn stem klonk nog nasaler dan de vorige keer, het leek wel alsof hij een wasknijper op zijn neus had.

Ik veegde de sneeuw van mijn mond en gaf toe dat die gedachte inderdaad bij me opgekomen was.

'Lachen was dat. Je had je gezicht moeten zien. Dat moet ik de jongens in de garage vertellen. Ik ben hier in de buurt beroemd om dit soort geintjes. Zal je zien.'

Ik zei dat het een van de geestigste practical jokes was die ooit met me waren uitgehaald en dat ik me verheugde op nog meer staaltjes van zijn werk.

De sneeuwploeger stootte weer een heksachtig kakellachje uit, maar zweeg toen abrupt. Hij keek me woedend aan en blies met opengesperde neusgaten als een geërgerde stier. 'Neem je me nou in de maling? Als je me in de maling neemt, pak ik een moersleutel en sla ik je tanden uit je bek.'

Mijn antwoord was woordeloos.

Hij krabde met zijn gehandschoende vingers in zijn baard. 'Tijd om dat barrel 's te dumpen, hè? Het lijkt wel alsof-ie door een klein kind gespoten is. En daarna van een berg gerold.'

'Hij rijdt.'

'Een dikke kerel loopt harder.'

'Jouw sneeuwploeg haal ik er wel mee in.'

De bestuurder spoog in de richting van een sneeuwrichel en raakte hem net niet. Vlak voor mijn voet lag een slijmerige, gespikkelde klodder die aan kikkerdril deed denken.

'Jij weet niet wie ik ben, hè?'

Ik wachtte op nadere toelichting.

'Twee jaar achtereen kampioen van de Truck Rodeo. Dát ben

ik. In Notre-Dame-du-Nord. Zeg niet dat je daar nooit van gehoord hebt.' Hij keek me strak aan, alsof hij me uitdaagde precies dat te zeggen.

Ik deed mijn ogen dicht en drukte een vinger tegen mijn voorhoofd. 'Ja, nu je 't zegt. Zat jij niet bij *Oprah*? Met je truck?'

De bestuurder dacht hier even over na, met zijn hoofd schuin, als een hond die iets niet begrijpt. 'Neem je me nou weer in de maling? Bijdehante stadse lul? Als je mij in de maling neemt, krijg je daar spijt van. Ik had je als een mug kunnen pletten met je moffenbusje. Dat kan trouwens nog steeds.'

Ik wierp een blik op de sneeuwploeg. Terwijl ik bevestigend knikte, viel me iets op aan het gemeentebeeldmerk. Die letters waren niet door een vakman met een scherp oog en een vaste hand geschilderd. Of door iemand die kon spellen.

'Ik rij de kwart mijl in 12,7, ja? In een truck.'

Je ziet me zeker aan voor iemand die dat machtig interessant vindt. 'Indrukwekkend.'

'Nou en of dat indrukwekkend is.' Hij boerde. De schimmelige rottingslucht van zijn kiezen, vermengd met iets zelfgestookts wat hij gedronken had – jeneverbes met antivries – sloeg in mijn gezicht. 'Wanneer laat je die spoel nou 's maken?'

'Spoel?'

'Je startmotor.'

Daar hadden we problemen mee gehad toen hij me had geholpen met de startkabel. Ik haalde mijn schouders op.

'En je uitlaat. Klinkt niet best, hè? En je nokkenas en je spruitstuk en god weet wat nog meer.'

Ik heb de neiging reparaties op de lange baan te schuiven, of het nu om de dokter, de tandarts, de advocaat of de garage gaat. Ik ga met mijn auto net zo om als met mijn eigen leven.

'Waarom ruk je dat contact niet gewoon los?'

Het contact losrukken? Dat durfde ik niet eens bij een broodrooster.

'Doe ik wel effe,' bood hij aan, met het zelfvertrouwen van iemand aan wie het mede te danken is dat Quebec de hoogste

95

autodiefstalcijfers van heel Canada heeft. 'Even simpel als in een asbak pissen.' Een letterlijke vertaling.

'Nee, hij pakt 'm zo wel.'

'Heb ik al zowat overal gedaan. In het hele land, ook in Amerika. Ik ben zowat overal geweest en ik heb zowat alles gedaan. Op één ding na. Weet je wat dat is? Het enige wat ik nooit heb gedaan? Nou, raad eens?'

'Eh... je tanden poetsen?' Nee, dat zei ik niet. Ik had nog steeds het beeld in mijn hoofd van het busje dat als een mug geplet werd. Ik haalde alleen mijn schouders op.

'Een dwerg pijpen.' Zijn hoofd sloeg achterover en er knalde een oorverdovend gebulder uit zijn mond.

Om dat verbluffende staaltje esprit moesten we allebei lachen, totdat zijn verstikte gegier wat begon te zakken. 'Zag de bankdirecteur het niet zitten met je?' vroeg ik.

Zijn brede grijns verdween prompt en maakte plaats voor de verbijsterde-hondenuitdrukking. 'Wat bedoel je daar nou weer mee? Neem je me weer in de maling, stadsrat? Als je me in de maling neemt, werk ik je tegen de grond en stamp ik op je kop. Dag neus, dag tanden.'

Dat was al de tweede keer dat hij met een dentale ingreep dreigde. Misschien had hij tandarts moeten worden in plaats van sneeuwploegbestuurder. Vanaf zijn hoger gelegen uitkijkpunt staarde hij nu naar iets op de passagiersplaats van het busje. De kat? 'Ik heb jouw busje daar zien staan, hè?' Een knikje in zuidelijke richting, waar de makelaardij lag. 'Wou je iets kopen in onze mooie bossen?'

'Misschien.'

'De anglo-kerk?'

Hoe wist hij dat? Ik haalde mijn schouders op.

Hij klom uit zijn cabine. 'Ik dacht wel dat jij de nieuwe beheerder was, een stille. Ja toch?' Hij nam me taxerend op terwijl hij een sigaret in zijn stugge, warrige baard duwde. 'En dat daar is je rijdende winkeltje.'

'Mijn wát?'

'Rijdende winkeltje. Voor de klanten. Je handel.'

Ik knikte. Bedoelde hij drugs? 'Drugs?'

'Nee, nimrod, geen drugs. Berengal, klauwen, arendsveren en zo. Maar dat zou je mij toch niet vertellen als het zo was, hè.'

Dat was al de tweede keer op één dag dat iemand me 'nimrod' noemde. Dat betekent jager. De 'geweldige jager voor het aangezicht des HEEREN' uit Genesis. 'Nee, dacht het niet.'

'Goeie vermomming in elk geval. Dat haar, die kleren, die muts. Slim hoor, ik was erin getrapt.'

Daar hoefde je anders niet zo slim voor te zijn.

'Als je ook nog een masker opzet, kan je met Halloween zó als Zorro langs de deuren.' Hij knorde als een varken en nam een diepe trek van zijn sigaret, die daardoor in één klap gehalveerd werd. 'Dus daarom loop je zo met Amerikaanse dollars te smijten. Een echte handelaar. Ja toch?'

Werd ik soms gevolgd? Hoe kwam hij aan al die informatie?

Hij plukte een sliertje tabak van zijn onderlip. 'Dan heb je ook vast wel gehoord wat er een paar maanden geleden met een... kameraad van je is gebeurd. Die houtvester of beheerder of dierenliefhebber of hoe je het ook wil noemen.'

Ik haalde mijn schouders op.

'Daar sta ik van te kijken, dat je dat niet weet. Er was hier in de buurt een hoop over te doen. Waar kom je trouwens vandaan? Frankrijk?'

Ondanks de kou was zijn jas niet dichtgeritst en stond zijn overhemd open, zodat me een blik werd gegund op de harigste borstkas die ik ooit buiten de dierentuin had gezien. 'Ja.'

Hij schudde een sigaret zonder filter uit het pakje en hield het mij toen voor. '"De Fransman is een raar soort gek, hij vecht met zijn voeten en neukt met zijn bek." Zei mijn oom altijd. Omdat jullie standje 69 hebben uitgevonden, snap je?'

Ik rookte eigenlijk zelden meer, maar zo'n aanbod sla je niet af – een merk dat Hawks heette – en hij gooide me een mapje lucifers toe. Er stond een platinablonde dame op met een soort opblaasboezem, hetzelfde plaatje als op de kaarten van Earl.

Soixante-neuf door de Fransen úítgevonden? 'Wat is er dan met die houtvester gebeurd?'

'Doodgeschoten. Met een Nitro .500. Ongeluk bij de jacht. Maar het rare was dat hij een kogelvrij vest aanhad.'

Ik had geen idee wat een Nitro .500 was, maar toonde me verbaasd. 'Is die dwars door dat vest heen gegaan?'

'Met zo'n ding kan je een gat in de muur schieten waar een hond doorheen kan. Maar nee, hij is niet door dat vest heen gegaan.'

Ik wachtte totdat hij zijn harige borst weer vol reservaatrook had gezogen.

'De kogel raakte hem onder de gordel, als je snapt wat ik bedoel. In nog geen drie minuten doodgebloed, zei die broeder. Als zo'n kogel inslaat is een brandkraan d'r niks bij.'

Hij keek me giftig aan en zijn blik gleed van mijn gezicht naar mijn kruis, met de suggestie dat mij hetzelfde kon overkomen als ik inderdaad de nieuwe houtvester was. Hij wendde zijn hoofd af, pakte zijn neus tussen duim en wijsvinger en blies twee stralen snot in de sneeuw. 'Hou je van meiden?' Hij veegde zijn vingers af aan de binnenkant van de borstzak van zijn camouflagejack, die oorspronkelijk voor handgranaten was bedoeld.

Ik brak een lucifer uit het mapje met de cartoonachtige blondine en stak de Hawk op. 'Ja, tuurlijk. Of wou je soms weten...'

'Ik vroeg niet of je een poot was, ik vroeg of je van meiden houdt. Ik heb in mijn leven te veel kut gezien. Heb je weleens van de Cave gehoord, aan de 117? Die is van mijn oom.'

Ik blies duizelig een wolk zware blauwe rook uit. Keek naar het adres op het lucifermapje. 'Ben ik weleens langs gereden, ja.'

'Wapens – daar hou ik van. Misschien kunnen wij samen de bergen eens in, vogels schieten.'

Ja hoor. Als de koeien leren kunstzwemmen. 'Ik ben geen jager.'

'O ja, dat zou ik haast vergeten. Jij bent zo'n groene, hè? Zo'n milieujongen.'

Ik had niets tegen jagers – mijn oom Vince was jager en dat

was een beste man. Bovendien legde ik allang niet meer alles langs mijn ethische meetlat – niet omdat ik die niet had, maar omdat die al jaren niet meer klopte. 'Nee, niet echt.'

'Weet ik, ik heb je geweer gezien.'

O shit. 'Ik... ik heb geen geweer.'

'Ik heb háár ook gezien, hè?'

'Wie?'

'Céleste Jonquères. Daar zou ik maar bij uit de buurt blijven als ik jou was.'

Ik antwoordde met onbestuurbare mond, met woorden die we geen van beiden verstonden. Het contact tussen mijn hersenen en mijn mond was verbroken.

'Vuile halfbloed. Net als de stam van d'r moeder, allemaal opgefokte vechtjassen, deugt niks van, vraag maar aan iedereen hier. En na wat er gebeurd is, komt het nooit meer goed met zo iemand, hè? Die wordt nooit meer de oude. Nee, dat zit er niet in.'

'Maar... wat is er dan gebeurd?'

'Ze heb d'r grootmoeder vermoord, uitenazie of hoe ze dat ook noemt. Ze heb een zak over d'r kop getrokken omdat ze daarom smeekte en omdat zij dat lijden niet meer kon aanzien. Een halfbloedsletje uit het moeras, net als d'r moeder. Duivelsdrek. Ik zou maar uit d'r buurt blijven als ik jou was. Ze heb al eens iemand vermoord en jou maakt ze ook af, dat doet 'r niks.'

Ik hoestte nog wat woorden uit, vragen, maar hij had zijn zwaailichten en zijn achteruitpieper al aangezet en reed achterwaarts het parkeerterrein af.

VIII

Nu ga ik vertellen wat ik over mijn gastheer weet, maar dat is niet veel. Van zijn voornaam heet hij Nile (zijn ouders zijn op huwelijksreis naar Egypte geweest) & zijn achternaam is Nightingale (geen familie van Florence). Ik heb me eerlijk gezegd nooit zo op mijn gemak gevoeld bij mannen – mannen en school, die werken bij mij als kryptoniet – maar misschien is Nile een uitzondering. Hij lijkt wel oké. Hij is afstandelijk en stil, als hij tenminste niet in zichzelf loopt te mompelen. Ik kan hem om me heen hebben zonder dat hij mijn gedachten verstoort. En hij is ook best slim, voor een Amerikaan, voor iemand die in engelen & het hiernamaals gelooft. 'Er was een hiervoormaals en er zal ook een hiernamaals zijn,' zei hij. 'In het heelal kan niets helemaal voorgoed verdwijnen, ook het heelal zelf niet.'

Dat soort flauwekul slaat hij uit, dat sombere heilige mannetje, maar hij doet tenminste niet grotemenserig, hij slaat geen toontje aan alsof ik een baby of een jong hondje ben. Hij heeft een zachte stem & goede manieren & hij is zachtaardig, als een zwaan of een wadvogel. Maar dan een die hier niet inheems is – een dwaalgast die uit koers is geraakt en moe is van het vliegen.

Wat zijn uiterlijk betreft is hij wat mijn grootmoeder een Monet noemde: uit de verte heel mooi, maar van dichtbij veel minder. Zijn haar groeit in wilde, dikke plukken, alsof hij nog nooit een haarborstel van dichtbij heeft gezien & het staat kennelijk liever overeind dan dat het tegen zijn hoofd aan ligt. Hij heeft een donkergetinte leesbril & is altijd helemaal in het zwart met een paarsig rode sjaal, als een gepensioneerde piraat of een oude rockster.

Hij ziet er doodmoe uit, als een soldaat die terugkomt uit de oorlog of zo, en hij heeft verdrietige hondenogen, ongeveer zoals de Jezus op het oostelijke raam van de kerk. Volgens Grand-maman overkomen sommige mensen bepaalde dingen waar ze gewoon niet mee kunnen leven. Dingen die 'de glans van de wereld wegnemen'. Voor Nile was dat misschien de dood van zijn moeder. Of misschien werd hij door zijn vader geslagen of zo. Of misschien heeft hij last van wat Grand-maman 'welvaritis' noemde, een soort virus waardoor iemand steeds meer spullen wil hebben maar steeds minder gelukkig wordt. 'Altijd als je iets nieuws krijgt, raak je evenveel kwijt,' zei ze dan.

Niles moeder kwam uit een rijke familie, net als zijn vader, die dokter was al hoefde hij voor het geld niet te werken. Nile had 'een aardje naar zijn vaartje', want hij is na de middelbare school ook medicijnen gaan studeren. Daar waren zijn ouders zo blij om dat ze hem een auto cadeau gaven die hij altijd al had willen hebben, een Delage, een Franse sportwagen uit de jaren dertig die allang niet meer wordt gemaakt. Daarmee reed hij door Parijs & later liet hij hem per schip naar de States brengen. Hij heeft me een foto laten zien. Een wrak, net als dat busje waar hij nu in rijdt.

Nile is in Europa en Azië opgegroeid, met koks, schoonmaaksters, chauffeurs & kindermeisjes die de taal van hun eigen land spraken. Dat verklaart dus de 5 (!) talen die hij spreekt & de Chinese sprookjes die hij kent. Toen hij op zichzelf ging wonen, weer in Amerika, werkte hij als vertaler & dat doet hij soms nog steeds. Hij zei dat er een boek van hem bij de Walmart ligt. Toen ik vroeg of ik dat als kerstcadeau mocht, zei hij dat ik er niks aan zou vinden.

Nile verzamelt ook postzegels. Ik had in geen miljoen jaar geraden dat hij zo'n hobby zou hebben. Dat is toch echt iets voor een nerd, ongelooflijk. En dan zeggen ze dat ík een nerd ben omdat ik van wetenschap hou & altijd lees, maar hij is volgens mij nog erger. Maar hij zegt dat Edgar Allan Poe & Sherlock Holmes & Julian Barnes ook postzegels verzamelden & Freddie Mercury,

Kurt Cobain, Thom Yorke & de bassist van Arcade Fire ook.

Nile luistert veel naar klassieke muziek. 'Het publiek daarvoor vergrijst & is binnenkort uitgestorven,' zei hij op een avond. Hij schrijft ook veel in een dagboek – een zwart boek met een zilveren slotje & een zilveren pen, van zijn moeder gekregen. Soms schrijft hij iets over uit de boeken van mijn grootmoeder & dat leest hij dan 's avonds voor. Zoals die uitspraak van José Saramago, dat je nooit kunt weten of de boom die je plant uiteindelijk de boom zal zijn waar je je aan ophangt. Zou Nile ook aan zelfmoord denken? Heeft hij in mijn dagboek zitten lezen?

Niet alles aan Nile is goed (maar dat is nooit zo, bij niemand). Hij heeft iets ontvlambaars. Hij lijkt uit balans. Een soort tijdbom. Alsof hij driftaanvallen of vlagen van waanzin heeft. Een voorbeeld: gisteravond na het eten (een soort okrapuree, walgelijk) had hij whisky gedronken & daarvan veranderde hij helemaal, als een soort Jekyll & Hyde. Hij werd geestiger, zelfverzekerder – en toen had hij ineens een blik in zijn ogen als een voortvluchtige seriemoordenaar. Ik zag het al helemaal misgaan – totdat hij de rest van de fles in de gootsteen leeggoot. 'Gewoon, een aanvalletje van hersenkoorts,' zei hij. 'Dat heb ik soms.' Hij draaide de kraan open & de straal raakte een lepel & het water spoot in zijn gezicht & ik durfde niet te lachen.

* * *

Nile ziet ook dingen die er niet zijn. Waar hij ook kijkt. Osama bin Laden in een klip met ijspegels eraan, of een wolf die een hert bijt in een vlek op het plafond, of een brontosaurus in het beslagen raam... Ik bedoel, ik zie ze ook wel min of meer, maar pas als hij ze met veel moeite precies aanwijst. Zou hij iets gebruiken?

* * *

Ik begin me wat beter te voelen, ik eet meer, en nu moet ik DRINGEND een sigaret hebben. Een hele slof. Zal het nog maar eens vragen.

* * *

Nile vroeg vandaag hoe ik de 'dierenarts' van Ste-Mad kende & ik vroeg hoe hij daarbij kwam & hij zei dat hij een foto van haar had gezien toen hij mijn schetsboek & bril ging halen. Ik kuchte wat (ik kan niet goed acteren) en zei toen maar gewoon dat hem dat niets aanging.

* * *

Ik heb nogal veel rondgesnuffeld (ik ben verschrikkelijk nieuws-gierig, mijn ergste tekortkoming volgens Grand-maman) & daar moet ik eens mee ophouden voordat Nile me op heterdaad be-trapt & me wurgt of zo.

* * *

Ik heb daarnet spullen in Niles plunjezak gevonden. Criminele spullen. ECHT eng...

Straks verder, ik hoor lawaai buiten. Klinkt als de ploeg van Gervais. Tot zover dus voorlopig & misschien voorgoed.

D e motor sloeg meteen aan en ik vloog terug naar de hut, de naald van de snelheidsmeter hing helemaal te trillen aan de rechterkant van de cirkel, bij een cijfer dat zelfs voor een goede snelweg al veel te hoog was, en twee keer te hoog voor kronkelige onverharde weggetjes hartje winter. Telkens als ik in de bochten een harde ruk aan het stuur gaf, schoof mijn lading heen en weer. Ik reed de vluchtstrook op om in te halen en moest een gevarendriehoek ontwijken toen ik onder het rijden Céleste probeerde op te piepen. Een, twee, drie keer, maar geen reactie...

Toen de hut in zicht kwam, greep ik onder de stoel en haalde een fles tevoorschijn. De kat stond nu met haar voorpoten tegen het dashboard naar de voorruit toe gebogen en veerde mee met de hobbels en kuilen in het terrein. Ik stopte en deed het portier open, en ze sprong uit het busje. Ik nam een snelle slok Talisker, en toen nog een. Draaide het beslagen raampje omlaag.

Uit de schoorsteen van het huisje stegen zwarte cobra's van rook op en het licht dat naar buiten viel maakte melkachtige blauwe plekken op de sneeuw. De ramen van de huiskamer leken met die rafelranden van rijp net reusachtige postzegels. De deur stond op een kiertje en het hangslot hing open.

Hij piepte toen ik hem verder openduwde, en toen keek ik recht in het kleine, donkere, volmaakt ronde cirkeltje van een zwaar vuurwapen. Céleste was degene die het vasthield en haar vinger lag op de trekker.

Er begon iets in mijn hoofd te zoemen – angst? slaaptekort? – en ik hoorde een stem die van heel ver leek te komen, als ganzen hoog in de lucht. Ik stak mijn armen in de lucht, net als in de film.

'Waarom heb je het gedaan?' vroeg Céleste met een klein, droog stemmetje, zo broos als een eierschaal. Ze zat op het bed, met haar rug tegen de muur.

Ik keek haar verbijsterd aan alsof ik net een hond of een kat had horen spreken. 'Maar... ik dacht dat je...'

'Ja, het is een wonder, ik kan praten. Je wordt vast nog eens heilig verklaard.'

'Maar hoe...'

'Op de grond, met je gezicht naar beneden. Of ik schiet je kop eraf.'

Ze had een stem als een gearceerde tekstballon, als een jonge Marge Simpson. Ik liet mijn handen zakken, maar bleef staan. 'Wat is er dan?'

'Je hebt hem getipt.'

'Wie?'

'Gervais.'

'Gervais?'

'De sneeuwploegman.'

'Shit. Hij is dus teruggekomen?'

'Kijk maar eens naar de deur, Sherlock.'

Rond de deurknop was het hout gesplinterd en het slot was gekrast en verbogen. Het enige wat ik met Sherlock Holmes gemeen had was onze drugsverslaving. 'Wat moest-ie?'

'Kijken of ik het inderdaad was. Meer niet. Hij was namelijk niet gewapend. En ik wel. Hij is ongeveer een halve minuut gebleven.'

Ik liet mijn handen zakken. 'Ik heb hem niet getipt.'

'Op de grond,' zei ze, 'of anders...'

'Anders dan maar,' zei ik, 'want ik ga niet op de grond liggen. Ik had hem niet getipt.'

'Dat zei je al, ja.'

'Dus hij komt terug?'

'Nee,' zei ze kalm nadat ze me lang strak had aangekeken.

'Maar anderen wel. Vandaag niet, en misschien ook morgen niet. Hij moet eerst met zijn neef overleggen. Zijn neef neemt de beslissingen. Zelf is Gervais zo stom als het achtereind van een varken.'

Ik kon haar makkelijk overmeesteren, haar het wapen afpakken. 'En wie... waar is die neef?'

'In de gevangenis.'

Ze is niet half zo groot als ik en verzwakt door haar verwondingen, en ik ben drie keer zo oud als zij en bovendien gesterkt door de alcohol. 'Wanneer komt hij vrij?'

'Binnenkort.'

Met de loop van het wapen wees ze naar de vergulde, gestempelde letters op het attachékoffertje van mijn vader. 'Zijn dat jouw initialen, B. C. N.?'

'Nee.'

Ze hield het geweer met één arm vast, liet de slotjes van het koffertje openspringen en deed het deksel open. 'Ben je een drugskoerier?'

'Nee.'

'Waarom zitten er dan stapels Amerikaans geld in?'

'Noodfonds.'

'En een pistool.'

'Heb je er goed naar gekeken?'

'Naar dat geld?'

'Naar dat pistool.'

'Hoezo?'

'Het is een waterpistool.'

'Dat... maakt niet uit. En dit?' Ze haalde een strook geel papier uit een binnenvak van het koffertje. 'Je bent op de vlucht, hè?'

Je kunt niet vluchten – waar je ook voor op de vlucht bent, je neemt het altijd mee: de weinig originele woorden van mijn vader. 'Ja.'

'Omdat je een kinderverkrachter bent? Pedofiel?'

Ik sloot mijn ogen. 'Ja hoor. Ik ben de Humbert Humbert van het noorden.'

'Ik wil een verklaring.'

'Ik vond het een stuk leuker toen je nog niet kon praten.'

'Ik wil weten wie je bent en wat je hier doet.'

'Dat zou ik ook tegen jou kunnen zeggen.'

'Ben je uit de gevangenis ontsnapt of zo?'

'Nee, ik heb gratie gekregen. Ik zat al vastgegespt in de stoel, maar toen viel de stroom uit. Sneeuwstorm. Goddelijk ingrijpen.'

Céleste keek me strak aan zonder te lachen. 'Word je gezocht?'

'Iedereen zit achter me aan.'

'Waarom?'

'Omdat ik meisjes van veertien kidnap en in het bos begraaf.'

'Je bent een misdadiger. Je bent voortvluchtig.'

'Ik ben voortvluchtig.'

'Dat geeft niet, dat vind ik niet erg. Als het tenminste iets van vroeger is – zolang je nu maar niet meer zo bent. Ik ken massa's criminelen. En ex-criminelen. Dat ben ik zelf ook.'

Ik dacht aan de sneeuwploegman, die zei dat ze een moord had gepleegd. 'Interessant, dat wist ik nog niet. Wat heb je gedaan?'

'Er is heel wat interessants aan mij wat je nog niet weet. Misschien vertel ik dat later nog weleens, misschien ook niet. Hangt ervan af. Daar ben ik nog niet uit. Of ik een kinderverkrachter in vertrouwen moet nemen.'

'Was het moord?'

Een lichte verbazing in haar blik. 'Ik stel hier de vragen. Dienstplichtontduiking?'

'Waar ik vandaan kom hebben ze geen dienstplicht.'

'Waar kom je vandaan?'

'Neptune.'

Ze sloeg haar ogen ten hemel. 'Wat doe je voor de kost?'

'Ik ben lijnrechter op de tennisbaan.'

Wederom ging haar blik hemelwaarts. 'Waarom heb je je postzegelalbums meegenomen? En al die andere... spullen?'

'Gaat je niets aan.'

'Verdien je daar je geld mee?'

'Ooit, vroeger.'

'Ben je verslaafd?'

Mijn armen en benen schokten soms nog steeds onwillekeurig, vooral in bed, hypnagogische en hypnopompische bewegingen. Dat zal ze wel hebben gezien. 'Geweest.'

'Cocaïne? Heroïne?'

Crack, speed, XTC, ketamine, LSD, noem maar op. Zowat alles, behalve bleekmiddel, spiritus, benzine, formaldehyde, lijm en schoonmaakmiddelen. 'Alcohol vooral.'

'En daar ben je nu vanaf?'

Een vriend van me was twee jaar gestopt, liet zich uit nieuwsgierigheid of nostalgie nog één keer gaan en stierf aan een overdosis. Ik wist dat mij dat ook kon overkomen. Ik keek Céleste zwijgend aan.

'Zeg op. Doe maar net alsof ik volwassen ben.'

Daar zat iets in. 'Elf jaar lang, misschien niet de hele tijd maar wel bijna, heb ik geprobeerd ervan af te komen. Het is een lange weg.' Het twaalfstappenritueel, het hele programma van onthouding en pijn. De worsteling om niet toe te geven, alles in balans te houden, genot niet als doel maar als toevallige bijkomstigheid te beschouwen. 'En na de dood van mijn vader. Ineens, van het ene moment op het andere. Zonder AA, zonder NA.'

Céleste legde het geweer neer en haalde behendig het hagelpatroon eruit. Ze begon over symbolen en Freud, maar ik lette niet op, ik was in gedachten ver weg, ten zuidoosten van hier. Als ik behoefte aan symbolisme had, kon ik altijd nog een vroege Bergman gaan zien. Toen stak ze plotseling haar duim en vier vingers op.

'Ik heb nog... drie, vier, vijf vragen,' zei ze. 'Goed?'

'Als ik er dan ook vijf mag stellen.'

'Eén. Wat is dit?' Ze hield een fotokopie van een juridisch document omhoog, een eis tot schadevergoeding van de advocaat van mijn ex.

'Een poging tot afpersing. Door iemand die nog verknipter is dan ik.'

'Je vrouw?'

'Ex-vriendin.' Eerlijk gezegd is de advocaat van mijn ex waarschijnlijk nog verknipter dan zijzelf.

Céleste vormde met haar hand een pistool en richtte dat op het koffertje. 'Waar komt al dat geld vandaan?'

'Van een bank.'

'Heb je een bank beroofd?'

'Zo zou je het kunnen noemen. Het komt van de rekening van mijn vader.' Ik zuchtte en vroeg me af hoeveel ik er nog bij moest vertellen. 'Ik had geen zin om een levensgroot creditcardspoor achter te laten, zie je.'

'Wie zit er dan achter je aan?'

'Nou, om te beginnen de advocaat van mijn ex.'

'Wat wil hij?'

'Zij. Het geld op de bank. Of althans een zo groot mogelijk deel daarvan.'

'En jij bent niet van plan om haar dat te geven.'

'Nee.' Brooklyn kwijtraken was het ergste. Ze was niet van mij, ik was niet met haar moeder getrouwd, juridisch had ik geen poot om op te staan. 'Maar aan haar dochter misschien wel.'

'Brooklyn Jessica Martin? Het meisje dat je hebt ontvoerd en misbruikt?'

Een beschuldiging van aanranding of misbruik is tegenwoordig een banaal soort wraak, maar nog steeds effectief – er wordt altijd geloof aan gehecht, je kunt er iemand totaal mee kapotmaken. Als dat gif eenmaal is vrijgekomen, gaat het nooit meer helemaal weg. 'Dat beweerden zij.'

Ze klikte het deksel van het koffertje dicht met een geluid als van een geweerschot in de verte. 'Dus je koopt het af?'

Het is geen bewijs, in de rechtszaal blijft er waarschijnlijk niets van heel, maar als je aan Brooklyn zou vragen van wie ze het meeste hield, bij wie ze het liefste wil zijn, dan zou ze voor mij kiezen. 'Nee, uiteindelijk houdt ze wel op met die leugens.' Ik herinnerde me ineens weer de eerste keer dat ze mijn hand pakte toen we over het plankier bij de zee liepen, en de manier waarop ze aan mijn jas trok als ze mijn aandacht wilde. Kleine meisjes zijn net oude katten: als ze niets van je moeten hebben, kun je ze onmogelijk dwingen te doen alsof.

Ik zag aan Célestes blik dat ze nog steeds geloofde dat ik een engerd was die in de gaten gehouden moest worden. 'Dat waren wel meer dan vijf vragen, hè?' zei ik.

'Nog eentje?'

'Als ik ook vijf vragen mag stellen.'

'Waarom was je niet bang? Ik hield je onder schot met een geweer! Zelfs Gervais scheet zeven kleuren bagger.'

Wat moest ik daarop zeggen? Dat ik niet aan het leven hechtte? Dat er elke dag dat ik leef weer iets in mindering wordt gebracht op steeds minder? Min deze seconde. Min deze seconde. Dat ik genoeg had van het verzamelen van die miljoenen minuten, die duizenden lege uren? Dat de laatste jaren in afwachting van meneer Alzheimer of de komst van K niet van goud maar van blik zouden zijn?

'Ik heb al een lang, doelloos leven achter de rug,' zei ik uiteindelijk, 'en ik heb meer verleden dan toekomst. Dus waar had ik bang voor moeten zijn?'

Tot mijn verbazing werden Célestes ogen vochtig. Dat was niet mijn bedoeling geweest. Ze wendde haar hoofd af, zodat ik het niet zou zien. 'Je bent wel oud,' zei ze toen, 'maar nou ook weer niet zó oud.'

Ik voelde de vermoeidheid van een oude man. *Moeizaam, afgeleefd, richtingloos door het heelal zwevend*: de woorden van mijn vader. De dood zong al sinds mijn puberteit als een zwak klaaglied in mijn binnenste en werd nu steeds luider, als de laatste zang van een stervende zwaan. Ik was 44 – het Chinese dubbele cijfer van de dood – en ik wist dat ik de 45 niet zou halen.

'Ik vóél me oud. Al bijna mijn hele leven. Dat snap jij niet, Céleste, op jouw leeftijd.'

Ze had haar hoofd nog steeds afgewend en keek strak naar

de grond. 'Ik begrijp het wél,' zei ze bijna onhoorbaar. Ik schoof dichter naar haar toe en zag tranen als glazen kraaltjes in haar ooghoeken springen. 'Echt. Ik heb dat ook al meegemaakt. Wat Grand-maman *le réveil mortel* noemde.'

Réveil mortel. Wakker worden, je bewust worden van de dood, de realiteit van de dood. De erkenning, de acceptatie van je eigen sterfelijkheid die het eind van je jeugd betekent. Mijn moeder gebruikte diezelfde uitdrukking... Ik moet doen alsóf ik leef, dacht ik, doen alsof ik hoop en levenskracht heb, anders geeft Céleste de moed misschien helemaal op. Ze is godverdomme véértien. Ik overwoog een stuk of vier, vijf dingen die ik kon zeggen, verwierp ze weer en deed toen iets wat ons allebei verraste: ik sloeg een arm om haar heen. Eerst voorzichtig, maar toen ze haar armen wild om mij heensloeg en tegen mijn borst snikte, trok ik haar zo dicht tegen me aan als ik met bijna niemand ooit had gedaan. Toen liet ik haar hoofd op het kussen zakken en zag dat ze zich oprolde als een foetus, met een punt van het laken in haar mond. Ik trok de wollen deken over haar heen tot aan haar kin en bleef in de leunstoel naast haar bed zitten totdat ze wegzakte.

Ik pakte het boek zonder omslag dat ik bij de buren had gevonden en dat door een recensent 'het beste van de Canadese poëzie' werd genoemd. Een halfuur later, nadat ik een halve bladzij had gelezen, draaide Céleste zich om en drukte haar handpalmen tegen haar rode ogen. Ze was wakker en wilde praten, zei ze, ze wist wel wat ik wilde vragen en was bereid antwoord te geven. Haar stem was nauwelijks meer dan een gefluister, maar ik hing aan haar lippen.

X

Laat één ding duidelijk zijn: ik schrijf dit niet om aandacht te trekken of alle details over mijn saaie privéleven te vertellen – het is geen blog of zo. Mijn grootmoeder zei dat jonge mensen tegenwoordig geen schaamtegevoel, geen gevoel voor privacy meer hebben, dat het exhibitionisten zijn die geilen op beroemdheid en allemaal hun dagboek, hun mobiele nummer, hun stomme gedichten & hun naaktfoto's online zetten. Die in analfabete chatberichten communiceren. Zo ben ik niet. Dat had mijn grootmoeder ook nooit goedgevonden. Ik mocht niet eens tv kijken. Misschien heb ik daarom wel geen vrienden & praat niemand met me.

Nee, ik schrijf dit dagboek in de hoop dat anderen de waarheid kunnen ontdekken als ik er niet meer ben. Ik hoop dat zelfs onbelangrijke, machteloze mensen zoals ik iets belangrijks en machtigs kunnen nalaten. Ik wil het gevoel hebben dat mijn leven meer voorstelt dan alleen de ruimte die ik inneem, de zuurstof die ik inadem, de producten die ik consumeer & het afval dat ik genereer.

✳ ✳ ✳

Het begon allemaal puur toevallig. Ik liep in de herfst met mijn kijker & bewegingsgevoelige camera (allebei cadeautjes van oma) door het bos in de hoop een veelvraat of een lynx te spotten – twee lievelingsdieren van me omdat ze heel zeldzaam & heel mooi zijn. Oma zei dat ze ze allebei vorig jaar rond deze tijd in het noordoosten van de bossen had gezien. Twee vrouwelijke jagers hadden in deze buurt een lynx geschoten omdat ze dachten dat daar wel een mooi kleed van te maken was, zei ze. Ik zou weleens een mooi kleed van die twee vrouwen willen maken. Maar goed, ik was alweer op weg naar huis omdat ik geen spoor (geen pootafdrukken, geen mest) van een lynx of een veelvraat had gevonden, en ik nam een kortere weg die ik bijna nooit neem omdat hij ruig & gevaarlijk is. Langs dat pad hangen jagers & bikers rond.

Ze zouden me waarschijnlijk ter plekke vermoorden als ze me de dingen zagen doen die ik doe. Zo vond ik nog niet zo lang geleden een dood katoenstaartkonijn & toen ik het arme dier wilde begraven, zag ik dat er naast hem een buis in de grond begraven zat. Zo'n ding noemen ze een M-44 en het is verboden. Er zit een springveer in & er hoort geuraas bij. Als een dier aan dat aas trekt, schiet die springveer een cyanidecapsule in zijn bek. Als cyanide met vocht in contact komt, wordt het een dodelijk gas. Ik heb het aan mijn grootmoeder laten zien & we zijn ermee naar inspecteur Déry van Natuur- en Faunabeheer gegaan, en die zei dat hij een onderzoek zou instellen maar het leek hem niet te interesseren & hij heeft er niets mee gedaan. Straks meer over hem.

Ik volgde iets wat wel een poemaspoor leek (?!), dat een beetje op een hondenspoor lijkt, maar dan groter. Uiteraard. Hieronder zie je het verschil:

Voor

Hond   Poema

Achter

Er is hier in de buurt in geen jaren een poema gezien, dus ik zal me wel vergist hebben. Onderweg vond ik wel twee andere dingen: een pootklem, die ik met een kei kapotsloeg, en 'vuil aas' onder een berk, met een houten plateautje dat aan de takken erboven was gespijkerd. Het aas bestond uit anijszaad, gombeertjes & rozijnen in chocola. Ik heb het in een droge beekbedding begraven, doodsbang dat iemand me zag, maar er was niemand.

Ik liep verder langs het pad en ging er soms af als ik een bierblikje of een lapje stof aan een boom gebonden zag, want die worden allebei gebruikt om een plek te markeren waar aas ligt. Ik vond een worstjesblik, een oranje Cheeziezakje & twee rottende pizzapunten met alles erop en eraan. Plus mest, menselijk, een gigantische drol met een vlag van wc-papier. Smullen voor de bosbeestjes.

Het begon al donker te worden toen ik langs de oude drive-in kwam, waar je nog een paar palen ziet waar de speakers in zaten, en de oude bowlingbaan die ook alweer jaren dicht is. Tot mijn verbazing zag ik licht binnen. En ook rook of damp uit een luchtrooster. Ik wilde doorlopen, maar omdat ik ongeneeslijk nieuwsgierig ben, liep ik erheen om door het raampje in de achterdeur te kijken. Alle andere ramen waren dichtgetimmerd, op eentje na, heel hoog, vlak bij het dak, en daar kwam het licht vandaan.

Ik zag niets, maar ik hoorde wel iets. Van die hoge ploppende geluidjes, moeilijk te beschrijven, en toen twee, drie luide gillen. Niet van het soort dat mensen maken.

Ik wilde al op de deur bonken, maar bedacht me op het laatste moment. Ik liep om het gebouw heen en keek omhoog, naar dat hoge raam. Als ik op het dak kon komen, dat plat was, kon ik op mijn buik gaan liggen met mijn hoofd over de rand & door dat raam naar binnen kijken. Maar daar had ik een lange ladder voor nodig & er waren geen ladders. (En als ik er een had, had ik niet op het dak hoeven klimmen, alleen tot aan dat raam!) Ik had geen zin om helemaal naar huis te gaan om een ladder te halen, vooral omdat het tegen die tijd donker zou zijn, dus ik probeerde er iets anders op te vinden.

Ik liep naar de voordeur. Op het voormalige, nu met onkruid overwoekerde parkeerterrein stond een zwarte SUV met donker getinte ramen. En naast die SUV stond een rode esdoorn, die tot boven het dak reikte. Jonge esdoorns zijn niet de beste klimbomen, en zelfs als het me lukte erin te klimmen, zat er nog een grote ruimte tussen het dak & de dichtstbijzijnde tak die sterk genoeg was om me te houden zonder af te breken. Als ik al zo hoog kon klimmen, zou ik ook nog eens twee meter moeten springen. En hoe moest ik dan weer naar beneden?

Ik klom in de boom. Ik zal het niet hebben over de gevaren van de klim of mijn behendigheid ondanks mijn overgewicht of het lopen tot het eind van die tak, als een chimpansee & met gevaar voor eigen leven. Want dan zou ik moeten opscheppen. Maar door de geluiden die ik binnen hoorde, schoot mijn adrenaline omhoog en daardoor werd ik voortgedreven.

Ondersteboven hangend met mijn kijker en mijn camera om mijn nek boog ik me over de dakrand en loerde door het raam, terwijl het bloed naar mijn hoofd stroomde en ik last van hoogtevrees kreeg.

Dit is wat ik zag: twee voormalige bowlingbanen met daarop een stuk of twintig kleine metalen kooien. In sommige bewoog een schaduw, maar vanuit mijn positie kon ik niet zien wat er voor dieren in zaten. En als ik nog verder over de rand ging hangen, was ik van het dak af gevallen!

Daarom schoof ik maar weer naar de esdoorn toe. Ik durfde de sprong in omgekeerde richting niet goed te maken, dus zocht ik een andere oplossing. Er lag een grote hoop aarde in de buurt van de boom aan de noordkant van het gebouw, begroeid met zacht gras & breedbladige lepelstruiken. Als ik daar aan mijn vingers aan de dakrand ging hangen en me dan liet vallen, kwam ik misschien zacht terecht.

Het was een verrassend zachte landing. Ik had alleen een paar schrammetjes op mijn armen & benen. Ik wist wel dat ik geen korte broek had moeten aantrekken! Nu ging ik op de voordeur bonken.

Maar dat was niet nodig. Voordat ik daar was, hoorde ik de deur krakend opengaan. Ik keek voorzichtig om de hoek van het gebouw & zag een man die zich bukte & een balkje tussen de deur deed. Bij wijze van stopper. Toen stak hij een sigaret op, met zijn hand eromheen zoals de gangsters in oude films. Hij was klein en hij had zwart haar met vet erin. Een oosters type.

Ik pakte een kei, deed een paar stappen bij het gebouw vandaan en gooide hem toen met al mijn kracht op het dak. Ik hoorde hem van het dak af stuiteren & aan de andere kant in de bosjes vallen.

Ik ging weer terug & keek even snel om de hoek. De man stond daar nog steeds te roken. Was hij doof? Ik overwoog naar de andere kant te gaan, naar de bosjes, & iets te roepen of zo. Maar wat zou ik daarmee bereiken? Ik kon niets anders bedenken, dus ik deed nog een keer hetzelfde: een steen pakken, een grotere deze keer, & die op het dak gooien.

Nu hoorde ik hem wel iets roepen. Ik zag dat hij naar het geluid toe liep, naar de bosjes, met zijn rug naar me toe. Ik liep op mijn tenen naar de deur, haalde het balkje ertussenuit & deed hem dicht. Ik was zelf inmiddels aan de andere kant.

Wat heb ik nu gedaan? vroeg ik me af terwijl mijn ogen aan het donker wenden. 'Hallo?' zei ik zachtjes; mijn stem kraakte. 'Hallo?' riep ik toen. Geen antwoord.

✳ ✳ ✳

Ik liep een trappetje af naar een andere deur, waarvan ik dacht dat hij wel op slot zou zijn. Toch trok ik eraan, hard, met beide handen, & hij ging open, schrapend alsof hij over een schoolbord liep. Wat een lucht!! Walgelijk, van alles door elkaar. Zo sterk dat ik bijna moest kokhalzen.

Ik schuifelde langs een ruwe betonnen muur totdat ik bij de plek kwam waar vroeger de zijkant van de bowlingbaan was. Vlak voor me was het punt waar de automaat hoort die de kegels weer neerzet. Maar nu was er alleen een gat. 'Hallo?' riep ik weer.

Langs twee van de middelste banen, waar vroeger hout zat maar nu vooral beton, zag ik de vage omtrekken van kooien. Hier & daar hingen kale peertjes aan het plafond, maar die gaven niet veel licht. Terwijl ik naar de dichtstbijzijnde kooi liep, nadat ik in een van de goten was gestruikeld, hoorde ik gebonk op de achterdeur.

Eerst begreep ik niet wat er in die kooi zat & toen werd ik letterlijk misselijk. Een beer, een grote zwarte beer, zat in een kooi die zo klein was dat hij zich helemaal niet kon verroeren. Aan alle kanten zaten er metalen tralies om hem heen & de onderkant bestond ook uit tralies – hij kon nergens op staan of zitten. Hij kreunde & stak een poot naar buiten. Ik pakte de poot & hield hem vast, wat nogal onnadenkend was. Op dat moment zag ik een metalen buis die door een gat in zijn buik naar binnen verdween.

Er stonden meer dan tien kooien, boven een metalen trog waardoor water naar de afvoer liep. Het stonk ontzettend. Er was ook een vreemd geval dat op een douchecabine leek, met een gordijn van stroken plastic. Op de grond ernaast stond een enorme zilverkleurige gettoblaster.

Ik liep snel verder. In een van de kooien zaten twee jonge beertjes die de ploppende & krijsende geluidjes maakten die ik daarstraks had gehoord. Uit de andere kooien hoorde ik nu een laag, diep gegrom.

Ik deed mijn ogen dicht & haalde diep adem. Pakte toen mijn camera. Ik begon in het wilde weg te knippen: de kooien, de buitenkant, de binnenkant, de cabine, van alles & nog wat, totdat ik geluiden aan de voorkant van het gebouw hoorde. Een deur die dichtsloeg, voetstappen over het beton.

Ik rende naar de achterdeur, langs de muur & het trappetje op. Bij de deur bleef ik staan, bang dat iemand me aan de andere kant stond op te wachten. Moest ik mijn camera niet snel wegmoffelen?

Terwijl ik een plekje zocht om hem te verstoppen, hoorde ik klikkende geluiden, alsof iemand op spikes of golfschoenen over een bowlingbaan rende. En toen riep iemand woorden die ik niet verstond, het was geen Frans of Engels. Ik duwde de deur open. Er stond niemand, geen hinderlaag. Ik sprintte naar het pad, het gevaarlijke pad waar ik van oma niet mocht komen en dat ik in het halfdonker ook nauwelijks zag. Ik rende & struikelde & stond op & rende verder, naar adem happend, almaar door, door, tussen de bomen. Steeds als er een vogel tjilpte of een takje knapte, dacht ik dat het een kerel was die me te grazen ging nemen. Ik rende maar door, met pijnlijke steken in mijn zij, totdat mijn longen bijna ontploften, totdat ik dacht dat ik doodging. Na een tijdje zag ik het pad nauwelijks meer & knalde ik tegen takken & struiken & doornbosjes aan. Maar toen ik tussen de takken door de kerktoren zag, begreep ik dat ik er bijna was, thuis, bij Grand-maman. Met een verhaal dat te afgrijselijk was om te geloven en waarvoor ik trouwens ook geen adem meer had.

* * *

Er zijn 8 soorten beren. De grootste is de bruine beer (grizzly & Siberisch), gevolgd door de ijsbeer, de Amerikaanse zwarte beer, de Aziatische zwarte beer, de lippenbeer, de panda, de brilbeer en de Maleise beer. De koala is de kleinste, maar dat is eigenlijk geen beer. En ze zijn allemaal bedreigd.

Er wordt om veel verschillende redenen op ze gejaagd: als sport (vooral in Noord-Amerika en Europa), tegen overlast (Japan, Verenigde Staten), voor voedsel & lichaamsvet (Canada, Turkije) en voor medicinale doeleinden (overal ter wereld). Wilde beren die heel jong zijn gevangen worden ook voor amusementsdoeleinden gehouden: om te dansen (India, Pakistan, Bulgarije & vroeger ook Griekenland & Turkije) of om te vechten (Pakistan & vroeger ook in heel Europa), waarbij ze worden vastgebonden en door honden worden aangevallen.

Om voor de hand liggende redenen wil ik het hier hebben over de medische redenen om beren te vangen of te doden.

China was het eerste land waar, meer dan vijfhonderd jaar geleden, in de traditionele geneeskunde berengal en berengalblazen werden gebruikt. Tegenwoordig gebruiken ze het voor van alles: brandwonden, ontstekingen, verstuikingen, breuken, aambeien, hepatitis, geelzucht, stuipen, diarree enzovoort. Het wordt in wijn, thee, oogdruppels, zetpillen & shampoo gedaan.

De Chinese Crude Drugs Company kwam op het idee beren in gevangenschap te houden om hun gal af te tappen. 'Melken' noemden ze dat. Er werden honderden kleine bedrijfjes opgezet waar particulieren of families thuis gekooide beren hielden. Daarna kwamen de 'superfarms', waar tegenwoordig duizenden beren worden gehouden.

Beren (meestal zwarte beren) worden in het wild gevangen of in gevangenschap geboren & dan wordt er door middel van een chirurgische ingreep een metalen of rubberen katheter in hun galblaas of hun galkanaal ingebracht. De gal wordt dan afgetapt door een buis die uit hun buik steekt. Soms lekt de gal voortdurend in een plastic zak. In andere gevallen wordt de buis wel tot vier keer per dag geopend & geleegd. Om te voorkomen dat de beren aan de zak of de katheter gaan krabben, krijgen ze vaak een metalen jasje of 'korset' aangemeten. Of er wordt staaldraad om hun nek gebonden.

Om het melken gemakkelijker te maken, worden soms hun nagels uitgetrokken & hun tanden getrokken of afgevijld. Veel van de arbeiders die de gal aftappen, dragen een helm. Waarom? Omdat de beren tijdens het melken met hun tanden kunnen knarsen, slaan, bijten of met hun kop tegen de tralies slaan. Na afloop zijn ze rustiger – dan rollen ze zich trillend op in hun kooi met hun poten tegen hun buik.

De dieren worden de 'melkkooien', 'knijpkooien' of 'doodskistkooien' in gelokt met water met suiker of honing. De beren hebben de rest van de tijd geen vrije toegang tot water, dus willen ze dolgraag drinken. Voor dat genot betalen ze een hoge prijs.

Om hun bewegingsvrijheid te beperken zijn de kooien heel klein, ongeveer 1 bij 1 bij 2 meter. De beren worden door de tralies neergedrukt. De beren, die wel tot 120 kilo wegen, kunnen nauwelijks zitten of zich omdraaien. De tralies, die tegen hun lichaam drukken, laten littekens achter die soms meer dan een meter lang zijn. Omdat de bodem van de kooi uit tralies met een grote tussenruimte bestaat, hebben de beren nooit vlakke grond onder hun poten. Uiteindelijk krijgen ze bloedende wonden.

De meeste beren hebben afgebroken & afgesleten tanden van het bijten in de tralies – als die tanden niet al waren getrokken. Ze hebben ook verwondingen aan kop, poten en rug door het wrijven & stoten tegen de tralies.

Op sommige berenhouderijen waar de tralies van de kooien dichter bij elkaar staan, zijn de beren gedwongen in hun eigen uitwerpselen te liggen, die zich soms centimeters hoog ophopen. Daar proberen de dieren in hun beperkte ruimte een soort latrine te maken.

In de winter mogen ze niet in winterslaap gaan, al zakt de temperatuur soms wel tot 30 graden onder nul. En vergeet niet dat het van nature solitaire dieren zijn. Wilde dieren met wilde instincten. Ze zijn nieuwsgierig & hebben een groot territorium nodig. De claustrofobie die ze moeten voelen – onvoorstelbaar.

Het sterftecijfer ligt hoog, 60 tot 80% van de beren sterft tijdens of kort na de galoperatie. De gemiddelde levensduur van een beer met een katheter is minder dan 10 jaar. In het wild kan een zwarte beer wel 25 tot 30 jaar worden.

Tijdens hun leven in gevangenschap hebben ze voortdurend pijn. Dat is de enige situatie waarvan ik ooit heb gehoord waarin een dier dood wil, zichzelf verminkt & zelfmoord probeert te plegen.

* * *

Welpen die op een fokkerij worden geboren, worden na 2 à 3 maanden bij de moeder weggehaald, terwijl ze in het wild 2 tot 3 jaar bij de moeder blijven. Ze leren circuskunstjes: op de voor- of achterpoten staan, stoelen dragen, koorddansen, ballen gooien, fietsen, boksen enzovoort, om bezoekers naar de fokkerijen te lokken en de markt voor galproducten te stimuleren. Een foto van jezelf met zulke welpjes maakt ook deel uit van het vermaak.

De amusementscarrière van een beer is kort – hoogstens een jaar of twee. Zodra het dier tweeënhalf jaar oud is, wordt het in de kooi gezet en gemolken. Een beer die geen gal meer produceert, wordt niet meer gevoerd. Die laten ze doodgaan, of ze maken hem af voor de poten & de galblaas. Op de meeste fokkerijen worden de poten afgesneden als een klant daarom vraagt. Een verse berenpoot brengt ongeveer 250 dollar op & in een viersterrenhotel kun je voor ongeveer 500 dollar een gerecht met berenpoot bestellen.

* * *

Toen de berenpopulaties in Azië door overbejaging begonnen af te nemen, gingen de handelaars in andere landen op zoek naar berengalblazen. Noord-Amerikaanse zwarte beren, grizzly's, ijsberen & zelfs Zuid-Amerikaanse brilberen zijn in het wild afgeslacht en zonder galblaas aangetroffen. Smokkelaars zijn betrapt met hele galblazen met een laag chocola eromheen om ze voor vijgen in chocola te laten doorgaan, of in balen koffie verpakt om de lucht te maskeren. Door de toenemende handel worden sommige soorten, zoals de Maleise beer, met uitsterven bedreigd. Alleen in Canada al gaat er jaarlijks in de illegale handel in berenproducten 100 miljoen dollar per jaar om.

In de jaren vijftig hebben Japanse wetenschappers een manier gevonden om UDCA, de werkzame stof in berengal, synthetisch te maken. Het is goedkoop & overal verkrijgbaar. Er zijn ook meer dan 50 plantaardige alternatieven voor berengal, waaronder de steel van de Chinese klimop, de Madagascaarse maagdenpalm, de paardenbloem, de Japanse distel & de chrysanthemum. Toch willen de mensen nog steeds 'het echte spul'. Zoals mijn grootmoeder altijd zei: oude mythen, toverdrankjes en godsdiensten zijn moeilijk uit te roeien.

Wordt vervolgd...

Céleste vertelde me uitgebreid over 'berenfokkerijen', verhalen die je verstand te boven gaan en je koude rillingen bezorgen, maar ze onderbrak zichzelf plotseling met de woorden:
'Wordt vervolgd.' Waarop ze haar ogen sloot, zich naast de spin-
nende Moon nestelde en als een blok in slaap viel.

'Ik moet je alweer alleen laten,' zei ik tegen haar slapende lichaam, en ik schreef het even later ook op een briefje, 'maar dit
wordt de laatste keer.' Ik nam de gebruikelijke voorzorgsmaatre-
gelen, legde haar wapens en de walkietalkie op een plek waar ze
er makkelijk bij kon, vergrendelde de ramen, deed de gordijnen
dicht. Ik zou de gemiddelde moderne tiener nog niet eens de
verzorging van een hamster toevertrouwen, maar ik liet de be-
waking van de hut met een gerust hart aan Céleste over, vraag
me niet waarom.

Toen ik de deur opendeed wachtte me een verrassing, niet van
buiten maar van binnen. Moon sprong van het bed en schoot
tussen mijn benen door de sneeuw in. Ze ging naast het busje op
me zitten wachten en kloof ondertussen kalm het ijs van haar
klauwtjes.

De makelaar was niet op kantoor en de bankdirecteur was met
vakantie, maar er lag bij de bank een gewatteerde envelop met
papieren voor me klaar. En een in cadeaupapier verpakt doosje
met een groen Post-It-plakkertje erop. Normaal zou ik beide ter
plekke hebben opengerukt, maar ik was er niet met mijn gedachten bij. Ik kon die beren maar niet uit mijn hoofd zetten. Ik ging
op een stoel in de hal zitten en staarde somber naar de donker-
oranje vloerbedekking. Hoe liep het met die beren af? Wat deden
ze met ze?

Na een poos stond ik op en ging in de rij staan om een hele stapel achterstallige stookolie-, elektriciteits- en telefoonrekeningen van de pastorie te betalen. Toen dat geregeld was, ging ik weer zitten en maakte lusteloos de envelop open.

De verkoop was goedgekeurd, schreef de directeur in zijn vlekkeloze Frans in een brief, en de makelaar bevestigde het in zijn verre van vlekkeloze Frans in een andere; er moesten in januari alleen nog een paar formaliteiten worden geregeld bij een notaris in Ste-Madeleine. Niettemin mocht ik de pastorie voor Kerstmis betrekken als ik dat wilde, op of na de 22e, en kon ik er voor die tijd al terecht voor inspecties en reparaties. Ik keek op mijn horloge: het was de 19e. Ik was stomverbaasd, want ik had een heleboel bureaucratische obstakels en een enorm bedrag aan achterstallige belastingen of boetes verwacht. Of een regelrechte weigering. Ik scheurde het pakpapier open en haalde een bruin-groen sleuteletui uit het doosje tevoorschijn met zes koperen sleutels en een zilveren kruisbeeldje erin. *Joyeux Noël!* stond er op het Post-It-papiertje, in twee verschillende handschriften. Aardig van ze.

Alleen begon ik nu twijfels te krijgen over deze verhuizing, twijfels die steeds ernstiger werden. Was de pastorie wel de juiste plek voor Céleste? Zou het weerzien geen oude wonden openrijten, haar nachtmerries weer tot leven wekken? Niet alleen was zijzelf daar in de modder gedumpt, haar grootmoeder was er de kist in gegaan. En ze zou er gevangenzitten, nooit de deur uit kunnen. Ik kon beter een andere schuilplaats zoeken, waar niemand haar kende. In Alaska bijvoorbeeld, of New Jersey...

Op weg naar buiten passeerde ik de twee indiaanse straatverkopers, die zich net aan het installeren waren. De man ruimde met een houten plank sneeuw om plaats te maken voor zijn kartonnen bed terwijl de vrouw een deken openvouwde met het gekleurde patroon van een jaguarvacht, waar de Maya's een kaart van de sterrenhemel in zagen. Op een bord dat op de grond lag, stond: DE DEMOCRATIE IS TOT MISLUKKEN GEDOEMD. ER ZIJN NIET GENOEG SLIMME MENSEN OM OP SLIMME

MENSEN TE STEMMEN. Als Amerikaan vond ik dat ze daarmee de vinger op de zere plek legde. Ik lachte tegen haar, maar ze lachte niet terug. Ik liep door.

'Wilt u een zwaan?' vroeg ze in het Engels.

Ik bleef staan in de veronderstelling dat ik het verkeerd had verstaan. 'Een wát?'

Uit een linnen tas met een trekkoord haalde ze een iriserend beeldje tevoorschijn, dat ze me overhandigde. Het was niet één zwaan, het waren er twee, met hun snavels en borstveren tegen elkaar. Een fraai kunststukje. Goed geproportioneerd, fijn gedetailleerd. Al weet ik niets van dat soort dingen.

'Hoeveel?' vroeg ik terwijl ik een hand in mijn zak stak. De vogel was een van Célestes lievelingsbeesten. Geen andere watervogel is zo snel in het water of in de lucht, had ze verteld.

'Cadeautje,' zei ze.

Ik trok een dik pak biljetten van twintig dollar tevoorschijn, aarzelde even en stopte het toen weer weg. 'Het is mooi,' zei ik. 'Hebt u het gemaakt?'

Ze wees naar haar vriend. 'Hij is de kunstenaar. Ik ben de anarchist.'

Ik keek naar de man. 'Dank u wel,' zei ik, maar hij keek niet op van waar hij mee bezig was. 'Heel aardig van u... allebei.' Ik weet me nooit een houding te geven bij dit soort onverwachte daden van medemenselijkheid, dus ik maakte me maar snel uit de voeten, voordat ik nog zou gaan janken ook.

Het busje was een beetje nukkig, zoals alleen een tweeëndertig jaar oude auto dat kan zijn, maar ik hield koppig vol totdat de motor tot leven kwam. En ging op weg naar de kerk, míjn kerk nu, met een ring met gouden sleutels. 'Tot welke schatten zouden ze toegang geven?' vroeg ik aan Moon terwijl ik voor haar neus met de sleutelring rammelde. Ze sloeg er een paar keer naar met haar rechterpoot. Ik verkeerde in een adrenalineroes – wij allebei – maar ik hield de maximumsnelheid aan of kwam er maar een pietsje boven. Een ongeduldige motorrijder kleefde een poosje aan mijn bumper, wat ik niet snapte. We reden op een snelweg met twee rijstroken. Wat moest ik doen? Gas geven? Aan de kant gaan? Toen ik het geen van beide deed, passeerde hij me over de ononderbroken streep, waarbij hij met zijn vinger tegen zijn slaap tikte. Hij had de grootste, zwartste en luidruchtigste Harley die ik ooit had gezien. Achter op zijn leren jasje stond in witte sjabloonletters:

ALS JE DIT

KUNT LEZEN

IS DAT WIJF

ERAF GEVALLEN

Toen ik de kerk naderde, verdween de zon achter een berg en werd alles grijs, alsof een kolossale vogel zojuist zijn vleugels had uitgeslagen. Op deze breedte gaat de zon om deze tijd van het jaar al voor vijven onder. Geen wonder dat ze hier net zoveel drinken als ik. Vroeger dronk.

In het afnemende licht stak ik, met Moon tegen mijn borst gedrukt, eerst drie verkeerde sleutels in de voordeur van de pastorie. Voordat ik de vierde probeerde zag ik dat er een metalen klopper op de deur zat, een prachtige waterspuwer in de vorm van een gevleugelde kat waarvan het me verbaasde dat hij niet was gestolen. Ik moest denken aan Scrooge' pareidolie, waardoor hij Marleys gezicht in de deurklopper zag... De kat begon te spartelen, dus ik probeerde de vierde sleutel en die paste. De deur klemde eerst en ging toen met een bombastisch geknars open. Ik zette Moon neer en ze schoot de gang in, in de richting van de keuken.

Ik had in een roes moeten verkeren – de trots van de eigenaar, de symbolische overgangsrite enzovoort – maar ik kon alleen maar denken aan het sterven dat zich boven had voltrokken. Ik maakte me al op om naar de kerk te gaan, maar toen schoot me iets te binnen wat dringender was. Ik liep met mijn kletsnatte schoenen over de houten vloer van de gang naar de keuken. Maar vijf van de zes katten waren present. Mercury, Venus, Jupiter, Pluto en Comet. Moon was nergens meer te bekennen.

Ik kon het niet laten om op weg naar de kerk een omweg te maken via de vervallen begraafplaats, die er in de mistige avondschemer en het zwakke polaire licht uitzag als het decor voor een Poe-verhaal. Uit een den of spar klonk de elegie van een zangvogeltje, een witkeelgors, volgens Céleste ook wel Canadese gors genoemd omdat de zang van het mannetje klinkt als: *o lief Canada-Canada-Canada*. Drie kraaien begonnen de gors te overstemmen, ze hupten in koor krassend van steen naar steen en maakten zich vrolijk over mijn vleugelloze lichaam. Ik volgde ze naar een grote weymouthden, waar ik onder de wijd uitwaaierende takken drie heel kleine grafstenen zag. Op een ervan lag een vertrapte, vergeten rouwkrans. De andere waren beklad met viltstiftletters: op de ene stond FLQ! en op de andere LIEVER DOOD DAN HOMO. Ik zal Céleste vragen wat FLQ betekent. En met welk middel je viltstift het beste wegkrijgt.

Achter de boom was het voor dieren gereserveerde gedeelte dat de makelaar zo belachelijk had gevonden. Ik bleef even staan om de kleine stenen te bekijken. In de schrijnende, droevige grafschriften werden mensen vaak met dieren vergeleken. Zo vond ik deze ode aan de Ierse setter Bailey, gestorven op 31 december 1906, het oudste grafschrift dat ik kon vinden:

Treed nader, ijd'le mens, en leg uw fierheid af;
Schrik niet – wat gij aanschouwt is slechts een dierengraf.
Een praalgraf herbergt soms een praalziek mens'lijk zwijn -
Maar voor een trouwe hond zij dit de trouwe schrijn.

En deze tekst was voor Grey, een husky die op 5 april 1942 was overleden:

Hieronder rust het lichaam van een dier
Dat meer verstand had dan de mensen hier;
Hij hield van rust en meed de politiek,
Bestreed geen kerk en hoorde bij geen kliek.
Hij deed in ieder opzicht trouw zijn plicht,
Bloos, christen, doe als Grey en zie het licht.

Terwijl ik deze woorden stond te overpeinzen hoorde ik een reeks geluiden, uit twee verschillende richtingen en telkens met een paar seconden ertussen. Eerst het geluid van een gierende motor vanaf de oprijlaan. Vervolgens een harder geluid, een gegrom achter me. Ik draaide me om. Alle haartjes op mijn huid gingen overeind staan en mijn gezicht begon te gloeien. Een groot beest, een soort sabeltandtijger, zat in elkaar gedoken voor me; zijn kop en lijf hadden een goudachtige glans en zijn staart was minstens een meter lang. Ik schreeuwde, niet van angst of om het beest te verjagen, maar omdat ik zijn klauwen, of misschien tanden, in mijn rechterbeen voelde dringen. Ik deed mijn ogen dicht, mijn gezicht vertrokken van de pijn, en schopte toen wild met beide benen terwijl ik met mijn armen om me heen maaide. Daarna viel er een doodse stilte. Ik deed mijn ogen open en het wilde dier was weg. Ik keek omlaag: geen verscheurde kleren, geen tand- of nagelsporen...

De zoveelste hersenschim, het zoveelste symptoom van een zieke geest, meer niet. Terwijl ik walgend met mijn hoofd schudde, kwam er weer een geluid uit dezelfde richting, ditmaal heel zwak. Een kleine witte kat – Moon – krabde in de sneeuw en de modder tussen twee scheefgezakte, afbrokkelende stenen waaronder andere katten lagen en waar zijzelf weldra ook zou liggen. Haar uitwerking op mij was merkwaardig kalmerend, precies wat ik nodig had nadat ik me halfdood was geschrokken. Toen ze me zag, kwam ze met afgemeten pasjes naar me toe, maar na een meter gaf ze het op en mauwde ze met haar iele stemmetje luid naar me. Ik liep op haar toe en zij op mij, we troffen elkaar halverwege. Ik tilde haar op en ze liftte op mijn schouder mee naar de pastorie.

Iemand had een rode sportwagen voor het huis gezet, zo dicht bij de voorgevel als mogelijk was zonder de huiskamer binnen te rijden. De bestuurder, die met zijn voet op de achterbumper met een of ander apparaatje stond te pielen, kwam me vaag bekend voor. Een acteur?

Ik zette Moon neer en maakte de voordeur voor haar open. Daarna liep ik op de bezoeker af. *'Je peux vous aider, monsieur?'*

Hij gaf niet meteen antwoord en keek zelfs niet direct op van zijn apparaatje, zodat ik even de tijd kreeg om hem te bekijken. Ongeveer mijn lengte, tegen de één meter vijfentachtig, maar met de bouw van een tractor. Zo'n iel baardje dat de kaaklijn volgt en een al even dun snorretje, allebei vlekkerig bruin, de kleur van gebruikt kattengrit. Feloranje pet, zware rubberen lieslaarzen en een jagersvest met een rubberen vak aan de achterkant voor de bloedende vogels. Alles van topmerken en gloednieuw, alsof hij de prijskaartjes er nog maar net af had geknipt.

Hij liet zijn BlackBerry of iPhone in een borstzak glijden, keek me met half dichtgeknepen ogen aan en stak zijn hand uit. 'François Darche.'

Ach ja, natuurlijk. Een ijshockeyer, aanvaller bij de Minnesota Wild, onlangs gestopt, ontslagen of geschorst. Ik bereidde me voor op een botversplinterende handdruk, maar hij bleek een nogal slap handje te geven. Terwijl we elkaar behoedzaam aangrijnsden, vroeg ik me af wat een *hockeyeur* in vredesnaam van me kon willen.

Dat werd snel duidelijk: hij wilde een 'overpad' over het grondgebied van de kerk naar de luxewoning die hij tien kilometer verderop bouwde. Een kortere route dus.

'Maar daar is een begraafplaats,' zei ik. 'En een moeras.'

'Dat met die begraafplaats heb ik al geregeld. En dat moeras leggen we wel droog, en dan maken we er een grindpad. Op een dam, of hoe zoiets ook maar heet.'

'Een dam? Godsamme, man, dit is een kwetsbare biotoop.'

'Wat betekent dat?'

Ik twijfelde. 'Het is een... een ecosysteem.' Ik probeerde me te herinneren wat Céleste me had verteld. 'Er zit een reigerkolonie, een zwanenkolonie en... nog een heleboel meer kolonies.' Kikkerkolonie, eendenkolonie? 'Hebt u enig idee hoeveel beesten u verjaagt – doodmaakt – als u zoiets doet?'

Darche wierp een snelle blik op zijn Ferrari, wat hij al een paar maal eerder had gedaan – alsof hij bang was dat een criminele indiaan of beer ermee zou wegrijden. Op de bijrijdersstoel lag een krachtig uitziende kruisboog; de vlijmscherpe punten van de pijlen glansden in de stervende zon.

'Wat maken die paar kikkers en padden nou uit? Ik bied u twintig ruggen, dominee.'

Volgens Céleste wemelde het in deze buurt van dit soort types. Bankiers, advocaten en ijshockeyers die met hun vrienden en zakenrelaties in opgepimpte landrovers en terreinwagens door de Laurentians scheurden en alles wat veren, een vacht of vinnen had doodknalden of aan de haak sloegen.

'Het is waarschijnlijk vooral één grote muggenkolonie,' zei Darche. 'En dan die verrotting – het stinkt hier natuurlijk een uur in de wind. Denk er nog maar eens goed over na. Twintig duizendjes.'

Ik schudde mijn hoofd.

'Vijfentwintig.'

Ik zweeg even alsof ik nadacht. 'Hoeveel hebt u het afgelopen seizoen verdiend?' Dat soort dingen mag je tegenwoordig aan sportmensen vragen, daar ontlenen ze status aan.

Hij grijnsde. 'Twee komma vier.'

'Miljoen?'

'Yep.'

'Dan is dat mijn prijs. Graag of niet.'

Hij vertrok. Eerst liet hij woedend de motor razen en zette hij Metallica zo hard aan dat de ramen in hun sponningen trilden, daarna gaf hij gas, en de achterkant van zijn auto wipte even omhoog door de krachtsexplosie. Hij stoof achteruit de oprijlaan af en draaide zonder vaart te minderen de weg op. Daar spoot de auto naar voren, krijsend als een kat in een klem en met rokende banden. Ik hoopte dat ik monsieur Darche nooit meer zou terugzien, maar die hoop zou niet in vervulling gaan.

De telefoon in de keuken begon te rinkelen. Heel lang achter elkaar, wat je nooit meer hoort in deze tijd van antwoordapparaten en voicemail. Ik nam pas na een stuk of vijftig belsignalen op.

'Nile.' Een gespierde stem greep me bij mijn revers.

'Hoe kom je aan dit nummer?' Het antwoord lag voor de hand. Ik moest beter nadenken voordat ik Volpe dat soort vragen stelde.

'Je moet beter nadenken voordat je me dat soort vragen stelt,' zei Volpe.

Op de achtergrond hoorde ik 'Teen Angel' van Mark Dinning. 'Earth Angel', 'My Special Angel', 'Johnny Angel', 'The Angels Listened In' – die jaren vijftig waren toch maar een spirituele tijd. 'Is er nieuws?'

'Een nieuwe rechtszaak. Een schrijver en een uitgever in Frankrijk. Ik moest een tolk inhuren om de hele lading shit door te ploegen die ze over me hebben uitgestort.'

Dat was ik bijna vergeten.

'Probeer je in het *Guinness Book of World Records* te komen of zo? Wat is dit nou verdomme weer allemaal, Nile?'

'Ik had wat verbeteringen in zijn boek aangebracht.'

'Verbeteringen. In de aanklacht staat dat je, ik citeer, "een oorspronkelijk literair kunstwerk hebt verminkt en het moedwillig en met voorbedachten rade verkeerd hebt vertaald". Klopt dat?'

Literair kunstwerk? 'Ik heb de nodige wijzigingen aangebracht, ja.'

'Wat voor wijzigingen?'

'Kleine dingetjes. Ik heb de plot wat opgestrakt, saaie dialogen wat pittiger gemaakt, een uiterst onaangenaam personage de nek omgedraaid en een hoofdstuk met seks toegevoegd.'

'De schrijver en de uitgever beweren dat je het hele boek hebt herschreven. Ze eisen honderdduizend dollar schadevergoeding. Ter genoegdoening, als straf en om een voorbeeld te stellen.'

De 'literator' had een revolutionaire nieuwe verteltechniek toegepast door elke alinea te beginnen met *En toen*. De 'uitgever' had het boek met de paginanummering verkeerd om laten drukken. 'De schrijver had zijn boek ingesproken met een dictafoon en de uitgever houdt kantoor in een telefooncel.'

'Onbelangrijk, irrelevant, niet pertinent.'

Waarom gebruiken advocaten zoveel synoniemen? 'Jawel, maar is het ook buiten de orde, misplaatst of ongepast?'

'Het gaat om intellectuele eigendom, Nile. Om nog maar te zwijgen van de onaantastbaarheid van een kunstwerk. Daar kun je niet aan gaan knoeien.'

'Onaantastbaarheid van een kunstwerk? Dat boek is *volstrekt onbegrijpelijk*, verdomme, het is het soort boek dat mensen expres op vliegvelden en in hotelkamers laten liggen. Of uit het raam gooien.'

'Er staat hier dat hij er een werkbeurs van het Franse ministerie van Cultuur voor heeft gekregen.'

'Zulke schrijvers zouden geld moeten krijgen op voorwaarde dat ze nooit meer een letter op papier zetten.'

'Hoe verkoopt het boek in Frankrijk?'

'Wat is het tegengestelde van warme broodjes?'

De zoveelste lange zucht klonk uit de hoorn.

'Ik ben nog iets vergeten te zeggen,' zei ik. 'Wat misschien relevant is. Of... pertinent. De uitgever heeft me niet voor mijn werk betaald.'

'Niet betaald?!'

'Nee. In plaats van een honorarium ben ik akkoord gegaan met een percentage van de opbrengst.'

'Heb je *voor niks* een boek vertaald? Hoe ben je op dat idee gekomen? Laat maar, ik weet het al, van je vader. "Door jarenlange oefening in..."'

'"…altijd het verkeerde doen."'

'*Exactamente.* Hoe moet ik deze rotzooi nou weer opruimen, Nile? Wat verwacht je van me?'

Ik verwacht van je dat je hetzelfde doet als altijd: verwarring zaaien en tijd rekken, mensen murw maken met advocatenkosten. 'Ik weet het niet. Wat dacht je ervan om de juridisch adviseur van O. J. Simpson in te huren? De eerste?'

Nadat ik Céleste had opgepiept en de gewenste reactie had gekregen, ging ik een snelle blik op de kerk werpen. Ik had foto's van het interieur gezien en er stukjes van opgevangen door de ramen, maar ik was er nog nooit binnen geweest. Céleste had me gewaarschuwd dat hij leeg was, dat alles van waarde al door dieven was meegenomen. En alles wat geen waarde had ook.

Ik begon met de achterdeur, want die was het dichtst bij, maar de eerste vijf sleutels die ik probeerde pasten niet. Ik wilde net de zesde pakken toen ik werd afgeleid door een zacht gefluit dat van de voorkant van de kerk kwam. Darche?

Terwijl ik naar de voorkant liep om poolshoogte te nemen hield het geluid op en werd er driemaal stevig op de voordeur geklopt. Waarna een fraaie tenor een lied inzette: '*On the first day of Christmas, my true love gave to me…*'

Ik loerde om de hoek, maar kon niets anders onderscheiden dan een merkwaardig uitziende voet. Ik deed dapper een stap naar voren.

'*…a partridge in a pear tree. On the second…*'

'Kan ik u helpen?' onderbrak ik de zanger, want het lied telde door tot twaalf.

'O, hallo,' zei een oudere man met een lange zilvergrijze baard. En een druïdisch voorkomen. 'Vrolijk kerstfeest.'

'Insgelijks.'

Hij kneep zijn ogen half dicht tegen het licht van een kaal peertje tussen ons in, waardoor er een wijdvertakt netwerk van rimpeltjes op zijn gezicht kwam. 'Ik kom in verband met de vacature.' Zijn baard fonkelde als een beek in een maannacht.

'De vacature?'

Hij wees naar het verregende, bobbelige stuk karton op de kerkdeur. 'Bij uw bedrijf, de betrekking waarvoor u iemand zoekt. "Oudere vrijwilligers gevraagd voor marktonderzoek"...'

'"Hoge leeftijd of psychische aandoening geen bezwaar".'

'Heel doortrapt.'

'Wat?'

'Voormalige gekkenhuisbewoners inhuren.' Hij had een Welsh accent of iets wat daarop leek.

'O, maar dat was niet míjn...'

'U voert ze op als werknemers, gebruikt ze als aftrekpost en int de overheidssubsidies voor het in dienst nemen. Maar u hoeft ze niks te betalen, want zij denken dat ze vrijwilligers zijn.'

'O juist. Maar het was niet mijn...'

'*Au fond* hoeven ze niet eens te bestáán. Een beetje zoals de *Dode zielen* van Gogol, als u me kunt volgen.'

Ik kon hem niet volgen, maar knikte toch maar. Ik moet meer gaan lezen.

De man gaf me een knipoog. 'Wees maar niet bang, ik zwijg als het graf – mijn mond blijft net zo stijf dicht als de gulp van een koorknaap.'

Had ik dat laatste verkeerd verstaan? Ik bekeek de man eens goed in het licht van het kale peertje. Hij had de vaderlijke uitstraling van de man op de dozen Quaker Oats-cornflakes, alleen had hij een kunstgebit dat niet paste en een jas van roodachtig tweed die eruitzag als een stoffig tapijt, en droeg hij galoches over schoenen die met tape waren dichtgeplakt.

'Om wat voor marktonderzoek gaat het precies?' vroeg hij, en hij kreeg een hoestbui. Het was een diepe longhoest, zo heftig dat ik bang was dat hij bloed, gal of een deel van zijn slokdarm zou ophoesten.

'Er is geen sprake van marktonderzoek. Ik heb dat stuk karton niet opgehangen.' Om dat te bewijzen scheurde ik het los, of wat ervan over was. 'Maar ik zou wel wat hulp kunnen gebruiken, een schoonmaker of een restaurateur. Dus als u hier in de buurt mensen kent die...'

'Het lot is een deur die aan de scharnieren van het toeval hangt.'

'Pardon?'

'Ik ben antiquair van beroep, meneer...'

'Nightingale.'

'Ooit had ik een winkel in Wales, meneer Nightingale. Die nog van mijn grootvader was geweest. Ik ben er zelfs geboren, door de ooievaar gebracht in een doos waar DEZE KANT BO-VEN op stond.'

Ik glimlachte beleefd. 'Juist ja... Maar weet u, wat ik nodig heb is iemand die eh... het interieur kan restaureren, het dak waterdicht maken en er nieuwe pannen op leggen.'

'Ik was gespecialiseerd in speelgoed, antiek speelgoed. Tinnen soldaatjes, hobbelpaarden, miniatuur-muziekinstrumenten, dat soort dingen. Opwindaapjes die hun haar kammen voor de spiegel, bekkens tegen elkaar slaan en de horlepiep dansen. Ik kocht ze, repareerde ze en verkocht ze weer. Is er een orgel in de kerk? Dan kan ik het voor u stemmen.'

'Eh, nee, ik geloof dat het orgel is... weggehaald. Komt u uit...' Ik had bijna 'de inrichting' gezegd, maar bedacht me. 'Ste-Madeleine?'

'Daar woon ik voorlopig, tot ik terug kan naar mijn atelier bij het meer. Lac St-Nicolas. U kunt het niet over het hoofd zien, het is het hutje met de rood-witte strepen. Als een zuurstok.'

We staarden elkaar aan zonder met onze ogen te knipperen, als kikkers. Ik wist niet goed wat ik verder moest zeggen. 'Kent u toevallig iemand die in een grote zwarte pick-up met een kapotte koplamp rijdt?'

'Ik ken iedereen in deze buurt en weet precies wat van wie is.'

Daar besloot ik verder niet op in te gaan. 'Zeg, is er hier ergens iemand die kerken opknapt? Ik heb al wat geïnformeerd, maar het schijnt dat niemand...'

'U kunt net zo goed proberen van water wijn te maken. De dorpelingen laten u tot aan hun tuinhek komen, maar het zal nooit voor u opengaan.'

Wat de plaatselijke bevolking me kwalijk nam, begreep ik al snel, was dat ik een symbool in ere probeerde te herstellen dat zij verafschuwden; rationeel of niet, ze zagen de kerk en de grond waar die op stond als een duistere zinkput van de dood, een plek waar demonen en moerasduivels huisden.

'Ik zal werken als een paard, meneer Nightingale. Alles van zolder tot kelder schoonschrobben en ieder hoekje opknappen. Ik ben in topconditie, een geboren atleet. Verkijk u niet op mijn peervormige lijf. Ik bloei op in deze tijd van het jaar, als een kerstster. Laat alles maar aan mij over. Ik breng geluk, dat zult u wel merken. Waar hier behoefte aan is, dat is de kracht van de ouderdom. Ik poets de kerkbanken met Murphy's Oil-zeep en boen de vloeren met Heinz-azijn.' Hij stak zijn hand uit. 'Myles Llewellyn, uw dienaar.'

Ik stak hem mijn hand toe, waar hij een paar keer snel achter elkaar in kneep. Als in een knijptoeter of een kalkoenbedruiper.

'Ik kan morgen beginnen als u wilt. Of nu meteen. Ik ben niet bang om te werken. Ik steek de handen graag uit de mouwen. Ik ben niet iemand die de kantjes ervan afloopt. Zullen we beginnen? Hup twee drie, aan de slag?'

Ik zag hem niet 'hup twee drie' aan de slag gaan. Ik grijnsde en hij grijnsde terug, zodat hij rimpels bij zijn ooghoeken kreeg. Het woord ONBRUIKBAAR leek op zijn voorhoofd gebrand. Hoe kon ik hem op een vriendelijke manier vertellen dat er hier geen emplooi voor hem was, nu niet en nooit? Hoe kon ik dat een week voor Kerstmis tegen hem zeggen?

'Meneer Llewellyn...' Ik trok een gezaghebbend gezicht, zoals mijn vader vroeger altijd deed, en zweeg even om mijn keel te schrapen. In een maalstroom van besluiteloosheid deed ik mijn ogen dicht, en aan de binnenkant van mijn oogleden keek mijn vaders gezicht me boosaardig aan. *Vooruit!* siste hij. *Zeg het, ver-*

domme! 'Meneer Llewellyn, u bent... precies de man die ik zoek. U bent aangenomen.'

Ik bracht mijn nieuwe werknemer terug naar Ste-Madeleine en vroeg me af hoe hij eigenlijk naar de kerk was gekomen. Daar was hij vaag over. En hoe wist hij dat dat bordje op de kerkdeur hing? 'Van een vogeltje,' zei hij alleen maar.

Een deel van de weg reed ik achter een grote cementwagen waarvan de schuine, eivormige molen langzaam ronddraaide. Toen de wagen traag links afsloeg, de weg naar de inrichting in, verwachtte ik dat Llewellyn zou zeggen: 'Rij maar achter die vrachtwagen aan.' Maar dat deed hij niet. Hij verzocht me hem bij Les Trois Rennes af te zetten, een *brasserie* zo'n drie kilometer verderop.

Op de lege parkeerplaats wilde ik het telefoonnummer van de pastorie opschrijven, maar toen besefte ik dat ik dat niet wist.

'Ik bel u op de pastorie, meneer Nightingale. St. Stephen's Day, schikt dat?'

Zo noemen de Ieren tweede kerstdag. 'Prima. Hier, pak aan.' Ik trok drie briefjes van twintig uit de dikke prop. 'Een voorschot.'

Hij keek met half dichtgeknepen ogen naar de biljetten. Hij had één slap ooglid dat een beetje naar beneden hing. 'U bent toch die Amerikaanse houtvester, hè?'

Hoe spreken zulke dingen zich zo snel rond? Als een lopend vuurtje, zelfs tot in de inrichting? 'Van wie hebt u dat gehoord?'

'Wees maar niet bang, ik verklap niets. Mannen zoals u hebben we hier hard nodig. Er waren hier allerlei schurken en boeven rond – en dan heb ik het niet over boeren die hasj verbouwen of zelf speed maken. Ik heb het over stropersbendes met radio's, machinepistolen en verkenningsvliegtuigen. Tienergangsters op motoren die als koerier voor lichaamsdelen van dieren fungeren. Dat is nou de moderne wereld.'

'Wat hebt u nog meer gehoord?'

'Dat u en uw partner de kerk hebben gekocht als hoofdkwartier, als opslagplaats voor bewijsmateriaal. Vrieskisten vol illegale beesten en lichaamsdelen, dat soort dingen.'

'Mijn partner?'

'Céleste Jonquères. Een verdomd pientere meid. Zo gewiekst als wat. Er heeft een artikel over haar in de krant gestaan.'

Daar hoorde ik van op. 'Céleste wie? Ik ben bang dat ik niet...'

'En ik heb gehoord dat u Bazinet en Cude te pakken probeert te krijgen, de twee grootste schoften van het stel. Ze deinzen nergens voor terug, die twee. Het zijn neven, wist u dat?'

'Ja, eh... dat had ik begrepen, ja.'

'Maar wat u misschien nog niet wist: ik ben degene die Gervais' legerlaarzen op de mat heeft gezet. Gevonden in een greppel bij de oude brug. Met rubberhandschoenen erin.'

Zalig zijn de getikten, want zij hebben barstjes waar licht door naar binnen valt.

Hij deed het portier open en stapte uit. 'Als u die neven pakt, neem ik de Dérys voor mijn rekening.'

'De *derrie*? Wat bedoelt u?'

'Daar komt u wel achter.' En met deze woorden liep hij met snelle, kwieke pas op de ingang van Les Trois Rennes af.

🐦 🐦 🐦

Céleste was niet verbaasd over alle geruchten die de ronde deden, gezien mijn confrontaties met Gervais. En Earl. En het feit dat ik kwistig met Amerikaanse twintigdollarbiljetten strooide.

'Wat heeft dat ermee te maken?' vroeg ik.

'De meeste kopers werken met Amerikaanse briefjes van twintig. Ze denken dat je een dekmantel probeert te creëren. Dat je ze in de val wilt laten lopen.'

Dat had Gervais me al uitgelegd. Ik vertelde wat Myles Llewellyn over de legerlaarzen had gezegd.

'Llewellyn? Heeft die ze daar neergezet?' Haar hersenen leken op volle kracht te werken. 'Hoe heb je hem ontmoet?'

'Gewoon... toevallig tegengekomen. Ken je hem?'

'Ja, hij is een... bejaarde crimineel. Was vroeger jager. Nadat zijn vrouw bij hem weg was gegaan, werd hij een beetje kierewiet en ging hij steeds grotere wapens kopen – denk aan olifantengeweren. Maar hij schoot er niet mee op dieren, hij gebruikte ze om stropers weg te jagen. Nachtjagers met lichtbakken en vallen met scherpe punten. Uiteindelijk schoot hij een houtvester dood. Per ongeluk. Of misschien wel expres, want die houtvester liet zich door de stropers betalen. Hoe dan ook, toen hebben ze hem in Ste-Mad gestopt. Hij ontsnapt af en toe, zoals je eh... al had ontdekt. Maar waar kwam je hem tegen?'

'Bij de kerk.'

'De kerk? Wat deed hij daar? Wat deed jíj daar?'

'Gewoon, poolshoogte nemen. Llewellyn dacht blijkbaar dat ik de nieuwe eigenaar was. Hij zocht werk.'

'Zei hij dat hij een van de vijfhonderd jaar oude elfen van de Kerstman was?'

'Nee, dat heeft hij... niet gezegd, nee.'

'Had hij een Brits accent?'

'Ja. Hij zei dat hij vroeger antiquair was geweest in Wales.'

'Hij is nog nooit buiten Quebec geweest. Althans volgens mijn grootmoeder.'

Ik dacht een poosje na over de geheimzinnige heer Llewellyn. En zijn toezegging om 'de derrie' voor zijn rekening te nemen. 'O ja, dat was ik bijna vergeten, hij zei iets over...'

'Wat ik niet begrijp,' zei Céleste, 'is waarom hij dacht dat jij de kerk wilt kopen.'

Ik haalde mijn schouders op. 'Nou, misschien omdat... ik weet het echt niet. Maar nu ik erover nadenk, is dat misschien helemaal nog niet zo'n slecht idee. Als we daar zouden gaan wonen. Jij en ik. Tijdelijk. Hier kunnen we niet langer blijven, dat staat vast.' Ik aarzelde om de woorden uit te spreken die ik vroeger altijd vreesde uit mijn vaders mond te horen: *We gaan verhuizen.*

'Maar we kunnen daar niet heen, het gebouw is niet meer van mij, ik ben eruit gegooid. Het is waarschijnlijk al aan iemand anders verkocht.'

'Ja, dat klopt.'

'Hoewel ik de bordjes TE KOOP altijd lostrek... Is het verkocht? Nu al? Daar ga ik tegen protesteren, Nile, ik neem een advocaat, een pro-Deoadvocaat, en ik ga tot aan het Hooggerechtshof. Het is oneerlijk en het is onwettig, het huis was van mijn grootmoeder...'

'Betaalde ze alle belastingen?'

Céleste keek me vuil aan, alsof ik haar vijand was. 'Misschien had ze op het eind wat achterstand, toen ze in geldnood kwam vanwege de reparaties en het vandalisme en omdat het dorp de belasting telkens verhoogde omdat ze de pik op haar hadden sinds ze hadden ontdekt dat ze atheïste was, poema's opspoorde en stropers volgde. Maar ze heeft haar best gedaan, echt waar, ze heeft zelfs haar Piper Cub verkocht.'

'Wat is een Piper Cub?'

'Aan iemand die ze haatte! Aan inspecteur Déry! Ik neem een advocaat en ik sleep die... Een vliegtuigje.'

'Wie is inspecteur Déry?'

'O... zomaar iemand.'

'Wie sleep je voor de rechter?'

'Wie denk je? Degene die het gekocht heeft. De koop is onwettig.'

'Weet je wie de nieuwe eigenaar is?'

'Ja.'

'Wie dan?'

'Alcide Bazinet. Wat gaat jou dat aan?'

'Die in de bak zit? De bisschop?'

Ze keek me doordringend aan, alsof ze recht in mijn hoofd keek en verrast was over wat ze daar aantrof. 'Wie heeft je dat verteld? Llewellyn? Earl? Mooi zo. Eerst vind je één draadje. Dat leidt je naar een touwtje. En dat touwtje naar een dikke kabel. En die...'

'En die wat?'

'Die binden ze om je handen en voeten en dan dumpen ze je in het moeras als je zo blijft zeuren. Dus... hou alsjeblieft op met dat gevraag, mijn hele hoofd tintelt ervan.'

'Alcide Bazinet is niet de eigenaar.'

'Jij weet hier niks van. Je hebt geen idéé. En dat moeten we maar zo houden. Bemoei je niet met deze zaak, anders wordt het je dood, dat meen ik serieus. Misschien kun je beter teruggaan naar huis, naar waar je vandaan komt. Neptunus.'

'Ik blijf niet lang meer. Maar jij hoeft niemand voor de rechter te slepen om je huis terug te krijgen.'

Céleste legde haar hand op haar voorhoofd en vertrok haar gezicht, alsof ze een zware migraine had. 'En waarom dan wel niet?'

'Omdat ik het heb gekocht.'

Ze zweeg een paar seconden, maar wierp me een vlijmende blik toe. 'Nou, gefeliciteerd. Het leven zal wel zwaar zijn als je zoveel geld hebt. Ik hoop dat je gelukkig wordt, net als al die andere Amerikaanse toeristen. Stuur maar een kaartje.'

'En wij gaan er wonen. Binnenkort. Over drie dagen.'

Céleste bleef me aanstaren, maar nu met een andere blik, alsof ze een van Llewellyns medepatiënten tegenover zich had.

'In ieder geval totdat ik heb bedacht hoe het met jou verder moet,' vervolgde ik. 'Tot je zoveel beter bent dat je kunt reizen. En naar school kunt.'

'Ik ga niet naar school, no way. En... en dan? Dan verkoop jij alles weer?'

'Dan is het aan jou wat je ermee wilt doen.'

Céleste viel stil, verstarde en wendde haar blik af. 'Heb ik lijm gesnoven of zei jij nou net dat ik met het huis mag doen wat ik wil?'

'Dat zei ik, ja.'

'Ben je gek?'

Die vraag is altijd lastiger te beantwoorden dan je denkt.

'Is dit een slechte grap of zo?'

Ik schudde mijn hoofd.

Ze nam een van de knopen van haar blouse tussen duim en wijsvinger en draaide hem heen en weer als de knop van een brandkast. 'Wat wil je van me?'

Dat wist ik zelf ook niet precies, om eerlijk te zijn. Een excuus om clean te blijven, een karrenspoor terug naar een normaal leven? Zij en die kerk leken mijn vage woede, mijn hang naar woeste uitbarstingen te beteugelen. 'Als je daar niet wilt wonen, als je het te zwaar vindt, dan begrijp ik dat. Dan ga je gewoon ergens anders heen.'

'Nee, ik wil daar wonen. De rest van mijn leven. Ik wil nergens anders heen.'

'Dan ga je er wonen.'

'Met jou?'

'Voor een tijdje.'

'En mijn zes katten?'

'Uiteraard.'

'Zelfbedruipend? Als kluizenaar en kluizenares?'

Ik lachte haar samenzweerderig toe. We waren allebei in ons hart einzelgängers, maar met dit verschil dat ik de mensen meed om te voorkomen dat ze erachter kwamen hoe weinig ik van wat dan ook wist, terwijl zij ze meed om te voorkomen dat ze erachter kwamen hoevéél ze wist. 'Als jij dat wilt.'

Ze beet op haar lippen, eerst de boven- en daarna de onderlip. 'Goed, maar ik waarschuw je, ik ben een afschuwelijk iemand om mee samen te leven. Ik ben geen heilige. Ik ben verschrikkelijk driftig, daar zul je aan moeten wennen. Ik kan vreselijk dwars zijn. En dat ik een meisje ben, betekent niet dat ik kook of het huishouden doe. En ik doe ook niks anders voor je, als je dat maar heel goed weet... En ik ga niet naar school. Ik verdrink me nog liever in de vijver dan dat ik daarheen ga. En ik betaal je voor kost en inwoning. En voor al je hulp. En ik vergoed alle onkosten die je maakt.'

'Je zult iets meer moeten terugdoen.'

'Ik wíst dat er een addertje onder het gras zat.'

'Je moet me alles vertellen. En nu echt de hele waarheid. Ik wil alles weten over Alcide Bazinet.'

Ze schrok opnieuw van de naam.

'Ik wil weten of hij degene is die jou in het moeras heeft gedumpt. En die beren in die bowlinghal gevangen houdt.'

'Ik zal alles vertellen, echt, dat beloof ik. Maar je mag niet... weggaan nadat ik alles heb verteld. Jezus christus, dan stelt de provincie me onder voogdij.'

'Wees maar niet bang, ik...'

'Laat me niet alleen, Nile, alsjeblieft. Ik red het niet lang in m'n eentje. Ik ben nog best jong, weet je.'

Ik streek met mijn handrug langs een van haar wangen. Uit genegenheid, niet om te voelen of ze huilde.

'Als je voelt of ik tranen op mijn wang heb: nee. Ik huil nooit. Of bijna nooit. En ik wil niet dat je dat nog eens doet.'

'Oké.'

'En zit niet zo sentimenteel te kijken.'

Ik deed mijn best.

'Zo, en nou ga ik huilen,' zei ze. 'En ik wil geen woord van jou horen. Geen woord, oké?'

Ik knikte.

'En haal het niet in je kop om een arm om me heen te slaan of door mijn haar te strijken en te zeggen dat alles goed komt, want je bent geen waarzegger en ook geen crisiscoach. En ga me alsjeblieft niet wijs en vaderlijk toespreken als iemand van de jeugdzorg, want je bent mijn vader niet en je werkt niet bij de jeugdzorg.'

Opnieuw stemde ik toe, maar ik geloof niet dat ze me hoorde. Ze begon te snikken en benauwd te hoesten, heel heftig, met klapperende tanden en verblind door tranen, als een meisje dat haar enige bloedverwant had verloren, een meisje dat door volwassen mannen was mishandeld en voor dood achtergelaten, een meisje dat zojuist haar huis had teruggekregen.

XII

'Meer dan 90% van alle moordenaars is van het mannelijk geslacht, en het meest genoemde motief voor moord is "liefde". Meer dan 90% van de jagers is van het mannelijk geslacht, en het meest genoemde motief voor moord op dieren is "liefde": liefde voor het dier, voor de wildernis, voor de wildstand, voor God.'

dr. Dorothée Jonquères

Vandaag vroeg Nile naar Alcide Bazinet & ik heb hem alles verteld. Dat het een hondsdolle pitbull is die op je af komt rennen & niemand weet het behalve jij, omdat hij er zo slaperig & onschadelijk uitziet. Dat hij het engste, gevaarlijkste ongeleide projectiel van de Laurentians, de provincie en misschien wel het hele land is. Een bosbrand op twee benen, een overstroming op twee benen, een pestepidemie op twee benen. Nog erger dan Jim Roszko, die gast in het westen die wiet verbouwde en vier Mounties heeft doodgeschoten. Hij heeft dingen gezien die ik nooit hoop te aanschouwen.

Jonge jongens mogen zoals bekend graag beesten martelen & doodmaken. Sommige meisjes misschien ook. Maar zij groeien er doorgaans overheen. Bazinet niet. Hij zat meteen al vol haat, toen & nog steeds & niemand weet hoe dat komt. Hij begon met insecten, hij trok ze hun pootjes & vleugels uit & brandde gaatjes in hun lijf met een brandglas. Hij stopte kikkers in een dichte glazen pot, zonder lucht, om naar ze te kijken als hun bek steeds wijder open ging, alsof ze zongen. Maar ze zongen niet, ze stikten. Volgens Earl heeft hij op zijn zesde of zevende een roodborstje gevangen en eerst geprobeerd het te elektrocute-

144

ren met een schrikdraad en toen zijn kopje afgeknipt met een kartelschaar. Toen hij van zijn vader een nest puppy's moest doodmaken, heeft hij ze eerst een voor een in de achtertuin tot hun nek begraven. Toen is hij er met de grasmaaier overheen gegaan om ze te onthoofden.

Elk beest dat Bazinet zag, was al bij voorbaat ten dode opgeschreven. Ik snap niet wat hij tegen dieren heeft, of waarom hij denkt dat hij met ze mag doen wat hij wil. Omdat ze kwetsbaar zijn, omdat hij ze te slim af is, omdat ze bang zijn, kruipen, jammeren? Omdat hij zich dan machtig voelt en omdat dat zijn tekortkomingen & zwakheid een beetje goedmaakt? Net als bikers of kleine mannetjes met een geweer, of Phil Spector, Robert Blake, Ted Nugent, Sarah Palin, de Safari Club...

Hij heeft een keer tegen mijn grootmoeder gezegd dat hij als kind in de spiegel keek & tegen zichzelf zei dat hij de machtigste man van de Laurentians wilde worden. 'Heerser over de wilde beesten.'

Nadat hij van het seminarie was getrapt omdat hij een 'onecht' dochtertje had, begon Baz een puppyfabriek in de oude roodstenen bungalow naast de videowinkel van Lavigueur. Het was de bedoeling honden te fokken en af te richten als drugs- en explosievenhonden op vliegvelden. Met overheidscontracten kon je rijk worden, zei hij. Maar het werd niks want de honden waren ziekelijk & half verhongerd & van dat africhten bracht hij niets terecht. Dus deed hij ze weg, geen mens weet wat hij met ze heeft gedaan. Toen besloot hij golden retrievers te gaan fokken. Niet als huisdier, maar voor de Chinese zakenlieden die in Mont Tremblant komen skiën of jagen – duidelijk een dekmantel – en met kratten vol honden weer weggaan. Met Air Canada, Montreal-Shanghai. Een vriendin van mijn grootmoeder van wie iedereen denkt dat ze dierenarts is maar die eigenlijk iets anders is, heeft ons een keer een video van de dierenbescherming laten zien over het lot van die honden als ze daar eenmaal zijn. Ze worden vastgebonden en levend gevild, jankend om genade; ze likten zelfs de hand van de vilder! Alsof ze hun excuses aanboden. Van de vacht worden dan dure jassen gemaakt en de dode honden worden in restaurants opgediend. Op die video zag je ook katten die in piepkleine kooitjes werden gepropt en doodsbang weggedoken zaten terwijl de ene na de andere gewurgd wordt – met een strop om hun nek in de kooi opgehangen zodat ze niet op hun bont bloeden.

Baz zag dat anderen daar geld mee verdienden, veel geld, en dat wilde hij ook. 'Honden en katten zullen nooit uitsterven,' zei hij een keer tegen me toen ik hem ervan beschuldigde dat hij op een van mijn katten had geschoten. 'Waarom zouden zij anders zijn dan zeehonden of nertsen? Waarom zou je er geen bont van maken? In Azië hebben ze een verstandige kijk op honden en katten – eten & kleren.'

Na een jaar lag er een dikke laag afval en rottende lijken in Bazinets kennels. Door een veearts van wie hij nog geld tegoed had liet hij de stembanden van de honden weghalen, zodat ze niet meer blaften. Hij werd gearresteerd wegens dierenmishandeling en kreeg 500 dollar boete. Blijkbaar niet genoeg om hem ervan te weerhouden het opnieuw te doen. Dat deed hij dus een tijdje, en toen verkocht hij de zaak aan zijn neef Gervais, die net zo bruut maar nog veel stommer was. Gervais fokte beagles voor dierproeven en verstuurde ze naar Europa met Air Canada Montreal-Parijs, net als veel andere fokkers. Als je die route vaak vliegt, zegt Latulippe de bankdirecteur, hoor je de honden in het ruim janken.

Gervais moest vorig jaar sluiten & de rode bungalow is wegens gevaar voor het milieu gesloopt. Nu zit hij op de sneeuwploeg. En buiten het seizoen heelt hij meer gestolen goed dan eBay.

Ondertussen stapte Bazinet over op groter wild. Hij had gemerkt dat een jager in de bossen en in de dorpen een hele meneer is. Gezien, gerespecteerd, gevreesd. Daarom reed hij altijd rond met bloedende elanden of herten op de motorkap of beren op het imperiaal, meestal met afgesneden poten. Hij wilde gezien worden. Hij gaf een boodschap af.

Baz' leven lijkt uit drie basisactiviteiten te bestaan: praten over de vorige jacht, jagen en plannen maken voor de volgende jacht. Hij jaagt in & buiten het seizoen, hij verblindt het wild, werkt met verboden aas & vallen en zit bijna altijd boven de quota. Hij is maar één keer betrapt – toen hij 's nachts op elanden aan het jagen was. Dat 'jagen' doet hij zo: hij rijdt 's nachts met zijn speciaal aangepaste pick-up met verhoogd chassis, beschermende grille & versterkte bumpers over buitenweggetjes. Als hij een eland ziet, zet hij die enorme Klieglampen aan & het beest blijft roerloos staan, verblind. Dan ramt hij het dier zodat het zijn poten breekt. Hij had twee plaatselijke indianen ingehuurd om mee te rijden voor het geval hij betrapt werd. In de rechtszaal beriepen die indianen zich op hun grondwettelijke recht om 's nachts te jagen. Hij ging vrijuit.

Bazinet verdiende geld, massa's geld, genoeg om de bowlingbaan van de oude Beauchamp te kopen. En een berenboer uit China fulltime in dienst te nemen. Ik hoefde hem niet op heterdaad te betrappen of te filmen wat hij daar deed. Hij maakte zelf video's, promotiefilmpjes, en distribueerde die in de Cave & onder kopers overal ter wereld, ook zakenmensen uit China & Vietnam & Noord- en Zuid-Korea, dezelfde kerels in pakken die ook zijn golden retrievers kochten. En aan Ted Nugent-types & andere verknipte creeps & zieke geesten.

Zijn ergste video, waardoor hij uiteindelijk in de gevangenis terechtkwam, had oma ook van de 'dierenarts' uit Ste-Mad gekregen. Dat was geen promotiefilmpje, maar iets heel anders. De dierenarts wilde niet zeggen hoe ze eraan kwam. Ze stelde voor dat we daarmee, en met mijn foto's, naar de politie in Montreal zouden gaan, buiten Baz' corrupte invloedssfeer. Ze zou het anders zelf wel doen, zei ze, maar ze 'was bang dat ze haar dochter iets zouden aandoen'. Ze zou het een andere keer wel uitleggen. Maak er kopieën van, waarschuwde ze. En verstop die.

147

'La Soupe', zo heette die video, speelt zich af in een restaurant ten noorden van Mont Tremblant, in een Vietnamees restaurant dat Chez Bao Dai heet. Volgens de tijd op de tape is het even na middernacht. Er hangt kerstversiering in het restaurant & de zaak lijkt leeg afgezien van de 2 neven en hun 4 amigo's – Darche, Déry & zijn 2 zoons. Ze zitten aan een lange tafel, maar allemaal aan dezelfde kant, niet tegenover elkaar. En banc. Aan de andere kant van de tafel, op de grond, staat een grote metalen kuip met een gelige vloeistof. Daaronder zie je blauwe vlammen. De camera zwenkt naar een saloondeur & je ziet Bao Dai die hem openduwt. Hij kondigt aan dat het ogenblik is aangebroken waarop ze allemaal hebben gewacht. 'Tijd voor speciale soep,' zegt hij. 'Duizend dollar in mijn land. Voor één kom. Alleen voor miljonairs!' Hij glimlacht & de anderen lachen. Dan klapt hij in zijn handen & er valt een stilte. Het licht wordt gedimd & de camera zwenkt naar het plafond. Eerst is het te donker om iets te zien, maar je hoort schrapende geluiden & gelach & gejoel. Dan zie je het. Een kooi zoals ik op de bowlingbaan heb zien staan. Die zakt omlaag, langzaam, aan touwen. Geleidelijk komen de zwarte poten op de metalen tralies in beeld, ze bewegen, komen dichterbij. Er zit een levende zwarte beer in de kooi. Terwijl die verder zakt, wordt het gejoel & gelach luider. De kooi blijft dalen totdat je een scherp sissend geluid hoort, en dan een hoge, schelle kreet die minutenlang doorgaat & dan wordt er niet meer gelachen. De kooi is nu helemaal beneden & de beer blijft in de kokende olie totdat zijn poten gaar zijn. De video eindigt met een voice-over van Alcide Bazinet, die uitlegt dat het therapeutische effect van het vlees wordt versterkt door de angst van de beer.

★ ★ ★

Baz werd veroordeeld wegens verboden bezit van dood wild, handel in dood wild, jagen buiten het seizoen, verboden export van bedreigde diersoorten & dierenmishandeling.

Hier is het verslag van de zitting, tenminste van het laatste deel (J is rechter Johanne Lebrun en B is Alcide Bazinet):

J: En hebt u kinderen, meneer Bazinet?

B: Ik heb een puberdochter, maar haar moeder en ik waren niet getrouwd. Daarom kon ik niet op het seminarie blijven. Terecht. 'Want dit is de wil van God, uw heiligmaking: dat gij u onthoudt van de hoererij.' Thessalonicenzen 4:3. Daarom draag ik ook deze kuisheidsring en daarom dring ik bij jonge mensen aan op seksuele onthouding.

J: Deelt uw dochter uw denkbeelden over dieren? Hebt u haar zo opgevoed?

B: Ik zie de relevantie van die vragen niet in, mevrouw de president. Maar ik zal ze toch beantwoorden. Ik heb haar geleerd dat wij heerschappij over de dieren hebben. Dat staat in de Bijbel, Genesis 1:26-28: 'En God zeide: Laat Ons mensen maken, naar Ons beeld, naar Onze gelijkenis; en dat zij heerschappij hebben over de vissen der zee, en over het gevogelte des hemels, en over het vee, en over de gehele aarde, en over al het kruipend gedierte, dat op de aarde kruipt. En God schiep den mens naar Zijn beeld; naar het beeld van God schiep Hij hem; man en vrouw schiep Hij ze. En God zegende hen, en God zeide tot hen: Weest vruchtbaar, en vermenigvuldigt, en vervult de aarde, en onderwerpt haar, en hebt heerschappij over de vissen der zee, en over het gevogelte des hemels, en over al het gedierte, dat op de aarde kruipt.'

J: Staat er ook dat we de dieren mogen laten lijden? Is er zelfs geen Bijbelse wet die luidt: 'Het is verboden leed te veroorzaken bij een levend wezen'?

B: Waar staat dat?

J: In de Talmoed.

B: De Talmoed? Dat is de Bijbel niet. Bent u Joods? Volgens de Bijbel mogen we dieren gebruiken voor onze behoeften, zelfs al veroorzaakt dat pijn. God heeft ook dierenoffers bevolen. Dat doet waarschijnlijk pijn, ja.

J: Denkt u niet, meneer Bazinet, dat we ons sinds die oude tijden niet verder hebben ontwikkeld? De moderne milieukunde en de dierenrechtenbeweging...

B: Dieren hebben geen rechten. Omdat ze geen verstand hebben...

J: Ik vraag u nogmaals mij niet te onderbreken, meneer Bazinet. De moderne milieukunde en de dierenrechtenbeweging maken ons duidelijk dat we ons hart moeten openstellen voor onze medeschepselen. Dat we met hen moeten meeleven en proberen ons in hen te verplaatsen, ook in hun gevoel. Of ze nu zogenaamd 'verstand' hebben of niet. Wij weten niet wat zij voelen. Hun leven is het enige wat ze hebben – en mensen zoals u, meneer Bazinet, aarzelen niet hun dat te ontnemen.

B: Dieren hebben honger en ze hebben paardrift. Als ze eten en als ze paren, voelen ze genot. Maar daarmee bevinden ze zich toch niet op hetzelfde niveau als de mens, mevrouw de president?

J: Ik ben nog niet klaar. De meeste mensen zijn in staat zich in een ander te verplaatsen, of dat nu een mens of een dier is. Zij kunnen zich voorstellen hoe het is om slachtoffer te zijn, maar er zijn ook mensen die daar duidelijk niet toe in staat zijn. In extreme gevallen noemen we die mensen psychopaten. Zou u van uzelf beweren dat u over inlevingsvermogen beschikt?

B: De dierenrechtenbeweging, de milieubeweging, het ecofeminisme, de verering van Gaia, moeder Aarde, de Wet op de Bedreigde Diersoorten – dat alles riekt naar heidense natuurverering. Of oosterse mystiek. Dat is vreemd aan onze christelijke morele maatstaven. Onze westerse tradities. Wilde dieren zijn door de Almachtige op de wereld geplaatst opdat de mens ze kan bestuderen, volgen, bejagen, doden, bereiden en opeten. Die milieugekken willen de mens zijn verheven plaats in de schepping ontnemen en hem degraderen tot een simpel radertje in het systeem. Dat is niet de bedoeling van de Allerhoogste.

J: En wat is dan wel de bedoeling van de Allerhoogste?

B: De dood, het doden, hoort bij het leven, het is een deel van het heelal dat de Heer heeft geschapen. Dat is natuurlijk, dat is de natuurlijke dynamiek. Wij doden dieren om te eten, uzelf eet daar waarschijnlijk ook van, we doden iedere dag miljoenen dieren in onze slachthuizen. Sommige dieren doden zelf ook – dat doen ze nu eenmaal, dat ligt in hun aard. En mensen? Wij zijn ook dieren, dus waarom zouden wijzelf niet soms doden? Waarom zouden we dat niet doen, waarom zou het niet in onze aard liggen? Er bestaat zoiets als het genot van de jacht, een onweerstaanbaar gevoel van genot. De opwinding, de kick van de jager. Dat heeft God ons gegeven. Aan ons en aan de dieren. Denkt u niet dat veel dieren zoals leeuwen en beren ons graag zouden doden? De groten eten de kleintjes op. Sommige dieren, zoals konijnen of antilopen, leven zelfs voortdurend in angst, levenslang.

J: Dieren zijn niet wreed. Ze kwellen geen andere dieren voor hun genoegen, uitsluitend om hen te laten lijden. En dat brengt ons terug bij mijn eerdere uitspraak over compassie, over inlevingsvermogen. Het laatste onderdeel van de tenlastelegging is dierenmishandeling. Willekeurige wreedheid jegens dieren, het veroorzaken van onnodige pijn. Bij uw medeschepselen – schepselen van God, om de terminologie te gebruiken waar u zich blijkbaar zo bij thuis voelt.

B: Een kat moet een muis kwellen en doden. Zo is hij nu eenmaal. Een mens moet dieren kwellen en doden. Zo is hij nu eenmaal. U bent een ontwikkelde vrouw, mevrouw de president, dus laat ik Nietzsche citeren, die zei: 'Het leven zelf is in essentie toe-eigening, verwonding, usurpatie van het vreemde en zwakkere, onderdrukking, hardheid, het opdringen van eigen vormen, inlijving, en op zijn minst, op zijn mildst, uitbuiting.'

J: Dus macht is mooi en jagers met geweren mogen doen wat ze willen met alles wat geen geweer heeft?

B: Ja. De zwakken dienen de sterken tot voedsel. Zelfs de overheid zegt dat zwakkere dieren in het wild alleen maar een ellendige dood sterven door ondervoeding en blootstelling aan de elementen als de populatie niet door middel van de jacht op peil wordt gehouden.

J: Maar bij de jacht worden juist de grotere, sterkere dieren gedood en verminkt – dat is het tegengestelde van natuurlijke selectie.

B: Ik heb het niet op Darwin. Ik hou meer van Sartre, die zei dat wie te veel van dieren en kinderen houdt, daardoor minder van mensen houdt.

Bazinet glimlachte toen hij het vonnis hoorde. Hij zei dat alles wat hij had gedaan voor het hemelse gerecht was toegestaan. En in veel andere landen ook.

'Dan stel ik voor dat u daar gaat wonen als u uw straf hebt uitgezeten,' zei de rechter.

Toen Bazinet de rechtszaal uit werd gebracht, zag hij eruit als... ik weet niet. Zijn gezicht leek wel van rubber & zijn haar van plastic. Iedereen weet dat het niet zijn echte haar is. Het is een pruik van het haar van muskusossen en bavianen met synthetische vezels. Dat zegt hij tenminste altijd.

Toen hij langs ons kwam met zijn klikkende laarzen met hakken waarop hij wel 1 meter 75 lijkt, bleef hij even staan en zei heel kalm tegen mij & Grand-maman, met zijn rookgrijze ogen op een punt vlak boven ons gericht: 'Door jullie lijd ik gezichtsverlies. Een Bazinet lijdt geen gezichtsverlies. Een Bazinet gaat niet naar de gevangenis. Een Bazinet vergeet nooit iets.' Ik wist niet wat ik daarop terug moest zeggen, dus ik wuifde hem weg.

'Jij bent dood,' zei hij in de deuropening, nog steeds zonder stemverheffing. 'Jij wordt opengesneden als een vis.' Zijn bedreigingen leken altijd met dieren te maken te hebben. 'Jij gaat leegbloeden als een hert.'

XIII

Dat bleken geen loze dreigementen te zijn, en ze strekten zich ook tot mijn grootmoeder uit. Maar niemand geloofde me, ook de politie niet. Dus nu ga ik alles rechtzetten, eens en voor al, want er zijn erg veel leugens over haar verspreid. Dat ze een heks was, een duivelin, de antichrist enz.

Na de dood van mijn moeder is Grand-maman hierheen gekomen om voor me te zorgen. Ze werkte in een kerk in Montreal, maar ze had besloten niet meer terug te gaan. Ze liet zich hierheen overplaatsen, waar bij de Église Ste-Davnet een vacature was. Die vacature bestond al jaren, niet alleen omdat er bijna niemand meer in de kerk kwam, maar ook omdat de functie onbezoldigd was en er alleen kost & inwoning werd geboden.

Oma was allang van haar geloof gevallen & had veel meer belangstelling voor haar eerste liefde, de wiskunde. Ze geloofde in meten en weten, niet in God. Af en toe, eens in de drie weken of zo, preekte ze in de kerk over het leed dat de godsdienst op aarde heeft veroorzaakt. Niet dat iemand begreep waar ze het over had – haar kudde telde nog maar 6 leden, waarvan 2 over de 70, 3 over de 80, 1 over de 90 & niet één goed genoeg bij zijn hoofd om haar te kunnen volgen. Behalve Llewellyn misschien.

Waar het ongeveer op neerkwam: godsdienst & het hiernamaals & zo is kinderachtige onzin die we allang ontgroeid hadden moeten zijn. De mens is al sinds het begin der tijden bang voor de dood, bang voor het niets, & daarom heeft hij God & de religie uitgevonden.

Toen ik haar naar hemel en hel vroeg, heeft ze me dit gedicht (of misschien is het een deel uit een toneelstuk) te lezen gegeven. Het is rond het jaar 55 door Seneca geschreven en in de zeventiende eeuw in het Engels vertaald door de Earl of Rochester, die niet alleen dichter was, maar ook houtvester van het Woodstock Forest:

Niets is er na de dood, niets ís de dood:
De laatste adem die in stervensnood
De mens ontvliedt, hoe vroom die mens ook zij,
Is 't eind van hemelhoop, van hovaardij,
En van de angsten van de slaafse geest.
Wees daarom niet bekommerd, niet bevreesd,
Vraag u niet af waar ge, eenmaal dood, belandt:
Wij worden afval, net als dier en plant,
Levenloos worden wij bijeengegaard
In 't niets, bij 't ongeborene bewaard,
Verzwolgen door de vraatzucht van de tijd:
Lichaam en geest, hij maakt geen onderscheid.
De Hel, de Boze, eeuwige cipier
Van 't vlammend vagevuur, de Doodsrivier,
(Bedacht door schurken en gevreesd door dwazen),
De Hellehond en zijn vervaarlijk razen,
't Zijn slechts verzinsels, sprookjes, bakerpraat,
Nachtmerries. Niemand is erbij gebaat.

Uiteindelijk heeft de aartsdeken mijn grootmoeder ontslagen en uit het ambt ontzet, en de kerk te koop aangeboden.

✶ ✶ ✶

Oma heeft geen zelfmoord gepleegd, zoals de meeste mensen denken. 'Geen dier pleegt zelfmoord of sleurt anderen in zijn zelfmoord mee,' zei ze eens, 'en ik zal dat ook niet doen.' (Dat van die dieren & zelfmoord klopt trouwens niet, maar dat is een ander verhaal & dat heb ik al verteld.) Het is waar dat oma kanker had en op sterven lag, maar het is niet waar dat ze daarom zelf een eind aan haar leven heeft gemaakt. Ze is vermoord.

Het gebeurde op de dag voor Halloween, net voor het eten. Toen ik uit het dorp naar huis fietste, zag ik een ambulance voor het huis staan, en door het zwaailicht leek het alsof de bomen in brand stonden. De broeder die reed, zei dat ze mijn grootmoeder in haar studeerkamer in een stoel hadden aangetroffen met een plastic zak over haar hoofd. Zo'n zak wordt een 'Exit Bag' of soms ook een 'Aussie Bag' genoemd. Er zit een kraag van klittenband aan die goed om de hals sluit & een slang waardoor helium uit een tankje naar binnen loopt en in de zak de plaats van de lucht inneemt. Dan gaat de betrokkene dood door zuurstofgebrek. Die methode is goedgekeurd door het euthanasienetwerk van Canada, waar mijn grootmoeder lid van was. Daarom werd zelfmoord als doodsoorzaak opgegeven. Maar bij het aanbrengen van die zak heb je hulp nodig & zoals ik al zei was ik niet thuis. Dus wie heeft haar 'geholpen'? Degene die met een meisjesstemmetje het alarmnummer heeft gebeld en zich voor mij uitgaf. Luister de geluidsopname maar terug, zei ik, dan hoort u vanzelf dat ik het niet was, maar ze zeiden dat er geen opname was gemaakt.

Die Exit Bag was tegen haar wil aangebracht. En ik weet door wie. Door een man met zware legerschoenen (dank u, meneer Llewellyn) & een pens die als een zak nat cement over zijn onderbroek hing. Een man die ik ga vernietigen.

éleste gaf geen kik toen ik met een nagelschaartje en een
pincet de hechtingen van flosdraad verwijderde. Onver-
schrokkenheid? Nee, ik had haar een flinke dosis pethidine gegeven. Het spul werkte zo goed dat ze vroeg of ik haar een voorraadje voor een jaar kon bezorgen. Ik inspecteerde de huid rond
de twee snijwonden op tekenen van infectie, maar kon niets vinden: geen pus, geen roodheid, geen zwellingen, geen warmte. Als
ik geluk had, zou ik aan een aanklacht wegens onoordeelkundig
medisch handelen ontsnappen.

'Hoeveel krijg je van me, dok?' vroeg ze, heerlijk languit in
bed.

De paarsblauwe strepen op haar keel waren vervaagd en de
kring van rode touwsporen op haar polsen en enkels was bijna
verdwenen. Maar ze had nog steeds littekens onder haar ogen,
als beurse plekken onder de schil van een appel.

'Alleen nog wat meer details.'

Céleste schikte haar kussen en vouwde het dubbel om het hoger te maken. 'Waarover?'

'Bazinet.'

Ze kreunde. 'Niet doen,' zei ze dringend, en haar bloeddoorlopen ogen smeekten me haar met rust te laten. 'Niet vandaag.
Mag het morgen?'

'Liever vandaag, liever nu meteen. Net alsof we een ladder be-
klimmen. Steeds één sport omhoog.' Ik sprak op een toon die
me aan mijn advocaat deed denken.

'Goed, meneer de officier. Maar voordat we die ladder op
gaan, wil ik u eerst nog even bedanken dat u zo op me inpraat,

dat u het er zo in hamert en al die ellende weer in mijn herinnering terugroept.'

'Er zijn vast dingen gebeurd – krachten aan het werk geweest – die Bazinet als kind hebben misvormd. Zijn ouders moeten eraan hebben bijgedragen dat hij zo is geworden... als hij is.'

'Zo makkelijk komt Bazinet er niet af. Zijn ouders waren aardige mensen, en zijn broer en zus zijn heel goed terechtgekomen.'

'Maar dat soort gedrag – die wreedheid, die gewelddadigheid waar je me over hebt verteld – komt niet zomaar uit de lucht vallen. Die man is duidelijk ziek en heeft een goeie dokter nodig. Maar ik vroeg me af of...'

'O ja? En wat moet die goeie dokter dan wel doen? Hem genezen? Laat me niet lachen. Wat Baz nodig heeft, is een goeie beul.'

'Maar ik vroeg me af of zijn wrede inslag zich ooit, eh... tegen mensen heeft gekeerd.' Ik gebaarde naar haar littekens, die kennelijk een trage dood tot doel hadden gehad.

'Hij zat toen in de gevangenis.'

'Maar hij heeft er opdracht toe gegeven?'

'Laat ik het er maar op wagen en zeggen dat hij inderdaad degene was die er opdracht toe gaf, ja.'

'Hij wil intimideren, maar hij is eigenlijk laf, klopt dat? Als je laat zien dat je niet bang voor hem bent, is hij onschadelijk, geneutraliseerd?'

'Nee.'

Tot zover die afgezaagde theorie. 'Was zijn neef erbij, Gervais? Was hij degene die jou met een mes bewerkte?'

'Weet ik niet.'

'Was hij degene die je die klap in je nek gaf?'

'Weet ik niet.'

'Zat hij in de auto waaruit je werd gedumpt?'

'Weet ik niet.'

'Waarom dumpten ze je daar?'

'O, ze smijten daar van alles neer. Banken, ijskasten, supermarktkarretjes, dode beesten. Het is één grote zinkput.'

'Je bofte dat het water gedeeltelijk bevroren was.'

'Nee, jíj bofte.'

'Die auto, die zwarte pick-up, had maar één koplamp. Zegt je dat wat?'

'Nee.'

'Hij had ook een grote grille aan de voorkant, en een soort platform dat op de laadbak was gelast, en daar lag een beest op. Met een gloeilamp in zijn bek.'

Céleste fronste haar voorhoofd, maar zei niets.

'En de poten waren eraf gehakt,' vulde ik aan.

'Als ze de galblaas eruit halen, hakken ze meestal ook een poot af. Om te bewijzen dat het een verse is.'

'Dus hij verkoopt die galblazen in Quebec?'

'Quebec, Canada, de Verenigde Staten, overal waar een grote Aziatische markt is. Maar de meeste komen in China terecht. Daar komen zoveel bestellingen vandaan dat Bazinet en co het haast niet kunnen bijbenen.'

'Dus die zwarte auto die ik zag was van hem?'

'Dat zou me niks verbazen.'

'Wanneer komt Bazinet precies uit de gevangenis?'

'Dat duurt geen twee maanden meer. Veertien februari.'

'Valentijnsdag?' In plaats van rode hartjes zag ik een rood afgehakt hoofd. Het enige wat ik van de heilige Valentijn wist, was dat hij op die dag was onthoofd.

'Of misschien wel eerder.'

'Kun je ergens naartoe? Tijdelijk, in februari? Ergens ver weg, totdat ik een manier heb bedacht om hem te onthoofden?'

'Onthóófden?'

'Ik bedoel met hem af te rekenen.'

Céleste hield haar hoofd scheef en keek me net zo aan als mijn therapeuten vroeger. 'Wij zijn in het huis als hij vrijkomt, en ik ga daar niet weg. Ik barricadeer de hele boel. Geef me maar een geweer. Hoe groter hoe liever. Een kanon.'

'Dus jij kunt met vuurwapens overweg?'

'Zo moeilijk is dat niet, hoor. Je richt gewoon op wat je wilt raken en hup, schieten maar. De grootste idioot kan het.'

'Hij gaat je dus opzoeken als hij vrijkomt?'

'Dûh.'

'En bij vrienden? Of familie. In Montreal of zo.'

'Ik heb je toch al gezegd dat ik geen vrienden en geen familie heb.'

'En je vader dan? Waar is die?'

'Vermist. Ik heb hem nog nooit van mijn leven gezien, zijn stem nooit gehoord en zelfs nog nooit een foto van hem gezien.'

'En je moeder?'

'Die zat zo zwaar onder de crack dat de jeugdzorg me bij haar heeft weggehaald. Nadat ik was weggelopen.'

Ik ging in gedachten terug naar de tijd dat ik ongeveer zo groot was als Céleste – toen had ik hetzelfde gedaan.

'Start de plechtige muziek maar,' zei ze met een zucht.

'Dus je bent weggelopen.'

'Meer weggegóóid eigenlijk.'

'Zie je je moeder nog weleens? Hoe is het haar verder vergaan?'

'Ze is Ravenwood Pond in gelopen. Met acid in d'r lijf. Een flinke trip.'

Goeie god, en ik dacht dat ík een rotleven had. 'Zelfmoord?'

Céleste haalde haar schouders op. 'Ik heb geen zin om erover te praten. Nu niet en een andere keer ook niet, oké?'

'En je... grootvader?'

'Dood.'

'Woonde hij bij jou en je grootmoeder?'

'Nee, toen oma dat baantje bij de kerk kreeg, weigerde hij mee te gaan. Hij verdiende goed bij de Kansspelcommissie. In Kahnawake. Hij had indiaans bloed, in ieder geval genoeg om in het reservaat te mogen wonen.'

'Dus jij bent... half indiaans?'

'Nou, meer iets van een zestiende. Naast Frans, Grieks en een vleugje Schots van heel lang geleden.'

'En hoort je indiaanse bloed voor jou bij je... ik bedoel,

ben je, zeg maar, trots op die afstamming of...'

'Alle indianen zijn verknipt. Bijna net zo erg als de blanken. Vooral de jagers. De dieren om vergeving vragen dat je ze doodt – kom óp, zeg. En het gezicht van een jongen met bloed inwrijven als hij zijn eerste hert doodt – hallo? Ik heb stammen gezien die haviken in kóóien opsluiten. Iedereen weet dat een havik in een kooi niet eet. Hij gaat gewoon dood. En ze hebben een heleboel soorten uitgeroeid, of helpen uitroeien.'

'Maar wisten ze dat het bedreigde diersoorten waren?'

'Ze weten dat de zeearend en de steenarend bedreigde soorten zijn, maar ze schieten ze toch dood, vergiftigen ze, verkopen hun veren op de zwarte markt, gebruiken dansstokken met arendskoppen. Ze weten dat trompetzwanen bedreigd zijn, maar doden ze toch. Waarom? Omdat ze duizend dollar per stuk opbrengen. Ze weten dat rendieren bijna uitgestorven zijn, maar een paar weken geleden hebben de Innu in Quebec een stuk of veertig van de honderd nog levende dieren gedood. Ze weten dat de veelvraat in Quebec een bedreigde of zelfs al uitgeroeide soort is, maar ze zijn niet geïnteresseerd in manieren om ze te redden en weer in de bossen te laten leven waar ze thuishoren – ook al zijn ze voor hen zogenaamd een verbinding met de wereld van de geesten. Waarom? Omdat ze zeldzaam en beschermd zijn en ze dus geen bont meer van ze kunnen "oogsten".'

'Heb je het dan over álle indianen of over een paar klootzakken, een paar rotte appels?'

'Ze weten dat de slechtvalk een bedreigde soort is, maar toch roven ze de nesten leeg. Ze laten zich aan touwen langs de rotsen abseilen en dragen helmen om zich tegen de wijfjes te beschermen.'

'Waarom... wat doen die wijfjes dan?'

'Die pikken ze in hun hoofd als ze te dichtbij komen. Ik wou dat ik dat kon, trouwens.'

'Maar waarom? Ik bedoel, waarom doen ze al die moeite?'

'De slechtvalk is de snelste vogel ter wereld. Dan willen mensen zo'n beest hebben. Er komen hier sjeiks die twee ruggen per vogel betalen. En de prijs wordt hoger naarmate de dieren... verdwijnen.'

'Maar elk ras en elk land heeft een bepaald percentage dieven, schurken en stropers. Waarom pik je de indianen eruit?'

'Ze weten dat de walvissen in Ungava en de Hudsonbaai een bedreigde soort zijn, maar als het departement van Visserij hun seizoensquotum verlaagt – met *zevenentwintig* walvissen – noemen ze dat "genocide" en "terrorisme", "een bedreiging voor onze manier van leven", "een ontkenning van onze mensenrechten".'

'Maar het is een eeuwenoude traditie. Van mensen die hier lang vóór ons leefden.'

'Het feit dat iets een traditie is, betekent nog niet dat het goed is. Tradities kunnen worden aangepast, vervangen door andere gebruiken, betere manieren om dingen aan te pakken. Die dan zelf ook weer tradities worden.'

'Maar als hun levensonderhoud, hun voornaamste bron van voedsel...'

'Ze weten dat de ijsbeer een bedreigde soort is, en toch blijven ze ijsberen afslachten.'

'Maar ze eten ze toch, en ze gebruiken de vachten en huiden om te overleven?'

'Ze verhuren zich als gids aan volgevreten Amerikaanse trofeejagers.'

'Zijn alle trofeejagers Amerikanen?'

'Of Europeanen, Aziaten, weet ik veel.'

'Geen Canadezen?'

'En ze achtervolgen wolven met sneeuwmobielen tot ze uitgeput neervallen. Ze proberen ze van de lijst met bedreigde soorten af te krijgen. Zodat ze nóg een keer kunnen worden uitgeroeid.'

'Ik dacht dat dat in Alaska was. Waar ze vanuit vliegtuigen worden doodgeschoten.'

'Wat jij wilt.'

'Dus jij hebt de pest aan alle indianen? Of alleen aan jagers?'

'Aan ménsen.'

Kon ik het haar kwalijk nemen, na wat zij in haar korte – en op een haar na wel héél erg korte – leventje had gezien? Ik dacht koortsachtig na wat ik zou zeggen. 'Wat voor soort indiaans bloed heb je?'

'Van de Laurentians.'

Ik knikte, hoewel ik nooit van die stam gehoord had. 'Spreek je de taal?'

'Nee, die is uitgestorven. En de laatste sprekers hebben maar een paar woorden nagelaten. Nou ja, eigenlijk maar één woord.'

'Wat dan?'

'Canada.'

'Je meent het. En wat betekent dat?'

'Dorp. Toen Cartier hier voet aan wal zette, vroeg hij de Laurentians hoe ze hun land noemden, waarbij hij om zich heen gebaarde. "*Canada*," antwoordden ze.'

Ik probeerde het gesprek weer op Bazinet en een mogelijke verdedigingsstrategie te brengen, maar op dat punt kwam ik met Céleste geen stap verder. Ze zei dat we nog tot februari de tijd hadden om ons daar druk over te maken.

'We moeten het nu eerst over andere dingen hebben,' zei ze bits.

Ze was al een tijdje spanning aan het opbouwen, als een te strak opgeblazen ballon – ik zag het aan haar ogen, de kleur van haar wangen. Er zat een uitbarsting, een explosie aan te komen. Had het iets te maken met de kerk, met het feit dat ik de kerk had gekocht? Of met jagers, stropers en onbetrouwbare houtvesters? 'Zoals?'

'Sigaretten. En waarom je die maar niet voor me haalt terwijl ik je het al duizend keer gevraagd heb.'

'Ik heb ze wel voor je gehaald.'

'Heel grappig. Dat waren chocoladesigaretten. Denk je dat ik vijf ben of zo? Ik ben volwassen. Zo goed als.'

'Je bent niet volwassen. En je krijgt geen sigaretten. Die zijn niet goed voor je.'

'O nee? Wauw, bedankt voor het sensationele nieuws, meneer de drugsverslaafde. Hoe durf jij mij voor te schrijven wat ik wel en niet mag?'

'Ik ben je dokter.'

'Niet. Je bent mijn... *bourreau*.'

Dat betekent beul. 'Jij rookt hier niet. Niet zolang je nog niet beter bent. En nauwelijks wat eet. En niet alleen om gezondheidsredenen – deze hut is erg brandgevaarlijk.'

'Dus straks in het huis mag het wel?'

'Nee, daar mag je ook niet roken.'

'O nee? Ik rook waar en wanneer ik wil. Jij kunt me niet de wet voorschrijven, bullebak. Ik ga nu meteen naar de winkel.'

'Weet je wat? Je mag een dropstaaf.'

Haar grote, heldere ogen waren rond en woedend. 'Krijg de tering!' De woorden schoten als vlammen uit de mond van een vuurspuwer. Ze kwam struikelend uit bed en griste mijn winterjas van de leuning van een keukenstoel. Ze diepte de autosleutels uit een van de zakken op en strompelde naar de deur, met de jas als een cape om zich heen. Maar ik was er eerder dan zij en versperde haar de weg met mijn arm.

'Ga opzij, junk.'

'Ga alsjeblieft weer in bed liggen, Céleste. Je kunt in jouw toestand niet naar buiten.'

Ze bleef stil staan, alsof ze zich tot rede had laten brengen. Ze liet de jas op de grond vallen. 'Oké,' zei ze, maar toen ik mijn arm liet zakken deed ze een uitval naar de deurknop. Ik greep haar hand vast.

'Laat me los, rotzak, blijf met je poten van me af!'

Zodra ik haar hand losliet, draaide ze zich om en begon ze me te stompen, beukte met haar vuisten op mijn armen en mijn rug.

Ik deed alsof ik terugdeinsde onder haar aanval, die meer van

163

een Japanse massage weg had. Ze zag hoe ik keek en was daar niet blij mee. 'Sta me niet uit te lachen, perverse lul. Amerikaanse terrorist. Ik zeg mijn leven lang geen woord meer tegen je. Je bent níét mijn vader. Of zelfs maar een vriend. Je bent een... tijdelijke kennis. Die ik zal vergeten als een uitgespuugd stuk kauwgom.'

Ik hield mijn mond.

'Ik ga alleen in het huis wonen. Ik kan mijn eigen boontjes doppen, begrepen?'

Ik knikte.

'Vertel me nog eens,' zei ze, snel en oppervlakkig ademend, 'waarom ik je in mijn buurt duld?'

'Omdat ik je heer en meester ben?'

'Jij miezerige kleine... Ik hoop echt dat je in de hel komt. Wacht maar, ik ga naar...'

'Naar wie?'

'Laat maar.'

'Ik dacht dat je niet in de hel geloofde. Of in de hemel.'

'Als ik niet kan roken, kom ik te veel aan,' zei ze smekend. 'Toe nou.'

'Nee. Dit is een prima moment om te stoppen. Over een paar jaar zul je me dankbaar zijn.'

'Een paar jáár? Laat me niet lachen. Ik ben niet van plan nog jaren te leven. Een paar dagen, hoogstens. Geef me godverdomme een sigaret. Nu meteen.'

'Wil je jezelf om zeep helpen?'

Ze staarde me met koude reptielenogen aan. 'Jij bent zó verkeerd bezig, je hebt geen idéé.'

'Als je jezelf toch om zeep gaat helpen, waarom zou je je dan nog druk maken over je gewicht?'

Ze was vermoedelijk niet gewend met argumenten te worden klemgezet, want ze staarde me een paar seconden zwijgend aan terwijl ze op haar lip kauwde. Zo hard dat ik dacht dat hij zou gaan bloeden. Haar hele mond begon te trillen. 'Je... het gaat je verdomme geen bal aan. Wie zegt dat ik mezelf om zeep wil helpen? Heb ik dat gezegd? Heb je mij dat ooit horen zeggen?

Hoe kom je op dat idee? Heb je inlichtingen gebeld? Heb je in mijn dagboek zitten lezen? Dat is het, hè? Je bent een vuile stiekemerd...'

'Ik heb niet in je dagboek zitten lezen. Maar is het waar?'

'Ja! En hou er nou over op, oké?'

'Waarom ben je dan aan het lijnen?'

'Ik zei toch dat je erover op moest houden! Sommige dingen zijn gewoon niet logisch, oké? En sommige dingen zul jij nooit begrijpen. Die zijn voor jou gewoon te hoog gegrepen. Omdat je niet rechtuit kunt denken – jij hebt kronkels in je hoofd. Dus hou nou alsjeblieft je kop. Ik ben doodmoe van al dat praten met jou.'

XV

Door Nile ben ik in een slecht humeur, dus nu klim ik op mijn 'preekstoel', mijn 'zeepkist', wat volgens Grand-maman mijn op één na grootste tekortkoming is. Ze zei dat preekstoelen & zeepkisten niet voor dertienjarigen zijn, dat je daar ouder voor moet zijn, dat je ze eerst verdiend moet hebben. Maar inmiddels ben ik 14, al bijna 15, & ik heb ze verdiend.

'Kort samengevat' wil ik zeggen dat het ministerie van Landbouw, Jacht en Visserij niet geïnteresseerd is in het bestrijden van stroperij in deze provincie. Daarvoor zouden ze meer agenten moeten aannemen & de wetgeving strenger moeten maken. Maar dat doen ze niet, want ze willen de jagers, de mensen voor wie ze eigenlijk werken, niet kwaad maken. Zoals inspecteur Déry zei: 'Wij bedienen de jagers zoals de sociale dienst de uitkeringstrekkers bedient.' Vraag het maar aan een willekeurige houtvester in deze provincie, die zal precies hetzelfde zeggen. Het ministerie verdient geld aan de uitgifte van jachtaktes & de toeristenindustrie verdient aan het legaal of illegaal doden van dieren, aan spullen, gidsen, jachthutten, hotels, vliegreizen. Daar blijven ze dus liever vanaf.

In Quebec wordt de wet niet bepaald fanatiek gehandhaafd. Het jachtseizoen is zo ongeveer altijd geopend. De afgelopen 5 jaar is 1 op de 3 houtvesters ontslagen. En juist de goede worden weggestuurd! De meesten die vanwege hun senioriteit mochten blijven, hebben een pens van het zitten achter hun bureau om tabellen en lijsten in te vullen. We zouden hún een zendertje moeten omdoen in plaats van de dieren, om eens te kijken hoe ver ze met hun kont van hun stoel vandaan gaan.

Naar sommige van die houtvesters – ja, daar kijk je van op – is een onderzoek ingesteld omdat ze steekpenningen zouden hebben aangenomen van stropers of van bendes die zich als gidsen voordoen. In Ste-Mad zijn 2 agenten die al bijna 30 jaar volslagen corrupt zijn. Ze halen op een achterafweggetje hun maandelijkse loonzakje of zakje drugs op & beloven dan dat ze zich X dagen niet in gebied Y zullen vertonen. Iedereen weet wie het zijn: de rechercheurs Déry, père & fils. Waarom zegt niemand er dan iets van? Omdat Déry's andere zoon een Hell's Angel is. De laatste die er iets van zei, kwam met zijn handen tussen het portier van een Ford Bronco. Anderen krijgen een ongeluk tijdens de jacht, verdrinken of raken in hun auto met draaiende motor ingesneeuwd.

✱ ✱ ✱

Ik ben weer wat gekalmeerd, dus nu ga ik het over iets anders hebben. Over het kattenkwaad dat ik gisteravond heb uitgehaald.

Ik had een verschrikkelijke aanval van nicotineonthoudingsverschijnselen en vloekte Nile stijf omdat hij niet wil dat ik rook. Ik was het helemaal kwijt – ik ging totaal over de rooie, ik heb hem zelfs geslagen! Later kon ik er niet van slapen, dus midden in de nacht besloot ik op te staan om mijn excuses aan te bieden. Ik moet toegeven dat ik ook bang was dat hij zich zou bedenken, dat ik niet meer bij hem in de pastorie mocht komen wonen.

Ik kroop op handen & knieën naar Niles bed. Ik legde mijn hand op zijn buik & die ging op & neer & hij werd niet eens wakker! Toen boog ik me over hem heen & beet in het bovenste randje van zijn oor & hij werd nog steeds niet wakker! Toen streek ik met mijn vinger over zijn wang, die helemaal stekelig & stoppelig was, als een cactus of een stekelvarken. Daar gingen zijn ogen van open, maar hij deed niet eens verbaasd, hij vroeg alleen of het goed met me ging, of ik iets nodig had. 'Een sigaret,' zei ik. Toen hij zijn wenkbrauwen fronste, riep ik: 'Grapje!' En dat was het ook. Ik had echt geen zin om te roken – ik had er waarschijnlijk zelfs van moeten kotsen. Maar goed, ik begon dus uit te leggen dat ik spijt had dat ik zo tekeer was gegaan, maar Nile viel me meteen in de rede.

'Wil je een verhaal horen?' vroeg hij gapend en in zijn ogen wrijvend. 'Een waargebeurd verhaal. Het speelt in Parijs. Ik droomde er net over.'

Ik knikte, Ik wilde wel een waargebeurd verhaal horen, vooral als het over Nile in Parijs ging.

'Moet het licht aan of uit?' vroeg hij.

'Uit,' zei ik.

'Wil je het in je bed horen? Of blijf je liever hier?'

'Hier,' zei ik.

Het liep tegen Kerstmis, vertelde hij, en zijn vader had beloofd met hem naar een postzegeltentoonstelling in het Grand Palais te gaan. Nile was een jaar of 7, 8. Onderweg stopte zijn vader bij een ziekenhuis om iets te halen & hij zei dat hij in 2 seconden terug zou zijn. Hij parkeerde achter het ziekenhuis & liet Nile alleen in de auto achter, met de sleuteltjes in het contact. Maar hij bleef geen 2 seconden, maar 2 uur weg. Nile kon niet uitstappen & het ziekenhuis binnenlopen om zijn vader te zoeken want er waren uit het niets 4 grote jongens verschenen die de auto omsingelden. Eerst braken ze de springende jaguar van de motorkap & toen begonnen ze op de ramen te beuken toen ze Nile ineengedoken op de passagiersplaats zagen zitten. Ze drukten allemaal hun neus tegen het raam & trokken gezichten tegen hem. Daarna ging er eentje op de motorkap staan & plaste over de voorruit. Toen ging een andere jongen op de kofferbak staan & plaste over de achterruit. Nile was doodsbang. Hij kon niet autorijden, maar hij probeerde het wel. Het enige wat hij echter voor elkaar kreeg, was de auto in zijn achteruit zetten & ermee tegen de muur van het ziekenhuis aan knallen. Met vier jongens op het dak van de auto die lachten & in het Frans & Arabisch schreeuwden. Dus toen hield hij zijn hand op de claxon totdat ze kwaad werden & eentje de ruit bij de passagiersplaats met een steen kapotsloeg. Intussen had een beveiligingsmedewerker van het ziekenhuis de auto tegen de muur van het ziekenhuis horen botsen en kwam kijken. De jongens vluchtten weg. De bewaker wilde de politie bellen, niet om die bende aan te geven, maar om Niles vader aan te geven. Hij wilde zijn vader van nalatigheid beschuldigen. En dat zou ook gebeurd zijn, als het niet zo'n belangrijke arts was geweest.

Wat was er nou gebeurd? Toen Niles vader in het ziekenhuis aankwam, werd er een spoedgeval binnengebracht, een man die was aangereden, en omdat het kerstvakantie was, zaten ze met een personeelstekort. Niles vader ontfermde zich dus over de man. En vergat dat zijn zoon nog in de auto zat.

'Heb je het hem ooit vergeven?' vroeg ik.

'Natuurlijk. Ik wel, maar mijn moeder niet.'

'Heeft hij die man kunnen redden?' Dat zou het ideale eind van het verhaal zijn geweest.

'Nee, die is doodgegaan.'

* * *

Toen we allebei een kom havermout hadden gegeten, kreeg ik een cadeautje van Nile. Een paartje sneeuwwitte zwanen. Een soort gips, denk ik. Satijnspaat of albast. Zó mooi. Ik wilde uit bed springen & hem om de hals vliegen of misschien zelfs een kus geven, maar ik kreeg een verschrikkelijke kramp in mijn been & schopte mijn bedtafeltje om & viel op de grond. Nile tilde me op alsof ik een veertje was.

Ik vroeg waarom hij zo aardig voor me was, afgezien van het rookverbod, en waarom hij me hielp. 'Heiligheidswaan, denk ik,' zei hij. Ik vroeg waarom hij me zomaar iets gaf en hoopte dat hij zou zeggen dat hij uitzinnig verliefd op me geworden was, maar hij zei dat hij de zwanen van een indiaanse anarchiste had gekregen (ik geloof dat ik wel weet wie hij bedoelt – heeft hij iets met haar?) & dat hij, als hij aan mij denkt, tenminste niet aan andere dingen denkt. Maar hij zei niet welke andere dingen.

Ik vroeg of hij weleens last van geesteziekte had gehad & hij zei dat hij al overspannen geboren was.

'Nee, serieus,' zei ik.

'Wil je het echt weten?' vroeg hij.

'Ja,' zei ik.

'Ik heb 3 jaar in een inrichting gezeten.'

Daar keek ik van op & ik schrok er zelfs van & wist niet wat ik moest zeggen.

'En nog 2 jaar als poliklinisch patiënt. In een halfweghuis voor halve gekken.'

'Waarom? Ik bedoel, wat is er dan met je, Nile?'

'Dat is nooit... precies vastgesteld.'

'Schizofrenie?'

'Iets in die geest, maar dan een afgezwakte vorm. In combinatie met een depressie. Het heeft iets te maken met de bicamerale geest, waar je misschien weleens van hebt gehoord. Niet? Dat had de primitieve mens: de twee hersenhelften werkten onafhankelijk van elkaar, de ene helft lijkt te spreken & de andere helft luistert en gehoorzaamt. Daarom heeft de mens de goden uitgevonden – om die stemmen te verklaren. Maar dat is een ander verhaal. Mijn probleem is... laten we zeggen: een interessante uitdaging voor de medische wetenschap.'

'Hoe was dat, in die...'

'In het gekkenhuis, het krankzinnigengesticht? Die hele periode lijkt wel uit mijn leven gewist. Een grote grijze vlek. Twee jaar kalmerende middelen & tv & plastic bestek. En ik zag het motto van die inrichting in mijn dromen: 'Gib mir deine Hand', dat is van de Beatles, geloof ik. Twee jaar met psychoanalytici die net zo gek waren als ik, zonder ook maar iets te bereiken. En als ik... laten we zeggen overgevoelig voor wangedrag van onbekenden werd, "bewegingsbeperkende kleding".'

'Een dwangbuis, bedoel je?'

'Altijd als ik chloor ruik, moet ik er weer aan denken.'

'Was dat in... Parijs?'

'In Frankfurt. In Parijs ben ik afgekickt.'

Grote god, en ik dacht dat ik het zwaar had. 'En hoe was dat dan... ik bedoel met de andere patiënten...'

'Ik had een eigen kamer, goddank. Of liever gezegd dankzij mijn vader. Dus Karl de Kwijler, Manfred de Masturbant en Ursula de Urinatrice kon ik doorgaans wel ontlopen. Net als die man van in de tachtig die dacht dat hij een van de psychotherapeuten was en zijn snot afveegde aan alles wat binnen zijn bereik kwam.'

'God! Dat doet me aan school denken.'

'Ja, mij ook, nu je het zegt.'

'En dat je daar zat... Had dat iets te maken met... je weet wel, met je vader?'

'Met mijn vader? Toen hij me in Parijs in de auto had laten zitten, bedoel je? God nee, daar was ik na twee dagen al overheen. Mijn gekte is niemands schuld. Niet van mijn vader en ook niet van mijn moeder. Ik ben met die verkeerde bedrading in mijn hoofd geboren, dat is alles – en door de drank en de drugs is het erger geworden. Dus het is mijn eigen schuld, áls het al iemands schuld is.'

Ik wist niet wat ik daarop moest zeggen. 'Je bent in Parijs geboren, hè?'

'Nee. Neptune.'

Dat was een grapje, een running gag, denk ik, al keek hij er ernstig bij. 'Hebben ze je daarom opgesloten? Omdat je een buitenaards wezen bent?'

'Heel goed. Eindelijk heb je mijn geheim geraden.'

C éleste dacht dat ik haar voor de gek hield, maar dat was niet zo. Neptune is een plaatsje in New Jersey – Jack Nicholson is er geboren. En Danny DeVito. De op twee na beroemdste Neptuner is mijn vader, dr. Bertram Christian Nightingale, legerarts, pancreasspecialist en bestuurslid van internationale medische organisaties, die in de laatste twee edities van *Who's Who* staat. Dit is het lemma:

Dr. Bertram Christian Nightingale (geb. 1932 in Neptune, New Jersey, overl. 2008 in Parijs). Gepromoveerd (Johns Hopkins), artsexamen (Harvard). Legerarts bij de Amerikaanse strijdkrachten (1947-1965); pancreaschirurg en -onderzoeker aan het Centre National de la Recherche Scientifique (1965-1971); in 1971 medeoprichter van Médecins Sans Frontières International (MSFI), een humanitaire non-profitorganisatie die bijstand verleent aan slachtoffers van rampen en gewapende conflicten. Van 1984 tot 2000 had dr. Nightingale de supervisie over de opleiding van plaatselijk medisch personeel voor MSFI en richtte hij wereldwijd de zogeheten 'Groep van 9'-onderzoeks- en -opleidingscentra op (Parijs, Londen, Lissabon, Madrid, Athene, Frankfurt, Milaan, Shanghai, New York). Tot zijn dood in 2008 was dr. Nightingale betrokken bij een breed scala aan filantropische activiteiten, waaronder fondsenwerving voor kinderkankerklinieken.

We reisden veelvuldig, dat zal duidelijk zijn. Voor mij betekende dat vijf scholen in zeven jaar, zodat ik in theorie erudiet en wereldwijs had moeten zijn en over een veelzijdige levenservaring en culturele bagage had moeten beschikken. Mijn vader meende me een dienst te bewijzen met al dat reizen, me een exotisch geschenk mee te geven dat me de rest van mijn leven zou bijblijven en waardoor ik een completer, interessanter mens zou worden. 'Je kunt een land alleen echt leren kennen als je er deel van wordt,' verklaarde hij. 'De taal leren, communiceren, groeien. Bloeien op de plaats waar je wordt gepoot.' Maar ik groeide en bloeide niet; ik kromp en verschrompelde, trok me in mezelf terug. Met hulp van vijf kindermeisjes leerde ik vijf talen, niet om met mensen te kunnen praten of de plaatselijke gebruiken te leren, maar omdat ik het leuk vond om codes te kraken. Ik verzamelde en memoriseerde uitdrukkingen zoals ik postzegels verzamelde en in mijn geheugen prentte.

We zwierven zes jaar door Europa en één jaar door Azië; mijn vader drong door tot het echte leven van de verschillende landen en ik scheerde erlangs, verschanste me in internaten of tussen de bladzijden van postzegelalbums. Ik trok me terug van de mensen als iemand die achteruit een moeras uit kruipt waarin hij per ongeluk terecht is gekomen. Ik begon te vermoeden dat ik een einzelgänger was, dat de aanwezigheid van anderen me op de een of andere manier benevelde, dat een monnikencel of de woestijn ideaal voor me zou zijn.

Mijn vader moedigde me niet aan in zijn voetsporen te treden, maar toen ik liet merken in geneeskunde geïnteresseerd te zijn, regelde hij dat ik in het Broussais-Hôtel-Dieu in Parijs terecht kon. Anderhalf jaar later had ik geconcludeerd dat ik niet voorbestemd was om arts te worden, en ik had reden om aan te nemen dat mijn opleiders tot dezelfde slotsom waren gekomen. Je moet vanaf je geboorte een zekere aanleg voor dat vak hebben, en die miste ik. En een zekere genegenheid voor je medeschepselen – de overtuiging dat ze het redden waard zijn – die ik eveneens miste.

Daarom verkaste ik naar het Hôpital Marmottan, een ontwenningskliniek aan de rue d'Armaillé in het 17e arrondissement. Mijn vader was eerder opgelucht dan geschokt en zei dat ik 'de neiging had fouten te maken, ongelukken te veroorzaken en aan dingen verslaafd te raken' en dat ik 'niet iemand was die in noodsituaties doortastend optrad of bijzonder veel moed toonde'. Het was niet de eerste of de laatste keer dat hij dat zei.

Dit is mijn lemma:

Nile Christian Nightingale (geb. 1964 in Neptune, New Jersey, overl. 2009 in Ste-Davnet, Quebec, Canada). Geen universitaire titels of diploma's van enig belang. Amateurvertaler en saaie filatelist, die zijn tijd op aarde verbeuzelde en zijn best deed de prijs voor het meest nutteloze leven in de wacht te slepen; stuntelaar en brekebeen die met een duizelingwekkende vaart van baantje naar baantje raasde, de contacten met zijn familie liet versloffen en overal van hoge naar lage posities oprukte; iemand die, zeker in vergelijking met zijn beroemde vader (zie **Dr. Bertram Christian Nightingale**), stilletjes door de wereld gleed, geen enkele indruk op wie of wat dan ook maakte en geen sporen naliet. De Nightingales zijn, net als de trompetkraanvogel, in New Jersey uitgestorven.

Drugs geven ons de illusie dat leven beter is dan dood zijn, zei een stem in mijn binnenste bij een geldautomaat in de buurt van het Prudential Center in Newark. Het was de avond van Halloween en warm, lang na het tijdstip dat de kinderen langs de deuren waren gegaan, en in mijn hoofd zoemde het van de woorden met *over-*: overbevolking, overproductie, overwinst, overconsumptie, overcompensatie, overreactie, overmedicatie...

En overbesteding, voegde ik in gedachten aan het rijtje toe toen bleek dat ik geen geld kon opnemen wegens een negatief saldo.

De muurautomaat bevond zich naast een club die Homo Erectus heette en een roestvrijstalen deur had die was afgesloten met grote kettingen met enorme platte hangsloten in de vorm van harten. Ik ging op een kleverig stoepje voor de club zitten, boog mijn hoofd en zette mijn vaders gleufhoed af. En gooide er alles in wat ik nog bezat. Drie verkreukelde vijfjes, vier briefjes van één en... één, twee, drie, vier, vijf, zes cent.

Je leeft in geleende tijd. Je hebt meer schulden dan de regering van Gabon. Als je niet in de bak belandt, eet je tot je dood hondenvoer. Dat was een rare tic van mij: mezelf zachtjes maar verstaanbaar in de jij-vorm toespreken.

Mijn toespraak werd onderbroken doordat er iemand voorbijschuifelde, een man op blote voeten, met een jas zonder knopen en omzoemd door vliegen. Mijn dubbelganger, mijn toekomst die zich aandiende?

'Hoe gaat-ie?' vroeg de man. Bostons accent. Hij haalde van onder zijn jas een korte houten stok tevoorschijn, als de wapenstok van een agent.

Ik oefen al mijn leven lang aantrekkingskracht uit op gekken – ze vliegen op me af, kramen onzin uit, slaan hun armen om me heen of grijpen me bij de keel. En ze fascineren me ook altijd, ik word aangetrokken door de felle gloed van hun gedachten. Soort zoekt soort en zo. 'Ach, z'n gangetje,' antwoordde ik, wat blijkbaar niet de goede reactie was, want de man begon met de stok tegen zijn handpalm te tikken. Ik kon het ding nu beter bekijken. Het was een minihonkbalknuppel zoals de kinderen in de jeugdcompetitie gebruiken. Zo eentje had ik ook toen ik in een team speelde dat werd gesponsord door het Filatelistisch Genootschap van New Jersey. 'Het zit even tegen,' probeerde ik vervolgens, waarop de man grijnsde, de knuppel op de grond liet vallen en in diverse jaszakken zocht. Hij gooide een kwartje, een dubbeltje en een cent in mijn hoed en slofte verder. Negentien dollar en... tweeënveertig cent.

Het zou heel goed kunnen dat ik toen op het absolute diepte-punt van diepgezonkenheid zat. Of had ik dat een paar uur daarvoor al bereikt, toen ik naar een wedstrijd van de Rangers tegen de Devils wilde en tweehonderd dollar had betaald voor een buskaartje naar Newark?

Er begon zich een chemische stof in mijn hersenen te vormen waardoor ik ineens zag hoe de puzzelstukjes van mijn leven in elkaar pasten. Tot nu toe was het duister en raadselachtig geweest, omgeven door ijsbergen en dichte mist, maar nu zag ik mijn hele leven plotseling glashelder en viel alles op zijn plaats. Mijn inzicht was dat mijn leven volstrekt en onversneden zinloos was. Zinloze wanhoop gevolgd door zinloze hoop gevolgd door zinloze herinneringen. *Je had net zo goed je hele leven in een grot kunnen slapen. Of in krimpfolie verpakt in een vriezer kunnen liggen.*

Ik strompelde de stoep af, de goot door en naar het midden van de weg, waarbij ik mijn best deed te doen alsof ik ontspannen kuierde. Auto's toeterden en bestuurders scholden me uit terwijl ik zigzaggend koers zette naar de andere stoep. In het kielzog van twee hippe Japanners met hoog opgekamd haar en puntige schoenen naderde ik een bedelaar die op een stoeprand zat. Hij had zijn hoofd gebogen en droeg een zwarte borsalino – griezelig genoeg net zo een als ik vlak daarvoor. Ik had het gevoel dat die hoed van mij was, van me gestolen was – wat onmogelijk was omdat ik mijn eigen hoed op mijn hoofd voelde. Naast hem stond een stuk karton waar iets op was gekrabbeld. Toen ik dichterbij kwam, keek hij naar me op. Het was de man met de minihonkbalknuppel die me zesendertig cent had gegeven. Er sloeg nu een walmende stank van gefermenteerde pis van hem af. Op het stuk karton stond:

GELD NODIG VOOR BIER, DRUGS, HOER.
IK BELAZER U TENMINSTE NIET.

Hij nam zijn gleufhoed af en ik gooide er wat in: drie vijfjes, vier briefjes van één, zes centen. En een losse knoop. Ik hield het geld dat hij me had gegeven, het kwartje, het dubbeltje en de cent, want het zou beledigend zijn geweest die terug te geven.

Na een onbekend tijdsinterval, een paar minuten of een paar uur, stond ik ineens weer bij mijn auto. Vreemd, want ik was er niet naar op zoek geweest. Hij stond dubbel geparkeerd en de sleuteltjes zaten in het contact. Er zat een stuk papier op de voorruit, geen parkeerbon, waarop alleen maar het woord STOMME-LUL stond. Ik weet nog dat ik me daarover verbaasde, bedacht dat het twee woorden hadden moeten zijn, dat de schrijver kennelijk STOMMELING in zijn achterhoofd had gehad maar halverwege van gedachten was veranderd.

Ik reed terug naar Neptune, kapot en uitgeteld, langs twee motoragenten die niet achter me aan kwamen. In mijn kamer aangekomen – mijn 'kerker', zoals mijn vader altijd zei, want het was een gribus waar nooit zon kwam – sloot ik alle ramen en deuren af en verzonk in de diepste en duisterste depressie van mijn leven. En dat wil wat zeggen. Uitdijende concentrische cirkels boven mijn hoofd, de zwarte draak die met zijn geschubde huid en zijn puntige staart boven me zweefde en me angst aanjoeg voor... tja, voor alles. Branden, overstromingen, aardbevingen en wie weet wat me nog meer te wachten stond.

En er stond me inderdaad wat te wachten, een clusterbom die me in het tijdsbestek van één maand vanuit mijn blinde hoek zou treffen: mijn vader overleed aan diep-veneuze trombose, de politie van New Jersey klaagde me aan wegens agressief rijgedrag en rijden onder invloed, mijn ex beschuldigde me van kidnapping, een Franse schrijver spande een rechtszaak tegen me aan wegens... ik weet de exacte term niet meer. Van één van die dingen zou ik al een week lang totaal aan de drank zijn gegaan, maar in combinatie met elkaar brachten ze me in een toestand van motorische en mentale verstarring. Ik kwam wekenlang mijn huis niet meer uit, niet voor alcohol, niet voor tabak en niet voor drugs, en wentelde me in mijn ontwenningsverschijnselen als een wegrottend theezakje. Ik leefde van op de pof gekochte pizza's en Chinese maaltijden, de stinkende dozen stapelden zich naast mijn bed op als... als stinkende dozen. De berg ongeopende post voor de deur werd steeds groter, buren belden aan om te kijken of ik nog leefde.

Ik wist steeds minder goed hoe laat het was, of eigenlijk begreep ik niet meer wat tijd feitelijk betekende. Ik merkte nauwelijks meer het verschil tussen vijf minuten en vijf dagen. Ik had elke dag het merkwaardige gevoel dat het geen weekend was en ook geen werkdag, maar een soort achtste dag van de week.

De kleinste handelingen – een glas met water vullen, mijn tanden poetsen – vereisten een eindeloos lange voorbereiding. Kleren hielden me niet warm, hoeveel ik ook aantrok. Door het koude zweet meende ik dat mijn waterbed lekte. Maar ik had geen waterbed. Me wassen was bijna onmogelijk: zelfs warm water veroorzaakte een schok op mijn huid en de zachtste handdoek voelde aan als staalwol. Ik zat onder het vuil en mijn haar piekte alsof ik in een jongensbandje speelde, maar dan niet van de gel maar van de viezigheid. Ik liet de hele tijd dingen vallen, alsof mijn handen door dierenpoten waren vervangen. Ik liep niet, ik waggelde, alsof ik zwemvliezen had. Ik herkende mezelf niet in de spiegel. Was ik bezig in een andere soort te veranderen? In iets niet-menselijks? Met uitzondering van olifanten, mensapen en dolfijnen herkennen dieren zichzelf niet in de spiegel. Was het nu officieel zover? Was ik rijp voor het gekkenhuis? Voor de zoveelste keer?

In mijn paniek greep ik naar de antidepressiva, ik slikte er handenvol tegelijk van, alsof het m&m's waren. Ze leken te werken, want ik sliep 23 van de 24 uur. En de enige bijwerkingen in het ene uur per dag dat ik wakker was, waren wazig zicht, duizeligheid, jeuk aan de voeten, een dikke tong, neusbloedingen, kortademigheid en troebele urine.

Op een miezerige ochtend hoorde ik een stem in mijn hoofd – niet mijn eigen stem – die me sommeerde naar de echte wereld terug te keren. Hij klonk een beetje als mijn moeders stem als ze verkouden was. Ik was niet iemand die uit bed sprong, maar die keer deed ik het wel. Ik trok een zware winterjas aan over mijn pyjamabroek en ochtendjas en honkbalschoenen over mijn wollen sokken (van al mijn andere schoenen ontbrak ofwel de linker, ofwel de rechter). Uit mijn gangkast, die zo ondiep was dat de kleerhangers scheef hingen, diepte ik stapels juridische documenten op. Ik propte ze bijna allemaal in twee grote gewatteerde enveloppen en adresseerde die aan iemand die wel zou weten wat hij ermee moest. Ik stapte in mijn Delage Lynx, die hevig bloedde en bijna dood was, en kroop moeizaam naar het postkantoor aan Neptune Avenue. En vandaar via Woodland Avenue naar het familieslot in Avon. Of Avon-by-the-Sea, zoals het officieel heet. Een kilometer of tachtig ten zuiden van Newark-waar-het-stinkt.

Ik zette de auto in de garage, naast die van mijn vader, en haalde één ding uit het handschoenenkastje: de plastic .38 van Brooklyn. Ik beklom zo zachtjes mogelijk de zestien treden om niet de aandacht te trekken van de buren aan weerskanten. Niet makkelijk op spikes. Ik legde mijn hoofd tegen het koele oppervlak van de deur en luisterde. Wat had ik verwacht te horen? Spoken? Ik draaide de sleutel om, een dikke Medeco die ik zo lang niet had gebruikt dat ik betwijfelde of hij wel zou passen. Het openklikken van het slot klonk als een pistoolschot.

Om het alarm het zwijgen op te leggen toetste ik 1906 in – het geboortejaar van mijn grootvader – en vervolgens betrad ik de lager gelegen eetkamer. Die was inmiddels vermiljoenrood geschilderd, maar verder onveranderd: hij zag er nog steeds uit als een ontvangkamer in een ambassade, met stoelen waar je niet op mag gaan zitten omdat ze fragiel zijn van ouderdom of bekleed met zijde of fluweel dat gemakkelijk met een hand of voet te bederven is. De huishoudster was kennelijk geweest terwijl mijn vader in een Frans ziekenhuis dood lag te gaan, want het was overal even onverbiddelijk schoon als altijd. Het rook naar Lemon Pledge en Brasso. Ik liep rond en zag beelden uit mijn jeugd – glazen borden met boterzachte brie, scherp ruikende bleu de Bresse, als marmer geaderde roquefort, in tweeën gesneden en bruin geworden peren... Ik liep langs een rij hoge planten en een serre waarin geen geluid door kon dringen naar de witte wenteltrap die naar mijn kamer leidde.

Ook die was bevroren in de tijd, een aandenken voor mijn vader aan de tijd dat zijn nazaat nog een brave, gehoorzame jongen uit een goed, liefhebbend gezin was, nog niet was 'ontspoord'. Er stonden pneumatisch verstelbare stoelen en een waterbed en er hingen diverse posters van Franse actrices. Mijn oude honkbaltrofeeën en -medailles waren ook tentoongesteld – wat me een schok gaf omdat ik ze tientallen jaren niet gezien had. Mijn vader had ze kennelijk van de zolder gehaald, samen met een ingelijste foto van mij met een petje van de Rhinos, mijn jeugdteam. Ik keek van de foto naar de spiegel en schudde mijn hoofd vanwege het schrijnende contrast.

Trek dan in ieder geval iets aan. Ik doorzocht haastig kasten en laden en kwam uiteindelijk uit op een zwarte broek met nauwe pijpen (*pantalon cigarette*), een zwartleren riem met studs en zwarte puntlaarzen met een ingewikkeld stel kruisende riempjes met gespen. Allemaal gekocht op de markt in Camden Lock. Alles paste moeiteloos: in tegenstelling tot de Amerikaanse trend was ik met de jaren slanker geworden. *Zwart. Je was gelukkig toen je zwart droeg. Vanaf nu draag je zwart.*

Hoe had ik ook níet gelukkig kunnen zijn toen ik voor de twee laatste jaren van de middelbare school naar Amerika terugkeerde, met een Brits accent op het hoogtepunt van de Britse new wave? De meisjes dachten dat ik een rockster was.

Ik deed mijn Dual-draaitafel aan en zette de naald op een EP die daar al jaren lag te verstoffen, tenzij mijn vader of de huishoudster ernaar had geluisterd.

Ik was van plan geweest dingen weg te gooien, maar miste de ware overtuiging. Ik haalde een opgevouwen groene vuilniszak uit de verpakking, maar verder kwam ik niet. Hoe kon je nou originele platen en kleren uit de jaren tachtig weggooien? Of filmposters die je in de jaren zeventig op de boulevard St-Michel van de muur had gescheurd, een van Isabelle Adjani in *Possession* en een van Catherine Deneuve in *Repulsion*? De onweerstaanbare aantrekkingskracht van gestoorde vrouwen: ik was er al vroeg gevoelig voor.

'Love Will Tear Us Apart' was afgelopen, dus ik zette het opnieuw op. Van een wankele stapel platen zonder hoezen plukte ik een EP van de Psychedelic Furs ('Heaven') die niet meer af te spelen was omdat hij onder het kaarsvet zat. Die avond herinnerde ik me niet meer. De volgende was 'In a Big Country', en die daarna 'Don't Fear the Reaper'. De singleversie! Ik zette hem op. Pas de volgende dag, in het weidse Canada, viel het kwartje. Drie nummers: twee zangers die zelfmoord hadden gepleegd en één lofzang op zelfmoord.

Ik speurde naar *Abbey Road* en *The White Album* om de akoestische pareidolie uit te testen waar dokter Neefe het over had gehad – 'I buried Paul' en 'Turn me on, dead man' – maar kon ze geen van beide vinden. Daarom liep ik verder, de lange gang door naar de werkkamer van mijn vader. Die keek aan de ene kant uit over een tuin met een veranda met zuilen, een tuinhuisje en een panoramaterras en aan de andere kant over de oceaan. De kamer was verrassend vol voor een chronische minimalist: een lange rij archiefkasten met een halve eeuw belastinggezeik, een enorm bureau uit Thessaloníki dat ik altijd graag had willen hebben, een antiek jaden kistje uit Carcassonne met dingen erin die ik altijd had versmaad, zoals diamanten manchetknopen, gouden dasclips en Cartier-pennen, en een grote houten kist uit Inverness vol souvenirs uit de hele wereld. Ik deed het deksel open en vond er drie dingen in die van mij waren: een postzegelcatalogus van Stanley Gibbons, de in leer gebonden poëziebloemlezing *1001 Poems* en een leeg zwart boekje met een zilveren slotje en een pen dat *Mon journal intime* heette – allemaal kwijtgeraakte cadeautjes van mijn moeder. Waarom ben ik dol op alles wat ik van mijn moeder heb gekregen, terwijl de dingen die ik mezelf geef me onverschillig laten? vroeg ik me af.

Ik ging in een saliegroene stoel zitten die ik nog nooit had gezien en bekeek de boeken van alle kanten.

Parijs en Londen in de jaren tachtig: ik had altijd gedacht dat mijn echte thuis in het verleden lag terwijl ik gedwongen was in het heden te leven. Maar nu deed ik afstand van die opvatting. Het was niet het land van de verloren genoegens waarnaar ik dolgraag terug wilde. Mijn heimwee gold niet één bepaalde plek, besefte ik, maar een universum dat ik nooit had gekend.

Ik bestudeerde mijn beeltenis – nauwgezet, zoals je een vreemde bekijkt – in een manshoge spiegel uit Barcelona. Mijn vader had iets met spiegels. Ik was erbij toen hij deze kocht, na lang afdingen bij een verkoper op de Ramblas. 'Ik ga niet als een hoer staan afpingelen,' zei hij in het Spaans, en hij deed alsof hij wegliep. Zijn kwade ogen lagen over de mijne als een masker.

Op de achtergrond was vaag een slaapbank te zien met een groen-witte sprei, lang geleden met de hand gemaakt door een wever in New Hampshire. Mijn moeder had iets met spreien. In gedachten zag ik haar liggen, achterovergeleund en treurig in een handspiegel kijkend. Over iets meer dan een jaar zou ik veranderingen in mijn eigen gezicht zien die zij nooit in het hare had kunnen zien, rekende ik snel uit.

Ik deed mijn ogen dicht. *Vakantie, je bent aan vakantie toe. Een jaar of twintig zal wel genoeg zijn. Geen reis naar het verleden – dat heb je eerder geprobeerd en dat is niks geworden – maar naar iets nieuws, naar de toekomst. Een vakantie die alle andere vakanties overbodig maakt, een vakantie om een moord voor te doen.* Mijn hoofd begon zich te vullen als een koffer.

Misschien niet zozeer een vakantie – je kunt geen vakantie nemen van nietsdoen – als wel een permanente verhuizing naar een onvindbare plek waar het leven rustiger, trager was. Ik zou de drukte en verwarring van de stad, de zuurstofarme, door fabrieken en auto's vergiftigde lucht verruilen voor de rustgevende, stevige bedding der natuur. Waar oudere, natuurlijker processen gaande waren. Net als Euripides, die naar een grot bij de zee verhuisde omdat steden ondraaglijk waren geworden. Of

Antonius de Grote, een rijke Egyptenaar die hetzelfde deed nadat hij eerst al zijn geld had weggegeven.

'In het verleden blijven hangen is de dood,' zei mijn vader binnen in me. 'Net als te lang op één plaats blijven.' Op naar het noorden dus, een oude droom achterna, een nieuwe duisternis. Onderduiken in een plaats in de Canadese bush die op geen enkele atlas staat, opnieuw beginnen op een plek waar niemand me kent, leven als een kluizenaar op een eiland in een meer.

Ik sta nu op en ga naar Canada
Waar ik van leem en teen een hutje bouw...

Ik vertrok, zoals dat heet, onder verdachte omstandigheden uit New Jersey. Ik nam geen eten mee, en maar heel weinig kleren of andere noodzakelijke spullen. Wel diverse niet-noodzakelijke spullen, waaronder mijn filatelistische benodigdheden: albums, tangetjes, vergrootglas, perforatieschuifmaat, catalogi, cellofaanenveloppen, standaarden, gomstrookjes, droogboek, watermerkvloeistof en -bakje. Ik propte alles in de canvas legertas van mijn oom, samen met mijn in leer gebonden poëziebloemlezing.

Daar zal ik vrede vinden...

Toen ik anderhalf huizenblok was gevorderd in de BMW van mijn vader, maakte ik rechtsomkeert om ook zijn overlevingskit en zijn leren reistas te halen. En zijn plunjezak, waar ik eerst nog drie flessen van zijn beste Schotse whisky uit Skye in stopte. Ik kon er niets aan doen, het was sterker dan ik.

Mijn volgende doel was het filiaal van de Central Jersey Bank aan West Sylvania Avenue, waar ik met hulp van de directeur een van de minder vette rekeningen van mijn vader leeghaalde. Ik stopte de pakken twintigjes netjes opgestapeld in zijn Halliburton-reistas, duurzaam en waterdicht, een model waar criminelen graag contant geld in vervoeren.

Daar reed ik, over Ocean Avenue, met ronkende motor heen en weer zigzaggend tussen de rijstroken, in een auto met heel veel vermogen. In noordelijke richting langs de 1-87, terwijl de duisternis begon te vallen. Ik deed mijn ogen dicht tegen de slingerende keten van achterlichten voor me en opende ze weer. In de auto gloeiden exacte, geruststellende controlelichtjes op – onder andere een radardetector – waaraan ik kon aflezen dat alles optimaal functioneerde. Ik maakte met mijn tanden een fles Talisker open en nam een snelle slok. Veegde mijn mond af met mijn handrug, een dronkenmansgebaar waarop ik mezelf in de achteruitkijkspiegel betrapte. Ik zag ook nog iets anders: een truck met oplegger, de tyrannosaurus van de snelweg, een monster met achttien wielen dat hevig toeterde bij het inhalen. Ik toeterde terug. Vervolgens drukte ik op het knopje om het raam omlaag te draaien, per ongeluk dat aan de passagierskant, en deed mijn horloge af. Het was een zware gouden knol, een Nightingale-familie-erfstuk. Ik gooide het uit het raam en keek in de spiegel toe terwijl het over de vluchtstrook stuiterde. Hetzelfde deed ik met de ingebouwde mobiele telefoon. Als je je ontdoet van geavanceerde apparatuur, scherpt dat je zintuigen, je wordt je dieper bewust van wat je meemaakt, had ik ergens gelezen. Uit mijn borstzak haalde ik vier opgevouwen papieren tevoorschijn, die ik op het stuur uitvouwde. Ik knipte de binnenverlichting aan.

De bovenste drie bevatten informatie over onroerend goed in Quebec, gedownload van mijn vaders computer: jagershutten die te huur stonden, kerkgebouwen die als 'opknappers' werden aangeprezen, en een reisfolder waarin de bewoners van Quebec werden omschreven als 'trots', wat in dat soort proza meestal 'achterdochtig en lijdend aan achtervolgingswaan' betekent. Ik legde de drie papieren terzijde en richtte mijn aandacht op het laatste, met de instructies van mijn oom Vince.

Vince Flamand was de halfbroer van mijn moeder, een linkshandige werper van tegen de twee meter die in 1967 al snel bij de Detroit Tigers belandde. Op zijn zeventiende gooide hij een dalende worp met 153 kilometer per uur, en hoewel hij in elke competitie een heleboel slagmensen raakte, schopte hij het in iets meer dan een jaar van junior tot semiprof in Toledo. Waarom was hij dan naar Canada gegaan? Omdat hij geen zin had om zijn werparm in Vietnam de vernieling in te helpen.

Ongeveer een halfjaar lang stuurde oom Vince me één- of tweemaal per maand een briefkaart of eerstedagenvelop uit een plaats in Quebec, New Brunswick of Nova Scotia. Met teksten als:

Ha die Nile,

Ik dacht dat je deze postzegel van een grizzly wel mooi zou vinden... Heb net twee selectiewedstrijden gespeeld bij een club in Halifax, Nova Scotia. Twee ijskoude wedstrijden in de schemering. In de eerste gooide ik in de zesde en zevende innings de tegenpartij uit, en de andere wedstrijd won ik door in de negende innings de tegenstander in negen worpen uit te gooien. Acht kanonskogels en een screwball. Het honkbal is hier niet om over naar huis te schrijven, maar Vietnam is ook niet alles.

Uiteindelijk kwam Vince niet terecht in Nova Scotia maar in New Brunswick (net als Matt Stairs), als werper en scorende slagman bij de Marysville Royals. Zijn statistieken zijn nog op internet te vinden. Toen hij pijn in zijn schouder kreeg, keerde hij terug naar de Verenigde Staten, want hij meende dat hij het nu wel voor elkaar zou krijgen om afgekeurd te worden. Een paar maanden later werd hij door de Vietcong gevangengenomen, waarna hij een paar jaar in een kooi van bamboe zat.

Hij keerde uit de oorlog terug met twee verbrijzelde hielbotjes en een dermate ernstige, afstotelijke depressie dat hij zich terugtrok in een schuurtje ter grootte van een buitenplee in de Adirondacks, waar hij van borden van boomschors at, met bijgepunte takken als bestek. Toen hij minder dan vijftig kilo woog, liet mijn vader hem opnemen in een veteranenziekenhuis in Lyons, zo'n honderd kilometer van Neptune, en daar is hij sindsdien met tussenpozen gebleven. Als hij maar een paar cen-

185

timeter langer was geweest, zou hij zijn afgekeurd voor militaire dienst, zei mijn moeder.

Voordat ik uit Neptune vertrok, mailde ik hem om hem advies te vragen, en dit kreeg ik terug:

Ha die Nile, ik zat net aan je te denken, aan de laatste keer dat we naar een wedstrijd gingen. Weet je nog, jij smokkelde een fles Jim Beam mee naar binnen en de Mets versloegen de Yanks in het Shea Stadium. Of misschien andersom. Of misschien was het helemaal niet met jou. Ik was straalbezopen, weet ik veel. Speel je nog steeds honkbal? Ik weet nog hoe goed jij was op het derde honk. Afgrijselijk goed, toch? Of was het het tweede? Je had prof kunnen worden als je niet die beroerde worp had gehad. Maar goed, over je vraag. Dit heb je nodig: penlight (geen grote zaklamp), kompas, zwarte kleren, teer, draadschaar. Neem de I-87 in noordelijke richting, ongeveer 240 km, tot Route 3. Linksaf bij Blake Road, rechtsaf 190, linksaf 11, rechtsaf 189, linksaf Frontier Road. Nummer 524 aan de rechterkant. Daar woont Lightning. Herinner je je Lightning nog? Praat niet met hem en zet je auto niet op zijn oprit, maar laat die ergens in het bos achter. Smeer de teer op je gezicht en loop terug naar zijn huis. In een hoek van zijn achtertuin staan een groot stopbord en een kleine stenen zuil met op de ene kant USA en op de andere CANADA. Blijf daar uit de buurt. Daar staan de sensoren en de camera's. Ga naar een plek die op één lijn ligt met zijn achterdeur. Vroeger stond daar een hondenhok. Mocht de FBI daar een hek hebben neergezet sinds ik er voor het laatst was, dan komt het goed van pas dat je een draadschaar bij je hebt...

'Lightning' Leitner (ik weet niet meer wat zijn voornaam was), die zijn bijnaam dankte aan zijn trage voetenwerk, was een van Vince' oude vangers en net als hij gevlucht voor de dienstplicht. Hij woont nog steeds in Canada, maar wel twee meter onder de grond. Hoe dan ook, het werkte. Het werkte in de tijd van oom Vince en het werkte nu, na 11 september, nog altijd.

De nacht dat ik de grens over ging hoorde ik, terwijl ik speurde naar het s t o p-bord en de zuil, geluiden achter me, waar zich dicht struikgewas en boomstronken bevonden. Fluisterende mensen, zo te horen. Ik knipte mijn penlight uit en hield me muisstil.

Een bibberende lichtbundel kwam mijn kant op en naderde me steeds dichter. En het gefluister werd steeds luider. Ik herkende de taal.

'*Nǐ hǎo*,' zei ik. '*Bing jia ná dà.*'

Ik deed mijn lampje aan en zag de angstige gezichten van twee vrouwen, een oude en een jonge. Ik weet niet waar ze erger van schrokken: van de teer die ik als een indiaan op oorlogspad op mijn gezicht had gesmeerd, of van het feit dat ze in hun eigen taal werden toegesproken.

'*Nǐ shì shéi?*' vroeg een van hen. (Wie bent u?)

'*Wǒ jiào Nile.*'

'*Jǐng chá?*' (Politie?)

'*Péng.*' (Vriend.)

Stilte, vervolgens een trillende stem. '*Hěn gāo xīng rèn shí nǐ.*' (Aangenaam kennis te maken.)

'*Rèn shí ni wǒ yě hěn gāo xīng.*' (Insgelijks.)

'Wij meekomen?' vroeg de oudste van de twee in het Engels. 'U kent hier?'

'Ik denk het wel.' Ik wees met mijn lampje naar een hoog metalen gaashek met prikkeldraad langs de bovenkant. Er stond geen hondenhok voor, maar de plek bevond zich ruwweg op één lijn met de achterdeur.

'Wij meenemen fietsen?'

'Zou ik niet doen als ik u was.'

Ze namen hun fietsen mee. Ik knipte een gat en we bogen gedrieën het ijzerdraad opzij en wurmden de fietsen erdoor. In de verte blafte een hond, maar in het huis bleef het stil en donker.

Aan de andere kant van het hek was een dicht bos van altijdgroene bomen op een steile helling, zodat we zigzaggend omhoog moesten ploeteren, vooral door die fietsen die meegesleept of gedragen moesten worden, maar weldra bereikten we een goed begaanbaar pad. Een Canadees pad. 'Waar komen jullie vandaan?' vroeg ik terwijl we langzaam verder liepen, onszelf bijlichtend met drie lampen.

De oudste vertelde dat ze de Verenigde Staten binnen waren gesmokkeld op een vrachtschip dat in Seattle aanmeerde. Hoe waren ze dan hier, helemaal aan de andere kant van het continent, terechtgekomen? Dat wist ze blijkbaar niet, of ze wilde het niet zeggen.

Bent u in China geweest, meneer? fluisterde de jongste in het Mandarijn. Ze kreeg onmiddellijk een uitbrander van de ander.

Ja, ik heb er ongeveer een jaar gewoond. In Shanghai.

Wij komen daar uit de buurt! zei de oudste.

Vond u het fijn in Shanghai, aardige meneer? vroeg de jongste.

Ik aarzelde. De stad is een oven, een stoombad vergeven van olie- en benzinewalmen, van methaan en ammoniumhydroxide – zo moet de wereld hebben geroken toen het leven net ontstond. Ze huisvest het prototype van 's werelds gruwelijkste luchthaven, Hongquia, en een bar waar depressieve mensen kunnen komen huilen, waar je per uur betaalt voor tissues, treurige muziek en levensgrote poppen om mee te spelen. *Ja, erg fijn.*

Bent u ook op het platteland geweest? vroeg ze.

Ja, ik heb door de bergen getrokken. Op die hele tocht heb ik geen enkele vogel gezien. Of welk ander dier dan ook.

Nee, zei de oudste. *Die zijn allemaal opgegeten.*

Wat gaan jullie in Canada doen? vroeg ik.

Xíong dan, zei de jongste, wat ik niet verstond. Iets met beren? De oudste gaf haar een harde klap op haar schouder, en daarna werd er niets meer gezegd.

We liepen zwijgend en in gedachten verzonken verder, in noordelijke richting, op weg naar het onbekende. Bij zonsopgang, na een kilometer of zes, bereikten we een befietsbare weg in de buurt van Franklin, Quebec. We bleven alle drie staan en vroegen ons af welke kant we op zouden gaan. *Zài jiàn,* zei de een, en *Zhù ni haoyùn,* zei de ander, en ze stapten op hun fiets en zwaaiden met hun Chinese kaarten naar me. Ik ging de andere kant op.

Ik stapte met flinke pas voort, met mijn plunjezak over mijn schouder als was ik de Kerstman, en stelde een plan op voor het ontbijt: in de eerste plaats die ik tegenkwam zou ik voor het eerste restaurant links van de weg gaan zitten en wachten tot het openging. Of misschien voor de eerste *boulangerie* of *charcuterie* rechts. Maar in de eerste plaats waar ik kwam, was er aan geen van beide kanten iets van dien aard. Was dit geen Franse provincie? Ik bleef staan voor een goedkope tapijtzaak. Aan de binnenkant van de glazen deur was een felrood stuk karton geplakt met een telefoonnummer en de mededeling dat men in geval van nood P. Tremblay kon bellen. *Ja, met Tremblay? Sorry dat ik u thuis stoor, maar ik heb nu onmiddellijk een kleed nodig.*

Aan de rand van het plaatsje, een klein eindje verderop, trof ik een dubbelbrede caravan die deed of hij een restaurantje was; over de oorspronkelijke naam waren drie zwarte letters geschilderd: TCG. Op een handgeschreven bordje voor het raam stond dat de zaak om zeven uur openging. Wanneer was dat, in de jaren negentig? Ik tuurde naar binnen en zag een peertje dat ongeveer evenveel licht gaf als een ovenlampje. Ik veegde de laatste teer van mijn gezicht met een tissue en ging op het trapje zitten wachten.

Na een tijdje werden de jaloezieën opgehaald en deed een chagrijnige rossige vrouw de deur voor me open. Ze droeg een wit schort met daarop een erg antropomorfe kat die op zijn achterpoten liep en de naam TOM CAT GRILL. Ze zei dat ze er zo aankwam en begaf zich naar de keuken. Ik nam plaats in een vertrek met houten lambrisering en witte plafondtegels met gaten, als een kelder in een buitenwijk. Het rook er naar verf en terpentine, al waren zo te zien noch de muren, noch het plafond recentelijk geschilderd. Een haperende ventilator tikte bij iedere omwenteling. Naast de servettenhouder, op de plek waar de menukaart had moeten staan, lag een kleverige brochure van het Parc Safari in Hemmingford, maar een paar kilometer hiervandaan. Ik las hem woord voor woord en koesterde me in de warmte van het rooster bij mijn benen. Naast andere attracties werd een nieuwe aanwinst aangeprezen: drie witte leeuwen, 'zeldzame dieren die alleen nog voorkomen in de regio Timbavati in Zuid-Afrika en wier voortbestaan bedreigd wordt'. Er waren twee wijfjes en een mannetje naar Quebec overgebracht om te proberen het aantal dieren weer te laten toenemen. Wat een vreemde lotsbestemming voor die katachtigen! Misschien zou ik ze ooit nog eens met Brooklyn gaan bekijken.

Een kwartiertje later – ik had de brochure inmiddels hardop uit mijn hoofd kunnen reciteren – doorzocht ik mijn rugzak naar andere lectuur. Volgens mijn van internet gedownloade reisinformatie, geschreven door een Amerikaan uit de staat waar ik geboren ben, zijn de Québécois rusteloze mensen. Hun eerste impuls is om uit de buurt van andere Québécois te blijven. Ze zitten overal – Ontario, British Columbia, Maine, Mexico, Florida – 'vooral Florida'. Ongeduldige mensen, altijd onderweg van hot naar haar. Zenuwachtig door iets in hun DNA. 'In de hele literatuur van Quebec is niet één roman met een begrijpelijke plot te vinden.'

Toen de serveerster eindelijk bij mijn tafeltje kwam, maakte ik me al op om op haar excuses te reageren met 'Maakt niet uit', maar er kwamen geen excuses. Ze zei dat er nog geen menukaarten waren en dat het ontbijt bestond uit eieren, huisgerookte ham bedropen met cider, bonen in esdoornstroop en *poutine*. Er waren geen cornflakes. Toen ik vroeg wat *poutine* was, lachte ze. En toen ik vroeg of ik hier ergens een tweedehands auto kon kopen, lachte ze weer.

'*Non, mais t'es fou? Dans ce trou? Mais... tu trouveras peut-être quelque chose au bout de ce chemin-là.*' Ze wees met ondeugend twinkelende ogen uit het raam. Werd ik voor de gek gehouden?

Ik verorberde haar hemelse ontbijt en bleef zo lang mogelijk talmen, bladerde in nummers van *Boxing Roundup* en *World of Wheels* en een stapel vissers- en jagerstijdschriften met artikelen als 'De 10 beste manieren om bokken te schieten bij drukkend weer'. De serveerster schonk sterke café au lait bij en gaf me meergranentoast, waar ik een dikke zelfgemaakte jam op smeerde uit een pot met een met paraffine verzegeld deksel. Ze had ook weinig anders te doen, afgezien van haar kruiswoordpuzzel en het vullen van Heinz-flessen met een dunne merkloze ketchup, aangezien er die ochtend maar twee andere klanten waren, die hun bestelling allebei wilden meenemen. Een van de twee, een oude man zo dun als een parkeermeter, zei dat ze alleen tussen de middag '*dans le jus*' was (veel te doen had). Terwijl hij in zijn grote zilverkleurige truck met oplegger wegreed, maakte de serveerster mijn tafeltje schoon met een roze spons waarop een doorweekte halve Cheerio meeliftte. Ik dacht dat ze had gezegd dat ze geen cornflakes hadden.

Toen ik het bord toast leeg had, volgens een grote elektrische klok aan de muur om precies negen uur, zette ze een glazen kom op mijn tafeltje. Het was een goudvissenkom, maar er zaten geen vissen in maar pindakoekjes, waarop aan de bovenkant met een vork een gegolfd patroon was aangebracht. Ik at er zes. En vroeg of ik er nog zes mee mocht nemen voor onderweg. Ik betaalde de rekening (maar 28 dollar!), vouwde een vers knisperend briefje van twintig in vieren en schoof het onder de kom.

Aan het eind van de weg die ze me had gewezen, een doodlopend grindpad van een meter of honderd, kwam ik bij een lange oprit naar een minuscuul huisje, een krakkemikkige houten hut die in het deel van New Jersey waar ik vandaan kom zelfs niet als tuinschuurtje zou worden geaccepteerd. De oprit werd in beslag genomen door aftandse of half gesloopte sneeuwmobielen, twee identieke turquoise hondenhokken, als voor een tweeling, twee berijpte grasmaaiers, een motor van het intimiderende soort en een berg van iets onduidelijks met een zeildoek eroverheen. Naast die berg stond, met één wiel op het zeildoek, een dik in de menie gezet v w-busje met een bord voor de ruit dat het 500 dollar kostte. Prachtig. Een Westphalia met een kampeerdak, eind jaren tachtig. Een Vanagon. Mijn vader had er zo een toen we in Frankfurt woonden.

De bel werkte niet, dus ik bonsde op de splinterige deur, misschien harder dan nodig. Er begonnen honden te blaffen. Een luid, tweestemmig geblaf. Ik stond al op het punt om weer weg te gaan toen er een soort doodsgereutel uit het slot opsteeg. De deur ging open en er verscheen een man in een leren vest met niets eronder en met opgepompte bicepsen, zo groot als bowlingballen. Op de linker stond een tatoeage van een slang met geopende bek waaruit een tong en giftanden staken, op de rechter alleen één half afgemaakte giftand, alsof de tatoeëerder had geoefend. De man hield zijn hoofd met cornrowkapsel scheef en zijn armen en voeten stonden in een boksershouding. Pas toen ik naar de Westphalia wees, ontspanden zijn armen vol opbollende aderen zich.

Zonder iets te zeggen griste hij een sleutelring van een grote spijker en beende hij langs me heen, de stoeptreden af en de modder en sneeuwbrij van de oprit in. Op grote, zachte pantoffels. Hij startte de Westphalia, wat niet bij de eerste, tweede of zelfs maar derde poging lukte, en zei dat ik maar een proefritje moest maken. In mijn eentje.

Ik gooide mijn plunjezak op de bijrijdersstoel en nam even de tijd om de spiegels met trillende handen goed te zetten. *Waarom zo zenuwachtig, Nile?* Ik reed met een ruk achteruit en hoorde het knerpende geluid van rubber op zeildoek en vervolgens een metaalachtige tik toen ik iets raakte, volgens mij het handvat van een grasmaaier.

Ik reed schutterig en furieus schakelend terug naar de weg, met schrapende tandwielen, hobbelend door wielsporen en plassen. Op het dashboard trilden schroeven uit hun gaten en het handschoenenkastje vloog open. Ik stopte bij het restaurantje en zwaaide van achter mijn raampje naar de serveerster, die in het onnatuurlijke neonlicht geschrokken terugkeek. Dacht ze dat ik haar kwam halen? Was Giftand haar vriendje? Ik reed met piepende banden weg en trapte op de grote weg flink op het gas: 100, 110, 120, 130. Rijdt als een jachtluipaard. Klinkt als een olifant.

Ik voelde me lekker, wat ik vaak heb als ik hard rijd, en merkte dat ik naar iedereen die ik zag zwaaide of grijnsde. Tegenliggers op weg naar hun werk, voetgangers met hun hoofd bij hun besognes, een blauw-wit, laag overvliegend vliegtuigje. *Ik ben een Amerikaan van goede wil in een Duitse wagen. Ik zal proberen me aan jullie Québécois-gebruiken te houden.*

Passerende auto's besproeiden me met natte sneeuwtroep. Ik zette de ruitenwissers aan, wat het probleem verergerde. Waar was het hendeltje van de ruitensproeier? Ik kon het niet vinden.

Na een wazige rit terug naar de eigenaar inspecteerde ik op diens oprit het interieur. Ongelooflijk smerig. Donkerbruine vlekken op de bijrijdersstoel, stukken vastgekoekt keukenpapier op zwarte vuilplekken op de vloermatten, plastic McDonald's-afval op de grond. Achterin rode bekleding, als de nepstoffering van een lijkkist. En een gebutste houten gereedschapskist waar een nachtkijker op lag.

Ik sprong op de grond en bekeek de buitenkant: de motorklep werd met een groot elastiek op zijn plaats gehouden, de schuifdeur was gedeukt, de voorbumper met ijzerdraad vastgezet. De carrosserie was overgeschilderd, zo te zien door een kind, met brede kwaststreken. Op de zijkant stonden letters, vaag, nauwelijks zichtbaar onder de legergroene latexverf: CLOUD 9 CHIPS.

Ik bonsde weer op de deur en moest opnieuw wachten. Ik haalde een prop twintigjes uit mijn vaders rugzak en telde er vijfentwintig af. En bonsde nog maar eens op de deur.

Na een hele poos deed Giftand open, maar met zijn rug naar me toe. Hij had nu een ketting van turquoise kralen om zijn hals, als een hondenhalsband. En een Q-Ray-armband, voor energie en vitaliteit, om zijn pols. Had hij die soms vanwege mij omgedaan? Hij stond gebukt en wriemelde aan iets wat aan de hak van zijn ene pantoffel plakte.

'Wilt u dit houden?' vroeg ik in het Frans terwijl ik de nachtkijker van de legerdump omhooghield. 'Of de gereedschapskist die achterin staat?'

Hij schudde zijn hoofd zonder te kijken wat ik hem voorhield.

Hij had meer belangstelling voor datgene wat aan zijn pantoffel kleefde. Iets van doorzichtig plastic. Of misschien vinyl. Hij keek pas op toen ik hem de stapel bankbiljetten gaf; hij pakte ze aan en telde ze na, zachtjes prevelend, tot *vingt-cinq*. Hij gaf me er vier terug.

'Heb ik u... te veel gegeven?' vroeg ik.

'Wisselkoers.'

'Laat maar zitten.'

Hij knikte. 'Weet u wat? Ik doe er een mooi nummerbord bij. Van het huis.'

Zonder verdere omhaal propte hij de biljetten in zijn krappe kontzak. Hij zei zo weinig – grotendeels korte, knarsende lettergrepen – dat ik dacht dat hij misschien een keelziekte had. Of deathmetalzanger was. Maar nadat hij me een blauw-wit nummerbord met het motto van de provincie (*Je me souviens*) had overhandigd, begon hij ineens met heldere stem en in volzinnen te spreken. Hij vertelde dat hij lasser was en lid van de Hells Angels, chapter Châteauguay, en dat er een keer een politieverklikker was doodgeschoten op de bijrijdersstoel.

Deel 11 - Kerstmis

Bring me flesh and bring me wine
Bring me pine logs hither...
uit 'Good King Wenceslas'

Op 22 december begon ik in het donker, nog voor zonsopgang, het chipsbusje vol te pakken. Niet alleen met dingen die van Céleste en mij waren, maar ook met spullen van onze buurman. Ik trok zijn houtvestersparka aan voor het geval we onderweg problemen zouden krijgen, en stopte zijn penning in de ene zak en zijn visitekaartjes van de U. S. Fish & Wildlife Service in de andere. Er zat een elastiekje omheen en er stond geen naam op, alleen een blauw-oranje-geel logo. Ik pakte ook zijn draagbare rode zwaailicht en schoof het onder de bestuurdersstoel.

'Zijn er nog boeken die ik zou kunnen lezen?' riep ik naar Céleste, die in de badkamer haar eigen uniform aantrok. '*Basiscursus houtvester* of zo? Of... *Natuurbeheer voor dummies*?'

Haar antwoord werd gedempt door de deur. Ze kwam tevoorschijn en hinkte naar buiten, getooid met een bivakmuts en mijn zwarte suède jas met opgezette kraag. Ze was een opvallende verschijning, als iemand die zich voor Halloween als terrorist heeft verkleed.

'Ik coach je wel,' zei ze. 'Als we stropers tegenkomen, gebruiken we de walkietalkie. Doe maar gewoon wat ik zeg, net als Christian in *Cyrano de Bergerac*.'

Ik knikte en bleef naar haar outfit kijken.

'Dat heb je toch wel gelezen?'

'Nou, eh... ik heb de film met Steve Martin gezien.'

'Ik dacht dat jij in Europa op de beste scholen had gezeten. Wat heb je daar eigenlijk gedaan?'

'Voornamelijk drugs gebruikt.'

197

'Geef mij die houtvesterspenning.'

'Hè?'

'Geef mij die houtvesterspenning.'

Ik diepte hem uit mijn zak op en gaf hem haar.

'Leg je hand op je hart.'

Ik sloeg mijn blik ten hemel, maar deed wat ze vroeg.

'Belooft u dat u uw plichten trouw en naar uw beste vermogen zult vervullen, de dieren en de natuur van de provincie
Quebec zult beschermen en te allen tijde de waarheid zult spreken?'

'Dat beloof ik.'

'Zweert u dat op het gebeente van uw voorouders?'

'Ja.'

Ze speldde de penning op de linkerborstzak van de parka.
'Dan bevorder ik u hierbij krachtens het wettelijk gezag waarmee ik ben bekleed tot natuurrechercheur. U hebt de bevoegd-
heid boeven, moordenaars en booswichten te arresteren. En verder ook iedereen, trouwens.'

Ondanks haar dappere pogingen had Céleste te veel pijn om
zelf achter in het busje te klimmen, dus ik moest haar erin tillen. Ik dacht terug aan de eerste keer dat ik haar erin had getild,
aan die grofgeweven, natte, logge zak – wel iets heel anders dan
de zachte, droge, buigzame gestalte die ik nu in mijn armen
hield! Ik legde haar op dezelfde slaapzak en dekte haar toe met
een wollen deken, hoewel het ditmaal warm was in de Westphalia.

Van achter het stuur keek ik omhoog naar de ijzerkleurige
lucht: grijs op grijs, snel overdrijvende wolken waaruit sneeuw
dreigde te vallen. Ik zette de ruitenwissers aan, die kreunend
over het glas schraapten, net tegen de maat van een nummer op
cbc in:

Over the river and through the woods
To grandmother's house we go.
The horse knows the way to carry the sleigh
Through white and drifted snow...

'Hoe gaat-ie daar achterin?' riep ik terwijl we over de gevaarlijke *chemin saisonnier* hobbelden. De gaten en wielsporen hadden een zilverachtig-blauwe glans, en boven het dak gleden de witte pluimen van lage takken voorbij. Het was zo koud dat de sneeuw kraakte als we eroverheen reden. Ik draaide de radio zachter en herhaalde mijn vraag.

'Nog niet dood,' was het antwoord.

Op de grote weg brandden de straatlantaarns nog, en de ochtendsterren knipoogden mat tussen de wolken. Zilveren ijsparels blonken als vernis om de kabels. Wij waren de enigen op de weg.

'Ik moet voorzichtig zijn,' zei ik terwijl ik in de achteruitkijkspiegel een blik op mijn passagier wierp. Ze had de deken afgegooid en tekende driehoekige kattenkoppen op de beslagen achterruit. 'Ik heb geen idee hoe hard ik ga!' Ik tikte op het dashboard. 'De snelheidsmeter is kapot!'

Céleste kroop behoedzaam naar voren tussen de stapels volgepakte dozen door. Ik protesteerde, maar zwakjes, vroeg haar alleen de bivakmuts niet af te zetten. Ze keek over mijn schouder naar de wijzertjes op het dashboard, en daarna uit het raam terwijl ze af en toe een blik op mijn horloge wierp.

'Niks aan de hand,' zei ze na een paar seconden. 'Je rijdt... 79,6 kilometer per uur.'

Ik keek opnieuw naar de snelheidsmeter, de kilometerteller, de toerenteller. Allemaal kaduuk. 'Hoe weet je dat?'

'Ik weet dat de telefoonpalen zestig meter uit elkaar staan. Een heel simpel rekensommetje.'

Ze klauterde krimpend van de pijn op de bijrijdersstoel. Waarna ze zich naar me toe boog en een harde klap op het dashboard gaf. En nog een. De derde keer lukte het. De wijzer van de snelheidsmeter en alle andere metertjes schoten los. Ik contro-leerde de snelheid: net geen 80 kilometer.

'Hoeveel mijl is dat?' vroeg ik.

'Negenenveertig komma vier.'

'En hoeveel... knopen?'

Een korte stilte. 'Honderdzevenenveertig komma drie.'

'Dat was een grapje.'

'Weet ik.'

Vlak bij de kerk dook er opeens een gele wagen in mijn zij-spiegel op, die steeds groter werd. Hij kwam naast ons rijden, op de weghelft voor de tegenliggers. Politie? Geen sirene, geen zwaailichten. Céleste, alert als altijd, liet zich snel op de grond glijden.

De auto, of eerder tank, bleef naast ons rijden. Toen ik naar links keek, ging het raam aan de bijrijderskant omlaag. Ik zag een vaag bekend gezicht met een dronkenmansgrijns, en ernaast een middelvinger die als een periscoop omhoog kwam. Hij gaf gas en zwenkte terug naar de rechterrijstrook, waarbij hij op een haar na mijn bumper miste. Een Hummer, kenteken 666 HLL. Mijn tweede ontmoeting met die idioot. Ik trapte het gaspedaal in, tot op de bodem, maar toen voelde ik iets om mijn enkel. Célestes hand.

'Niet doen,' zei ze kalm.

'Ken je die vent?'

'Nee, maar laat hem maar gaan.'

Ik nam gas terug. Ze had uiteraard gelijk. Maar mocht er ooit een derde ontmoeting komen, zo bezwoer ik mezelf, dan zou ik de achtervolging inzetten en niet rusten voor ik hem met Brook-lyns Walther .38 in zijn gezicht had geschoten.

Ik wist niet goed hoe Céleste zou reageren als we er waren. Zou ze blij zijn? Doodsbang? Opgelucht? Geen van drieën, voor zo-ver ik kon uitmaken. Terwijl ik cranberry-bloedsinaasappelthee zette en ontbijt maakte voor zes katten, zat zij aan de keukentafel roerloos uit het raam te staren, met een vaag berustend trekje om haar mond. Zelfs de katten konden haar blijkbaar niet opvrolijken, hoewel ze wel iets liefs tegen ze zei en ze allemaal even knuffelde. Ik vertelde van de eerste keer dat ik ze had gevoerd, en dat Moon me langs de rijen grafstenen achterna was gelopen, maar ze reageerde niet. Ik vertelde van de twee wasbeertjes die ik in de studeerkamer van haar grootmoeder had gezien en die door het hondenluik waren gekomen en gegaan. Het leek wel of ze doof was.

'Alles goed met je?' vroeg ik.

Moon zat op haar schoot, de enige kat die niet at. 'Niet denderend,' zei ze schor. Haar stem klonk steeds beroerder, alsof ze longkanker had en door een gat in haar luchtpijp praatte.

'Ik ga naar bed,' zei ze. Ze gaf Moon een kusje en zette haar bij haar etensbakje neer. Daarna strompelde ze de trap op, waarbij ik haar niet mocht helpen; ze liep met gebogen hoofd en bleef na iedere stap staan, alsof ze zich slaapwandelend door een nachtmerrie bewoog. Ze verdween uit het zicht en ik hoorde dat ze haar slaapkamerdeur op slot deed.

Er daalde een gewijde stilte over het huis neer, over de levenden en de recente dode, en ik werd bekropen door een vaag schuldgevoel over mijn aanwezigheid daar.

XVIII

Ik sliep de hele dag & de hele nacht, wat me verbaasde, want toen we hier kwamen moest ik de hele tijd aan Grand-maman denken. Ik liep met slappe benen naar mijn kamer, deed de deur dicht en begon zo te trillen dat ik niet meer kon ophouden. Ik trok de dekens over mijn hoofd & voelde me net een vogel met een doek over zijn kooi voor de nacht. Ik raakte in paniek. Ik wist zeker dat ik de hele dag vreemde geluiden zou horen, voetstappen of ramen die werden geforceerd. Of dat ik bewusteloos zou raken door zuurstofgebrek. Maar toen ik een klein luchtgaatje maakte & mijn hoofd op het kussen legde, viel ik bijna meteen in slaap! Omdat ik me veilig voel bij Nile?

In mijn droom zag ik oma's gezicht & ze wees naar me & zei dat ik niet verdrietig moest zijn, dat haar tijd gekomen was en dat Nile voor me zou zorgen. Bedoelde ze dat we zouden gaan trouwen? Hoe dan ook, het was maar een droom.

En toen begon ik aan andere dingen te denken. Aan beren, één beer in het bijzonder. En aan Baz die me opensneed als een vis & liet leegbloeden als een hert. Ik stapte uit bed en kotste in de wc, met de kranen helemaal open zodat Nile het niet zou horen. Ik ging zitten en begon weer te trillen, zo erg dat de wc-bril ervan rammelde.

'Ik kom nooit meer in slaap,' dacht ik. En toen zat ik ineens in een andere droom, waarin ik met de Kerstman praatte. Ik zat op zijn knie en wachtte totdat mama een foto had gemaakt, en opeens fluisterde hij in mijn oor: 'Alleen brave meisjes krijgen dit jaar een cadeautje van de Kerstman.' Ik kon die woorden niet meer uit mijn hoofd zetten dus dwong ik mezelf op te houden met dromen & weer op te staan. Het was tegen lunchtijd – de volgende dag! Ik kroop de gang in om te kijken welke kamer Nile had genomen. Hij had de logeerkamer, de op één na kleinste van het hele huis, vlak onder het oude dienstbodenkamertje op zolder. Ik zei dat hij oma's kamer wel mocht nemen, maar dat deed hij niet en daar ben ik blij om.

Nile maakte een lunch klaar, als je het zo tenminste kunt noemen, een soort plantenvezels die me aan een gevlochten matje deden denken. Met gestoofd onkruid en tomatensaus met iets wits erin, tandpasta misschien. Nadat ik het stiekem had weggegooid, vroeg Nile of ik een film wilde zien. Ik zei dat ik moest werken (cadeautjes maken, maar dat zei ik niet), maar hij haalde me over. Hij had een grote Walmart-tas vol dvd's, die hij over de tafel uitspreidde. Hij huurt ze niet, hij koopt ze! Er waren comedy's bij, waarschijnlijk om me op te vrolijken. Ik zei dat ik het gebaar op prijs stelde, maar dat ik niet naar een film met een dwerg wilde kijken. En daar valt Danny DeVito ook onder. Er waren ook 'postzegelfilms': The Mandarin Mystery, Dekalog IX en Charade. Ik koos Charade, die in Parijs is opgenomen, met Cary Grant & Audrey Hepburn. Na de film spoelde Nile een stukje terug en liet het beeld stilstaan op een stukje vlak voor het eind, met de 3 waardevolle zegels die iedereen wilde hebben: de Zweedse van 4 skilling uit 1954, de Hawaïaanse blauwe van 3 cent uit 1894 en de Gazette Moldave, waarschijnlijk de waardevolste zegel ter wereld. In de film waren ze respectievelijk 85.000, 65.000 en 100.000 dollar waard.

Nile zei dat in werkelijkheid de Zweedse van 3 skilling uit 1855 de meest waardevolle zegel is. Er is iets fout gegaan met de kleur – de drukker heeft hem geel gemaakt in plaats van groen. Er is maar één exemplaar van gevonden – door een Zweedse jongen, in de verzameling van zijn grootvader. Hij is in 1996 voor 2,3 miljoen dollar verkocht. Dat is de kostbaarste zegel ter wereld.

Wat de Hawaïaanse blauwe van 3 cent uit 1894 betreft, daarover zei Nile dat in werkelijkheid de zegel van 2 cent uit 1851 waardevol is: 750.000 dollar in ongebruikte staat. In 1892 is een van de eigenaars om die postzegel door een andere verzamelaar vermoord. Hector Giroux heeft Gaston Leroux vermoord, om precies te zijn. Ik schrijf het allemaal maar even op – mijn geheugen is goed, maar nou ook weer niet zó goed.

En die 'Gazette Moldave' bestaat helemaal niet, zegt Nile.

Terwijl ik Lucky Charms uit de doos zat te eten met Mercury op schoot & Comet aan de ene kant & Moon aan de andere, vertelde Nile me iets interessants over de film. Over de casting. Hij zei dat Cary Grant zich zorgen maakte over het leeftijdsverschil (meer dan 25 jaar, nog groter dan tussen mij & Nile!) en dat hij daarom wilde dat Hepburns personage achter hém aan ging in plaats van andersom. Wat cool is, want dan komt het niet zo goor over. Waarom schrijf ik dit allemaal op? Omdat het me op een idee bracht: ik ga achter Nile aan, al is hij een beetje raar, want dan komt het niet goor over.

Ik ben niet mooi, zoals Audrey Hepburn, dus moet ik Jane Eyre maar zijn. Jane zag er heel gewoontjes uit, net als ik, en ze was ook wees en weggelopen. Nile is dan Rochester – oud, rijk, trots, sardonisch, wispelturig en somber. Natuurlijk gaat die somberheid over als hij mij ontmoet. Hij noemt me zijn 'elf', zijn 'wisselkind'. En Niles ex is gek, net als Rochesters vrouw, en hij gaat nooit meer naar haar terug. Dan gaan we een tijdje uit elkaar & droom ik dat Nile mijn naam roept & als ik hem dan eindelijk vind, is hij blind. Maar hij krijgt het gezichtsvermogen in één oog terug, zodat hij zijn kind kan zien als het in zijn armen wordt gelegd...

Later meer. Hoor ik daar een sneeuwploeg?

XIX

De eerste dag in haar eigen huis sliep Céleste aan één stuk door als een blok, maar de twee dagen daarna leek ze voortdurend wakker. Ik hoorde haar in de kleine uurtjes door haar kamer ijsberen of als Ophelia door de gangen dwalen.

Ze zei er niets over, maar ze moet 's nachts hetzelfde hebben gehoord als ik: een sneeuwploeg die knarsend over het kerkweggetje heen en weer reed, een rinkelende zwarte telefoon met een spook aan de lijn, deuren die uit zichzelf krakend opengingen...

'Niet binnenkomen!' snauwde ze telkens hees als ik op haar deur klopte. Een fluisterende stem, raspend als een vijl.

Ze maakte versiersels voor de kerstboom, ontdekte ik al snel, een boom die ze niet wilde. Althans, aanvankelijk niet. 'Het is een stomme traditie,' zei ze bij de snelle lunch die ik had gemaakt, een onberispelijke conchiglie met shiitake, donkere basilicum en witte koriandersaus, naar een recept dat ik van Earl had gekregen. 'Stom om een eind aan het leven van een jonge boom te maken, en kunstbomen zijn al net zo stom.' Haar mond was karmozijnrood van de tomatensaus, wat goed bij haar bloeddoorlopen ogen paste. Toen ik zei dat ik een rode pijnboom op het kerkhof had gevonden die was omgehakt en achtergelaten om weg te rotten (twee andere, hogere waren wel mee geroofd), leek het haar wel een mooi laatste eerbetoon om hem dan maar te versieren.

'Kun je nog een paar cadeautjes voor de katten halen voordat de winkels dichtgaan?' vroeg ze. 'Maar niets voor mij. Beloof je dat? En nog wat kaarsen?' Toen rende ze terug naar haar kamer, of liever gezegd, ze hinkte er snel heen.

Voor één keer was ik haar voor geweest. Toen ze zich de vorige ochtend boven had opgesloten, was ik even weggeglipt, al was dat riskant, en had twee dozijn kaarsen, zes pakjes Luv-kattensnoepjes en evenveel balletjes met kattenkruid gekocht. En een joelblok, microgroenten, roze champagne en drie cadeautjes voor Céleste.

'En jou alleen laten?' antwoordde ik. 'Sorry, maar dat gaat niet.'

Laat op Kerstavond, tegen middernacht, begon Céleste de boom uit te dossen met haar zelfgemaakte versieringen: kleurige kleifiguurtjes, herten, lynxen, poema's, veelvraten, beren (op de rug van kardinalen) en zwanen, van alle soorten een paartje; sommige had ze pas gemaakt, andere dateerden van vorige jaren. Ze voegde er nog wat van haar gipsen en tinnen dinosaurusjes aan toe, met rode lintjes en strikjes eraan. Geen engeltjes, geen ster. Nadat ze de kaarsen had neergezet en aangestoken, twee in hoekjes naast oude koperen snuifdozen, legde ze twee pakjes onder de boom.

'Geloof je dan toch in God?' vroeg ik.

'Ja hoor. In God en in de paashaas en in de tandenfee.'

'Nee, serieus.'

'Ik ben evangelisch atheïst. Net als mijn grootmoeder.'

'Waarom vieren we dan Kerstmis? Geloof je in Christus?'

'Jij?'

Ik gaf geen antwoord.

'Ik heb er nooit aan getwijfeld,' zei ze, 'dat er tweeduizend jaar geleden een Joodse raddraaier is gearresteerd wegens verstoring van de openbare orde. En eerlijk gezegd heb ik altijd nogal een zwak voor hem gehad. Maar de zoon van God? Nee.'

'Want er is geen God.'

'Jouw vriend God heeft geweldig goed voor mijn grootmoeder gezorgd. En voor mijn moeder. En voor mij. En voor alle dieren hier die voor de lol worden doodgemaakt.'

'Waarom vieren we nu dan feest?'

'Omdat het ook een oude heidense feestdag is. Kaarsen, lichtjes, zelfs bomen. Het is geen puur christelijk feest.' Ze liep naar de trap. 'Ik ben zo terug.'

Terwijl zij in haar kamer was, legde ik mijn cadeautjes onder de boom. En hing twee bobbelige kerstkousen vol walnoten en mandarijnen op. Zou ik ook hulst in de gang hangen? Ik deed de gordijnen open, want ik wilde een wit kerstlandschap als achtergrond. Laag aan de hemel, vlak bij de horizon, liepen mistige lichtgolven, de blauwgroene uitlopers van het noorderlicht. Wat is de wereld mooi.

Ik stookte het vuur van sparrenblokken op en keek naar de goudvissen, guppy's en maanvissen die door de vlammen zwommen totdat Céleste haar *grande entrée* maakte. Ze daalde langzaam de trap af, zonder bril, met turend toegeknepen ogen, gehuld in een versleten zwarte jurk, zwarte enkellaarsjes met kriskras gekruiste veters om de veterhaakjes en een biljarttafelgroene panty. Afgezien van de zwarte lippenstift en mascara leek ze wel een heel jonge Victoriaanse weduwe. Ze paradeerde voor me langs op weg naar de boom en ik zei dat ze er prachtig uitzag.

Ze trok haar wenkbrauwen een paar keer snel op. 'Ja hè. Net Miss America op de catwalk.'

Op slag van twaalven maakten we onze cadeautjes open, want dat is de traditie in Quebec. Céleste zette haar bril weer op en haalde lusteloos mijn geschenken zonder cadeauverpakking uit de drie plastic tasjes: een postzegelalbum (dat had ze gevraagd), mijn album met zegels van prehistorische dieren (dat had ze bewonderd), een telescoop (die ze niet had gevraagd) en *The Best of Jimi Hendrix* (dito). Ze zei dankjewel, maar ik geloof dat ze teleurgesteld was.

'Weet je wie Jimi Hendrix is?' vroeg ik.

'Nee.'

Een schokkende lacune in haar thuisonderwijs. 'Dat was...' Ik wist niet goed hoe je zo iemand in een paar zinnen kon omschrijven. 'De grootste... nou ja, je hoort het straks wel. Hij was deels indiaans, net als jij.'

Zelf kreeg ik twee veelgelezen boekwerken uit haar collectie:

Waarom ik geen christen ben van Bertrand Russell en *Dierenle-ven* van J. M. Coetzee, allebei verpakt in wit papier, versierd met zelfgetekende zilveren zwanen – en iets wat door twee stukken dik karton werd beschermd. Een tekening? Ja, een portret in blauw potlood. Van ondergetekende.

'Prachtig,' zei ik, en ik bekeek langzaam de subtiele arceringen en de resolute lijnen. 'Nu weet ik hoe ik er na een succesvolle plastisch-chirurgische ingreep uit zou zien.' Dit was de eerste 'normale' tekening van een mens die ik van haar zag. Haar per-sonages waren meestal grotesk, verwrongen, à la Jeroen Bosch of Francis Bacon, of ze hadden duivelshoorns; haar dieren waren daarentegen altijd natuurgetrouw, altijd mooi. 'Dank je.' Ik nam haar in mijn armen en knuffelde haar schutterig.

'Die heb ik zomaar snel gemaakt,' zei ze blozend. 'Maar kijk eens onder het vloeipapier.'

Toen ik dat deed, bleek daaronder nog een tekening te zitten, die veel meer tijd moest hebben gekost: Céleste en haar groot-moeder in een vliegtuig, naar de foto in de studeerkamer. De tekening was in fotorealistische stijl gemaakt, een genre dat ik altijd als zinloze non-kunst had beschouwd. Tot nu toe.

'Dank je, dit is verbijsterend, ik... ik zal hem koesteren, echt waar.' Ik bekeek de gezichten, de details van het blauw-met-witte vliegtuig, de kleine metalen 'ski's' onder de wielen, de kleuren van het bevroren meer. 'Dank je voor... je weet wel, voor dit alle-maal. De boeken en... en al het werk dat je hierin hebt gestoken... dank je.'

'Ja hoor. Tenslotte heb jij nog nooit wat voor mij gedaan.'

Ik knikte, met mijn blik op de tekening.

'Daar ben ik al een tijdje geleden aan begonnen,' gaf ze toe, 'maar ik heb hem pas gisteravond afgemaakt.'

Ik keek nog eens naar het lachwekkend flatteuze portret. Het leek me beter over iets anders te beginnen voordat ik het met tranen verpestte. 'Kan een vliegtuig opstijgen vanaf een bevro-ren meer? Of slippen de wielen dan alleen maar? Of glijden de ski's gewoon weg?'

'Dat vroeg ik ook aan oma toen ik zeven was.'

Dat zou heel goed kunnen. 'Waarschijnlijk was je toen een tikje achterlijk.'

'Denk eens na.'

Vroeger was ik daar vrij goed in, maar in de loop van de tijd heb ik die gewoonte kennelijk een beetje losgelaten. 'Mag ik drie keer raden?'

'Verbijsterend, Nile, dat zoveel mensen dit blijkbaar niet snappen. Die wielen veroorzaken niet of nauwelijks wrijving. Die zitten juist onder dat vliegtuig om de wrijving te reducéren. Ze drijven het vliegtuig niet áán. Ze zitten daar alleen om te voorkomen dat de onderkant over de grond schraapt. De romp. Verder hebben ze geen effect op de opstijging. De motoren werken alleen op de lucht bóven het ijs, ze duwen het vliegtuig naar voren, en door die voorwaartse beweging stijgt het op. Mits het een bepaalde snelheid heeft bereikt natuurlijk.'

Natuurlijk. Ik wilde nog meer vragen stellen, over de vlieguren van haar grootmoeder en over haar vliegtuigje, maar Céleste hinkte naar de keuken. Terwijl ik een fles Perrier Jouët Fleur de Champagne Rosé – een champagne rosé voor kenners, volgens mijn vader – van de folie ontdeed, kwam ze terug met nóg een feestelijk uitziend pakje. 'Maak open,' zei ze.

Aan de onregelmatige vorm en het doorschijnende papier zag ik wel wat het was, maar dat liet ik natuurlijk niet merken. 'Wat zou dat kunnen zijn?' zei ik. 'Een dasspeld?' Ik knoopte het rode lintje los, scheurde het witte vloeipapier eraf.

'Mijn grootmoeder had het ook cadeau gekregen, dus ik geef het alleen maar door. Maar ze zou hebben gewild dat jij het kreeg, dat weet ik zeker.'

Het was iets wat ik al eens in de kelder was tegengekomen toen ik naar kerstboomlichtjes zocht, in een soort verborgen nis, zoals die geheime kelders in Europa waar de wijn voor de vijand werd verstopt totdat het weer vrede was. Op het etiket stond Абсинт Кристмас ('Absint Christmas'), met een verwijzing naar een schaaktoernooi in Tsjechoslowakije. Geen datum, maar duidelijk uit de Sovjettijd. Het was een cadeausetje, compleet met glas, lepel en aansteker. Precies wat een herstellende alcoholist niet nodig had. 'Dank je,' zei ik, en ik omhelsde Céleste nog een keer. 'Dat heb ik altijd al willen hebben. Verbijsterend.'

'Had je dat nog nooit gedronken?'

'Nee,' loog ik. 'Maar ik heb het altijd al eens willen proberen. Zullen we eens proeven?'

'Ik niet, maar neem jij maar,' zei ze. 'Ik hou niet van die lucht. Anijs – dat doet me aan het aas van berenjagers denken.'

Ik vertrouwde mezelf niet met *la fée verte*, ik was bang dat ik de fles in één keer zou leegdrinken. Of al voor die tijd bewusteloos op de grond zou liggen. Vroeger kon ik dat spul drinken als water. Als ik speed had genomen, kreeg ik er geen dikke tong van en verlamde het me ook niet. Het kalmeerde alleen mijn oververhitte zenuwen een beetje. Ik borg de fles op in een hoge keukenkast, uit het oog, uit het hart.

In de huiskamer begon ik te zweten, deed mijn best geen spastische bewegingen te maken, ontkurkte de roze champagne en schonk twee niet bij elkaar passende flûtes vol. Dat kon ik aan, dat vond ik niet lekker genoeg om ervan door te drinken. Het kwam lekker binnen, maar daarna was het niks.

'Dat is de mooiste fles die ik ooit heb gezien, geloof ik,' zei Céleste enthousiast en hees, alsof haar stembanden waren verdoofd door cocaïnegebruik. Ze pakte de fles van helder glas op en hield hem tegen het licht van het haardvuur. 'Art nouveau, hè? En die bloemen, zijn dat anemonen?'

Ik haalde mijn schouders op, botanisch analfabeet als ik ben.

'Een toost,' zei ze.

Deze champagne is te goed voor een toost – als je zulk spul met emotie vermengt, proef je het niet goed meer. de woorden van mijn vader. Pas sinds zijn dood zong zijn stem zo binnen in me, soms als begeleiding, soms als solist. 'Goed idee,' zei ik. 'Had je iets... bepaalds in gedachten?'

'*Drink to me only with thine eyes. And I will pledge with mine. Or leave a kiss but in the cup, And I'll not ask for wine.*'

'Dat is...' Ik wilde zeggen 'romantisch', maar bij nader inzien leek het me beter van niet. '...Ben Jonson.'

'Het is de enige toost die ik ken,' zei ze schouderophalend. 'Weet jij er meer?'

'"Op de alcohol. De oorzaak van – en de oplossing voor – alle problemen des levens."'

'Van wie is dat?'

'Van Homer Simpson.' We klonken. 'Fijne kerstdagen.'

'Zeg eens "fijne kerstdagen" in alle talen die je kent?'

Ik dacht even na. '*Joyeux Noël, Feliz Navidad, Frohe Weihnachten, Buon Natale, Feliz Natal, Χαρούμενα Χριστούγεννα, Shèngdàn kuàilè*. Meer weet ik er niet.'

'Zeg eens... "The quick brown fox jumps over the lazy dog" in het... Spaans?'

Ik aarzelde. 'Bedoel je letterlijk, of het Spaanse equivalent met alle letters van het alfabet?'

'Letterlijk. Of nee, het equivalent.'

'*El veloz murciélago hindú comía feliz cardillo y kiwi.*' Er ontbraken een paar letters aan, maar het was het enige dat ik kende.

'Oké. En nu in het Duits. Letterlijk.'

'*Der flinke, braune Fuchs springt über den trägen Hund.*'

'Grieks.'

'*Ηγρήγορη καφετιά αλεπού πηδά πέρα από το οκνηρό σκυλί.*'

'Italiaans.'

'*La volpe marrone rapida salta sopra il cane pigro.*'

Een lachje. 'Goed. En nu... Nee, vertel eens over je jeugd.'

Mijn jeugdherinneringen waren niet tegen de tand des tijds bestand geweest; ze waren als een strovuurtje weggebrand. 'Dat vertel ik je wel als mijn jeugd afgelopen is.'

'Over de kerstdagen in alle landen waar je hebt gewoond. In... Duitsland.'

Een heilige drie-eenheid: drank, sentiment, vraatzucht. 'Als kind begreep ik er niets van. Het leek wel alsof ze tien kerstmannen hadden, en ze heetten allemaal anders. De oudste, waarschijnlijk de oorspronkelijke, is Christkind, een kindje met blond haar en engelenvleugeltjes. Dan heb je Weihnachtsmann, Aschenmann, Pelznickel, Boozenickel, Hans Trapp, Klaubauf, Krampus, Schmutzli... hangt van de streek af. O, en Ruprecht. Die heeft knalrood haar.'

Céleste lachte weer. 'En... in Frankrijk? Is het daar net als in Quebec?'

'Ik weet niet veel over de kerstviering in Quebec. Helemaal niets, zelfs. Hebben jullie hier ook een Père Noël?'

Ze keek naar het plafond. 'Het is hier hetzelfde als in Amerika.'

'In Frankrijk lijkt het er wel op. Père Noël is net als de Amerikaanse Santa, alleen vinden de Fransen zijn rendieren net zo belangrijk als hemzelf. Op kerstavond zetten ze hun schoen buiten met wortels en hooi erin voor de rendieren.'

''t Is niet waar. Dat verzin je.'

'Nee, het is echt zo.'

'Eerlijk? Waanzinnig. Dat ze zo aan de dieren denken. En wat gebeurt er dan?'

'Dan neemt Père Noël het eten voor de rendieren mee en legt er cadeautjes voor in de plaats. Maar hij komt twee keer. Een keer op 5 december, Sinterklaasavond, en nog een keer op de 24ste.'

'Ik heb altijd al eens naar Parijs gewild,' zei Céleste.

'Misschien gaan we er eens samen heen.'

'Iets zegt me dat dat er niet in zit.'

'Ben je soms helderziend?'

'Touché. Vond je het daar fijn?'

Het waren de beste jaren van mijn leven, en erg goed waren ze niet. 'Ja, geweldig.'

'Hoe is het daar?'

'Net als op de ansichtkaarten.'

'Toe nou.'

'Toen ik er woonde? Mensen met stokbroden onder hun arm, oude mannetjes met alpinopetten, vrouwen met poedeltjes aan de lijn, metro-ingangen in art-nouveaustijl, boekenstalletjes langs de Seine en *bateaux mouches*, mensen die in cafés bij het raam de krant zitten te lezen, massa's brommers, slecht rijdende automobilisten, opstoppingen, onmogelijke pleintjes en smalle straatjes, hondenpoep, dikke toeristen...'

'Oké, hou maar op. Zoiets dacht ik al.'

De champagne deed zijn werk en we zetten bij het haardvuur simultaan twee liedjes in, geen van beide kerstliedjes. Ik begon met 'Row Row Row Your Boat', waar Brooklyn zo dol op was, en Céleste viel in met 'Show Me the Way to Go Home', waar haar grootmoeder zo dol op was.

Toen vroeg Céleste of ik kerstliedjes wilde zingen die ik in het buitenland had geleerd. Ik dacht even na en hief toen 'We Three Kings' aan. Eerst de gebruikelijke parodie, die ik op een Amerikaanse school in Athene had geleerd:

We three Kings of Orient are
Trying to smoke a rubber cigar.
It was loaded, we exploded,
Now we are travelling far.

Toen een versie die ik in Frankrijk van een meisje uit Florida had geleerd:

We three kings of Orient are
Trying to sell some cheap underwear
Superfantastic, no elastic
99 cents a pair...

En deze, van een drankzuchtige rector in Londen:

We three kings of Leicester Square
Selling ladies' underwear
Oh so drastic, no elastic
Only tuppence a pair...

Terwijl ik zat te zingen, keek Céleste me bezorgd of misschien zelfs angstig aan, alsof ze vreesde dat ik nu echt definitief de weg kwijt was. Daarom zette ik een serieuze – en aangrijpende – interpretatie van Lennons *So This Is Christmas* in, dat ik ook in Londen voor het eerst had gehoord. Ik blunderde door minstens drie toonaarden heen en was geregeld de tekst kwijt. Céleste souffleerde op vlakke toon maar zong niet mee; ze deed iets wat me niet had moeten verbazen, maar me toch verbaasde. Ze wendde haar hoofd af en begon te huilen. Ik vroeg of het door het liedje kwam, maar ze zei nee. Ik vroeg of ze aan eerdere kerstvieringen moest denken en haar grootmoeder miste, en ze zei: nee, aan toekomstige kerstvieringen. Dat die er niet meer zouden zijn.

Zelf had ik ook zo'n gevoel – dat er geen toekomst was, dat de deur daarheen op slot zat. 'Dat is echt onzin. Ik bedoel, wie weet nou wat er morgen gebeurt?'

Ze veegde haar wang af met de rug van haar hand. 'Een paar wijzen uit het Oosten zouden nu wel van pas komen.'

'Laat eens kijken.'

'Wat?'

'Je hand, met de handpalm omhoog.'

Ze stak met tegenzin haar hand uit en ik nam hem in de mijne. Haar levenslijn was kort, afgeknot. Ik wees. 'Zie je? Ik wist het wel. Jij wordt minstens negentig.'

'Wat een gelul.'

'Oké, misschien geen negentig. Maar toch zeker tachtig.'

Ze schudde langzaam, maar stellig ontkennend haar hoofd. Toen veegde ze nog een traan af, met haar schouder dit keer.

'Je hebt die eerste aanval toch overleefd? En de tweede overleven we samen. En de derde ook, als die er komt.'

De tranen begonnen weer te stromen, dus ik sloeg aarzelend een arm om haar heen, die daar bleef liggen terwijl het vuur en de kaarsen in de stilte om ons heen flakkerden.

'Vertel eens een mop,' zei ze ineens. Ze ging kaarsrecht zitten. 'Maak me aan het lachen. Toe.'

Ik keek naar het plafond, peinzend, wanhopig. Eén ding was me altijd gelukt: Brooklyn aan het lachen maken. En één ding was me nooit gelukt: Céleste aan het lachen maken. Mijn grappen gedurende de maand die ze nodig had gehad om te herstellen hadden nooit zelfs maar het kleinste lachje bij haar teweeggebracht – dezelfde grappen waarbij Brooklyn de tranen over de wangen biggelden.

'Mijn moppen vind jij niet leuk. Die vind je – ik citeer – "kinderachtig en dom".'

'Nee, ik vond ze wél leuk. Het was niet waar wat ik zei. Het is gewoon...'

'Gewoon wát?'

'Eh, ik was gewoon... eh, jaloers of zo.'

'Jaloers?'

'Ja, want ik ken geen moppen. Ik heb nog nooit een mop verteld. Ik heb geen gevoel voor humor, dat kun je aan iedereen vragen. Dat had oma ook niet en ik lijk op haar. Ik heb mijn hele leven nog nooit iets grappigs gezegd.'

Zoiets droevigs had ik nog nooit gehoord. Ieder kind heeft gevoel voor humor, ieder kind wil lachen en anderen aan het lachen maken. 'Maar daarnet zei je: "Een paar wijzen uit het Oosten zouden nu wel van pas komen", dat was geestig.'

'Echt?'

'Ja.'

Daar moest Céleste even over nadenken. 'Maar je lachte niet.'

'Nee, omdat...'

'Mijn grootmoeder was a-gelastisch en ik ook.'

Ik begreep niet meteen wat dat betekende. *Gelos* is Grieks voor 'lach' en *a-* betekent 'niet'. 'Bedoel je...'

'Niet bereid of in staat om te lachen. Zit in mijn genen.'

Ik keek naar de grond en dacht na. Een begaafd kind, een wonderkind; misschien is dat de prijs die sommigen daarvoor moeten betalen. Zo schijnt Newton maar één keer in zijn leven te hebben gelachen (toen iemand vroeg waar de meetkunde eigenlijk voor diende).

'Oma overwoog zelfs sardonia te eten. Weet je wat dat is?'

Ik knikte. Dat is een Sardijnse plant die dodelijke lachstuipen veroorzaakt. Vandaar het woord 'sardonisch'. Was dat een grapje van die grootmoeder?

'Hé, zou jij me niet aan het lachen maken?' vroeg Céleste.

Ik dacht koortsachtig na. Een trieste clown die te veel moeite doet. Ik liet alle nette grappen die ik kende de revue passeren. 'Zalig zijn de schelen – weet je waarom?' vroeg ik.

Ze fronste sceptisch en schudde haar hoofd.

'Zij zullen God dubbel zien.'

Geen spoor van een lachje. Niets wat erop wees dat ze 'm snapte. 'Heb jij op school geen bijbelles gehad?'

'Ik heb niet op school gezeten. Nou ja, heel kort maar.'

'Echt?'

'Dat heb ik je toch verteld. Ik kreeg thuis les.'

'Gaf je grootmoeder je ook gymles?'

'Min of meer.'

'Weet je wat een koprol is?'

'Tuurlijk. Ik kan er zelfs een maken. Nou ja, nu misschien even niet. Dat woord doet me trouwens altijd aan coprolalie denken. Niet zo gek als je bedenkt dat je bij een koprol zowat met je hoofd in je kont zit.'

Goeie god, ze had thuis wel grondig les gehad. En ze had mijn grap verpest. 'Ja, eh... oké,' improviseerde ik. 'Maar het is vooral de enige rol die Ronald Reagan niet kon verpesten.'

Céleste tuurde met half toegeknepen ogen naar me, zonder zelfs maar een zestiende van een lachje, alsof ze de grap analyseerde. Of me wilde slaan. 'Nog eentje.'

Ik dacht even na. Misschien werkte het beter als ik een raar feitje vertelde. 'Goed. Een waargebeurd verhaal dan. Heeft je grootmoeder je weleens een gedicht van Hart Crane geleerd?'

'Natuurlijk. Dat gedicht over de Brooklyn Bridge.'

Ik knikte. 'En je weet waarschijnlijk ook dat hij zelfmoord heeft gepleegd...'

'Ja, hij is in de Caraïbische Zee gesprongen en verdronken.'

Hoeveel grappen ging ze nog verpesten? Ik zweeg even. 'Zijn vader was de uitvinder van de LifeSavers.'

'O ja? Dat is... toevallig, maar niet geestig of leerzaam.'

'Weet je wie Dutch Schulz was?'

'De gangster?'

'Ja. Die is neergeschoten in een restaurant in New Jersey, niet ver van mijn oude huis.'

'En?'

'Voordat hij stierf heeft hij nog een paar uur liggen ijlen, en alles wat hij zei is door een politiestenograaf opgeschreven. Raad eens wat zijn laatste woorden waren.'

'Hoe moet ik dat nou weten?'

'"Frans-Canadese bonensoep."'

Céleste staarde me over haar bril aan. 'Oké, bedankt, Nile. Dat was... enorm grappig. Echt om te gillen. Ik denk dat ik nu maar naar bed ga.'

Niet echt een lachtherapie, niet echt een gelastische stuip, maar ze was tenminste opgehouden met huilen. 'Zal ik je nog een verhaaltje voorlezen?'

'Doe me een lol, zeg. Ik ben vijftien.'

'Ik dacht dat je veertien was.'

Ze greep mijn pols en draaide hem om. 'Vijftien sinds... een uur en zevenenvijftig minuten.'

'Meen je dat? Ben je op dezelfde dag geboren als Jezus?'

Ze knikte.

Ik keek haar zwijgend aan. Voor een kind was dat wel zowat de ergste dag van het jaar om jarig te zijn. 'Oké, dan krijg je dus nóg een cadeau van me.'

'Doe geen moeite. Dat heeft ook niemand anders ooit gedaan.'

'Nou, een fijne kerst én van harte.' Ik hief mijn glas.

'Waar heb ik dat toch eerder gehoord?'

We klonken en dronken de laatste druppels champagne op. 'Zal ik de absint openmaken?' vroeg ik. Ja, ik weet dat ze pas veertien is, of liever gezegd vijftien, maar dit was een in meerdere opzichten bijzondere gelegenheid.

'Nee, dank je.'

'Een gedicht voor het slapengaan dan?'

'Wie zegt dat ik ga slapen? Wie zegt er trouwens dat ik naar bed moet?'

'Dat zei je net zelf, dat je naar bed ging. Nou, ga dan.' Mijn stem leek ineens merkwaardig op die van mijn vader. 'Vooruit. Doktersvoorschrift.'

'Heil Hitler.'

'Ik heb gezegd. Mijn wil is wet.'

Ze stak haar tong uit. 'Van oma mocht ik naar bed wanneer ik zelf wilde. Zij vond dat kinderen domme dingen mogen doen totdat ze zelf beter weten.'

Zo dacht mijn moeder er ook ongeveer over. 'Maar als dat kind nou nooit beter gaat weten, zoals ik?'

'Oké, lees dan maar een gedicht voor,' zuchtte ze. 'Maar wel eentje over iemand zoals ik, met wie ik me een beetje kan identificeren.'

Terwijl Céleste zich klaarmaakte om naar bed te gaan, ging ik naar mijn kamer en sjorde mijn plunjezak onder het bed vandaan. Ik haalde mijn gedichtenbundel eruit en bladerde wat. Dit kon weleens moeilijk worden en misschien moest ik wat improviseren. Maar dat was ik wel gewend. Brooklyn wilde elke avond een verhaaltje, maar dat moest over katten gaan, anders begon ze te jammeren. Ik moest dus heel wat aanpassen: *Sneeuwkatje en de zeven poesjes, Kattepoester, De kat en de schildpad, De rattenkater van Hamelen.*

Céleste lag al onder de dekens toen ik op haar open deur klopte. Ze had haar ogen dicht, maar ze deed alleen maar alsof ze sliep. 'Heb je een personage gevonden dat op me lijkt?' vroeg ze met een stem die gesmoord werd door het kussen.

'Dat zou niet meevallen, Céleste, zo is er maar één op een miljoen.'

Ze rolde van haar zij op haar rug en trok de deken op tot halverwege haar neus, als een gesluierde Arabische. 'Dat houdt dus

in dat er meer dan zesenhalfduizend mensen zoals ik op de wereld zijn?'

Ik ging op het voeteneind zitten. 'Wat dacht je hiervan?

Ze ging om met hyena's, hun strak gefixeer
Beantwoordde zij met een knikje.
En ze wandelde eens poot in poot met een beer.
'Hij verveelde zich,' zei ze, 'een tikje.'

Maar hij merkte: ze was ietwat uit haar humeur,
Dus vertelde hij haar een paar moppen
Die hij had bewaard voor een dag in mineur,
Maar ze keek of ze hem wel kon schoppen.

Om die traagheid in grapsnappen is ze vermaard.
Mocht je 't zelf er eens op willen wagen,
Dan zucht ze heel diep en dan kijkt ze bezwaard,
En de clou kan ze haast niet verdragen.

Tot mijn verwondering glimlachte Céleste. 'Ja, precies, dat ben
ik helemaal. Heb je dat net zelf bedacht?'

'Nee, dat komt uit *The Hunting of the Snark* van Lewis Carroll.'

'Nooit iets van gelezen.'

Hoe is het mogelijk dat een kind nooit iets van Lewis Carroll
heeft gelezen? 'Echt niet? Waarom niet?'

'Het was een pedofiel. Wat is een *snark*?'

'Een... denkbeeldig beest.'

Ze beet een geeuw doormidden. 'Wist je dat hyena's geen bot
in hun piemel hebben?'

Dit was onbekend terrein. Met Brooklyn waren piemels nog
niet ter sprake gekomen. 'Eh, nee... dat wist ik niet.'

'Er zijn maar drie andere diersoorten die daar geen botje hebben. Zebra's, kangoeroes en... raad eens?'

'Ik geef het op.'

'Jij!'

Ik knikte.

'Het mannetje van de mens!'

'Juist ja. Nog een gedicht?'

'Word je nu rood, Nile?'

'Natuurlijk niet, waarom? Om een hyenapiemel? Het is waarschijnlijk gewoon... je weet wel, een blosje van de champagne.'

'Yoko Ono heeft gezegd dat ze aan één stuk door zou lachen als ze een piemel had.'

'Ach, je went eraan.'

'Wist je dat ze in Japanse restaurants vijfhonderd dollar vragen voor een zeehondenpiemel?'

Nee, maar ik weet wel dat een miljard Chinezen ervan dromen ooit de piemel van een tijger op te eten. Ik bladerde door het boek. 'Nee, dat wist ik niet.'

'Heb jij weleens een penisvergroter gebruikt?'

'Céleste...'

'Nee, ik meen het. Die werken niet, toch? Ik bedoel... dat zegt iedereen.'

'Ik weet niets van penisvergroters. Ze zullen inderdaad wel niet werken. Maar hoe kwamen we op dit onderwerp...'

'Ben je preuts of zo?'

'Ik, preuts?'

'Naar schatting tachtig procent van de Hell's Angels en de jagers – die voor de jachttrofeeën gaan – hebben een klein piemeltje. Zonder die kleine piemeltjes zouden er nauwelijks Hell's Angels of jagers bestaan. Dus voor de maatschappij zou het belangrijk zijn als er een vergroter werd uitgevonden die echt werkt.'

Qua logica was er geen speld tussen te krijgen, maar ik had geen zin om hier nader op in te gaan. Niet alleen omdat ik me niet op mijn gemak voelde bij een gesprek over penisvergroting met een jong meisje, maar omdat seks in het algemeen een onderwerp was dat ik zo veel mogelijk probeerde te mijden, met iedereen, ongeacht de leeftijd. Die obsessie met dat gepraat over seks tegenwoordig heb ik nooit begrepen. Als je daarmee begint, vooral als je dan ook nog woorden als 'rampetampen' of 'krikken' gebruikt, gaat alle magie, alle mysterie verloren. Toch? Ik keek naar de grond, naar een spijker die op een fascinerende manier uit de planken omhoog stak. Ja, waarschijnlijk was ik preuts.

'Oké, ik hou op,' zei ze. 'Lees nog één gedicht voor. Of nee, geef eens hier. Ik zal jou voorlezen.'

Dat kon interessant worden – welk gedicht zou ze kiezen? Het gedicht over de slang van D. H. Lawrence? Ze bladerde door het boek alsof het een spel kaarten was en ik moest aan een oude tv-serie denken, *My Favourite Martian* of zoiets, waarin iemand een boek kon lezen door er gewoon doorheen te bladeren. Ze gaf me de bundel terug, staarde in het niets en reciteerde:

Te middernacht op het kerkhof
Schreeuwt een kater onvervaard.
Hij bezingt een eeuwenoude haat
En zwiept met zijn inktzwarte staart...

Hij duikt, hij springt, hij kronkelt,
Kromt zijn klauwen die kunnen verwonden,
En zingt naar de sterren, die er al waren
Eer er steden of wetten bestonden.

Zij, beesten uit de oertijd,
Zijn broeders, die in donk're nachten,
Als de bloedrode maan de daken beloert,
Zingen hoe diep ze mensen verachten.

Ze liet haar hoofd weer op het kussen zakken. 'Don Marquis,' zei ze zacht. Toen was ze in dromenland, voordat ik tot tien kon tellen, laat staan tot twintig.

Een geluid buiten, een zwak gerommel, lokte me naar het raam. Ik tuurde door de dikke ijsbloemen, die de vorm van de kaart van Afrika hadden, maar ik zag niets. Met mijn handpalmen smolt ik een kijkgaatje in het ijs, draaide toen aan de spanjolet en duwde het raam open. Er klonk een luid gekraak en even dacht ik dat ik het glas had gebroken, maar het was het ijs. Ik stak mijn hoofd naar buiten en zag een vage grijze gedaante met een uitsteeksel, een soort hoorn. Hij was een meter of vier lang en anderhalve meter breed, en terwijl mijn ogen aan het donker wenden, nam hij precies de vorm van een wolharige neushoorn aan. Hij gromde en toen brulde hij, alsof hij voor het eerst een haarloze, aapachtige mens aanschouwde.

Tegen de tijd dat ik met mijn nachtkijker beneden was, had hij de hoofdweg al bereikt, wellicht weggejaagd door de mensengeur. Hij bleef even staan en zijn robijnrode ogen glansden in zijn achterhoofd voordat hij de snelweg op stoof. Ik stelde de lens bij: het was een rode sportwagen.

De volgende ochtend, kerstochtend, verbrandde ik iets wat een vegetarisch ontbijt moest voorstellen. 'Geen gebraden lijk met Kerstmis,' had Céleste geëist. 'En ook geen verjaarstaart, als je het niet erg vindt.' Ik roerbakte dus tofoe met gegrilde okra op volkorentoast, gekruid met Earls microgroenten: peterselie, chia en venkel. Een garnituur van cranberrycompote met sinaasappelschilletjes. En een takje hulst voor de feestelijkheid, al zei Céleste dat het winterkers of zwarte els was.

De slaap uit haar ogen wrijvend kwam ze binnen in de kimono van haar grootmoeder – verschoten rode zijde met wolken, vogels en takken bamboe – die over de grond sleepte en naar whisky en tabak rook. Ze ging zitten en schoof na twee happen haar bord weg. Maar mijn *café crème* klokte ze gulzig naar binnen, twee grote kommen, waar ze eerst zes klontjes in had gedaan.

'Ik moet je iets vertellen,' zei ze.

'Wat dan?'

'Ik ben eigenlijk geen vegetariër.'

'Maar toen ik het vroeg...'

'Mijn grootmoeder wel, maar ik niet. Ik eet alleen geen rood vlees. Ja, ik weet het, het is niet consequent. Of goed. En ik wil ook best helemaal vegetarisch eten, als jij dat wilt.'

'Als ik leer koken, bedoel je?'

'Je leert het wel als je het vaker doet. Ik word wel je souschef of zo. Mag ik nu taart?'

Tegen haar verbod in had ik een schuimtaart uit een pakje gemaakt en daar vijftien kaarsjes op gezet. Maar ik had hem verstopt, in een oude houten broodtrommel waar zo te zien al sinds de jaren veertig geen brood meer in had gezeten. Ik had ook een *bûche de Noël* gekocht, een dertig centimeter lange cilinder met chocoladeglazuur in boomschorsdessin. Die had ik in een dichtgeknoopte plastic Walmarttas in de ijskast verstopt. Welke had ze gevonden?

'Taart?' vroeg ik. 'Waar heb je het over? Wat voor taart?'

'Ik zal de kaarsjes uitblazen, ik zal zelfs een wens doen. Maar in godsnaam, Nile, ga niet voor me zingen. Beloof je dat?'

Ik stak de kaarsjes aan met een Redbird Strike Anywhere-lucifer die ik aan mijn zwarte denim dij afstreek, en beloofde het.

'Je hebt niet toevallig ook sigaretten, Nile? Voor de feestelijkheid?'

'Nee. Ik ben gestopt toen ik vijftien was.'

Na een ostentatieve frons blies Céleste lauwtjes de vijftien kaarsjes uit en sneed toen een enorme punt af met haar vingers en een lepeltje. Mijn vader zou een rolberoerte hebben gekregen.

'Heeft iemand je weleens verteld dat je gruwelijke tafelmanieren hebt?'

'Dat is weleens ter sprake gekomen, ja.'

'Mocht je het niet hebben gezien, ik heb een mes en een vork neergelegd en...'

'Moet je kijken!' riep ze met haar mond vol en aardbeienglazuur op beide wangen. Ze wees naar de andere kant van de tafel, waar een grote mier met iets liep te slepen, een gevallen kameraad of een kruimel taart. Ze slikte. 'Dat is geloof ik de grootste mier die ik ooit heb gezien. Kijk.'

Als mijn ex erbij was geweest, dan had ze hem nu al doodgeslagen. Maar was het wel een mier? Houden die geen winterslaap of zo? 'Ik heb in India wel grotere gezien,' zei ik.

'Je hebt me nooit verteld dat je in India hebt gewoond.'

'Ik heb je wel meer niet verteld.'

'Waar woonde je daar?'

We keken nog steeds naar de verrichtingen van de mier. 'Overal. Jaipur, New Delhi, Rawalpindi... Islamabad,' zei ik; ik zei maar wat.

Ze keek me aan. 'Die twee laatste liggen niet eens in India.'

'Weet ik, ik bedoelde... dat hele gebied. Daar heb je beesten die groter zijn dan paarden.'

'Klets niet.'

'Echt waar. Ze krijgen tuigjes aan en slepen boomstammen en zo. En ze worden gezadeld, de toeristen rijden erop.'

'Dat geloof ik toch in geen miljoen jaar. Ik ben geen vijf meer.'

Er viel een lange stilte, die alleen werd onderbroken door de motor van de ijskast die aansloeg, en we keken naar het insect dat afdaalde langs de tafelpoot. 'Bedoel je dat... ze familie van de mieren zijn of uit mieren zijn geëvolueerd? Wat bedoel je eigenlijk?'

Ik liet het moment nog even duren. 'Mieren? Hoezo mieren? Ik heb het over béésten. Olifanten. Nooit van gehoord?'

In plaats van te grinniken, zoals Brooklyn toen ik het geintje op haar uitprobeerde, zette Céleste haar handen in haar zij en zuchtte met half dichte ogen. Toen gaf ze me een tik op mijn schouder met haar lepeltje en liet een ronde plek aardbeienglazuur achter. Misschien sloeg ze harder dan de bedoeling was, misschien ook niet.

'Vertel eens over je ex,' zei ze opeens met een blik alsof ze op een relletje uit was. Ze pakte haar kom, gooide haar hoofd achterover en slurpte het laatste restje eruit, minder koffie dan natte suiker. 'Is ze blond?' Met de mouw van haar kimono veegde ze haar mond en wang af.

Ik boende mijn schouder schoon. 'Ja, maar niet van zichzelf.'

'Dun?'

Ik knikte. Ze had het verslavingsstadium bereikt waarin eten iets is wat je haast zou vergeten.

'Wist je meteen al dat jullie... iets met elkaar zouden krijgen?'

Ik wist dat ze vergif was, en toch deed ik bereidwillig mijn mond open. Ik begeerde haar zoals een twee keer vergiftigde hond naar een derde stuk vlees kijkt. 'Min of meer.'

'Mooi?'

Bloedmooi, ondanks de genen van haar beide ouders, een bloem op de mestvaalt. 'Ze is een mooie vrouw, ja. Met een drugsprobleem.'

'Ze ziet er vast beter uit dan ik.'

'Ach... ik zou niet... Twee verschillende soorten schoonheid...'

'O, hou je kop. Ben je daarom bij haar weggegaan? Om die verslaving?'

Ik was een expert in stervende relaties, verbintenissen die onder een slecht gesternte zijn aangegaan, *marches funèbres* die zich voortslepen totdat iemand iets doet. Ik bleef bij haar uit een soort roekeloosheid die even ijdel als lafhartig was. Zij zei dat ik in nuchtere toestand somber, zwijgzaam en saai was, maar geestig, energiek en interessant als ik dronken was. 'Nee, ik gebruikte zelf ook het een en ander.'

'Waarom ben je dán bij haar weggegaan?'

Vanwege een abortus waarbij niet alleen de foetus, maar ook ikzelf doodging. 'Ach... weet je, zo gaan die dingen.'

'Hoe was de seks?'

Wederom had ik geen zin om dat onderwerp met een veertienjarige te bespreken. Of met een vijftienjarige. Of met wie dan ook. 'Jij gebruikt toch geen drugs, hè?' begon ik over iets anders.

'Hoe vaak per week deden jullie het?'

Ik moest lachen om die vraag, zomaar uit het niets. Mijn ex en ik waren net gorilla's, die gaan vechten in plaats van paren als ze te lang in een kooi worden gehouden. 'Per week? Hoeveel cijfers achter de komma?'

Céleste zweeg even en spoelde toen terug. 'Natuurlijk gebruik ik drugs.'

'Een kind van jouw leeftijd? Dat meen je niet. Of bedoel je... een jointje, een snuifje lijm, hoestdrank?'

'Ik ben geen kind, oké? Ik ken wel jongere meisjes die een abortus hebben gehad.'

'Christus. Jijzelf ook?'

'Niet echt.'

'Wat bedoel je daarmee?'

'Ik bedoel niks. Ik heb geen abortus gehad.'

'Je snuift toch geen coke, hè?'

'Dat is zó ouderwets, zo jaren negentig.'

'Als je er maar niet mee begint.'

'Ik gebruik crystal meth.'

'Nietwaar.'

'Dat doen alle meisjes hier. Het is de beste manier om niet dik te worden. Een ritje op het witte paard, noemen ze het. Het is verpakt als snoep, als Pixy Stix.'

Ik herinnerde me dat acid in de vorm van Bart Simpson werd verkocht en dat er dolfijnenstickers op de xtc zaten. Ik was grootverbruiker in die tijd, ik nam alles. Als je van vijf doodging, nam ik er vier. 'Jezus. Zolang ik er nog iets over te zeggen heb, wordt er hier niet gereden. Dat spul is gevaarlijk.'

'Ja pap.'

'Wat kost het?'

'Tien tot vijftien.'

'Per gram? Veel goedkoper dan coke.'

'Heb jij weleens heroïne gedaan?' vroeg ze. 'Of hoe jullie het in de States noemen?'

H, horse, smack, dynamite, black tar, brown sugar, mud, scat, shit, jones... 'Nooit geprobeerd,' zei ik. Ik had geen zin om te beschrijven hoe kosmisch dat is. Als ze dat tenminste niet allang wist.

'Ze zeggen dat het net zoiets is als God een hand geven.'

Ik knipperde met mijn ogen. 'Jij geloofde toch niet in God?'

'Ik bedoel het figuurlijk. Weet je waarom het heroïne heet?'

'Ja, van het Griekse ηρωίνη. Held, krijger.'

'Ja, dat weet ik ook wel. Maar waaróm?'

'Waarom het van "held" is afgeleid? Ik denk... Ik weet het eigenlijk niet.'

'Omdat je je er heldhaftig door gaat voelen.'

'Echt? Dat krijg ik van whisky.'

'Weet ik.'

'Ja?'

Ze knikte. 'Je moed indrinken, noemen ze dat.'

'Drink jij?'

'Tuurlijk.'

'Whisky?'

'Tuurlijk.'

'Welke whisky vind je lekker?'

'Schotse, Ierse, Amerikaanse, bourbon, ik heb geen voorkeur.'

'Single malt?'

'Single, blended, wat maakt het uit na het eerste glas?'

Ik glimlachte. Dat klonk als iets wat haar grootmoeder kon hebben gezegd. Vervolgens begon ze om de een of andere reden over relaties tussen partners met een groot leeftijdsverschil. Emma en Mr. Knightley, Jane Eyre en Rochester, Edgar Allan Poe en zijn dertienjarige Virginia Clemm, Samuel de Champlain en de twaalfjarige Hélène Boullé, Marlon Brando en Maria Schneider...

'Marlon Brando en Maria Schneider? In *Last Tango in Paris*, bedoel je? Die heb je toch niet gezien?'

'Twee keer.'

Grote god. Had ze soms een relatie met een oudere man, ging het gesprek daar naartoe? 'Je hebt toch geen relatie met een oudere man, Céleste?'

Ze schudde haar hoofd en haar korte zwarte manen zwiepten heen en weer.

'Heb je... je weet wel, heb je ooit...'

'Seks met een oudere man gehad?'

Ik knikte.

'Natuurlijk. Nou ja, misschien niet zo oud als jij. Maar een keer toen ik naar huis liep, werd ik besprongen door een gast die bijna net zo oud was als jij – op dat bospad waar ik van oma nooit mocht komen. Het was zó raar, eigenlijk eerder raar dan eng. Die gast begint tegen me te schreeuwen – weet je wel, omdat ik vallen en klemmen had gesaboteerd en zo – en dan neemt hij me in zijn armen en ineens voel ik zijn voortanden die tegen de mijne aan knallen – niet eens echt een zoen, alleen nat bot en tong en tabak, en ik hoor hem lachen en snuiven. Zó ranzig als je spuug hoort borrelen als iemand lacht. Zijn handen waren ook ranzig – van die vettige witte vingers, net naaktslakken, met allemaal natte aarde onder zijn nagels. Maar goed, hij ritst zijn gulp open en begint dan de knoopjes van mijn shirt eraf te rukken, een voor een, heel ontspannen, dus ik ramde een 6h-potlood in zijn nek. Het ging er zeker drie centimeter in! Hij zat daar maar verdoofd en verbijsterd midden op het pad – met dat ding in zijn nek! Net Frankenstein! Ik heb altijd een potlood bij de hand, een hard, scherp potlood. Als je dat in iemands neus ramt, zijn hersenen in, kun je hem doodmaken.'

Haar woorden kwamen aan als een mes, maar ik wilde niets laten merken. 'En...? Wat gebeurde er toen? Wat deed je toen?'

'Wat dacht je? Ik stoof weg als een konijn, ik rende tot mijn longen zowat uit mijn lijf barstten.'

'Jezus. En... eh... ging het daarna wel goed met je? Ben je er inmiddels overheen?'

'Nou, ik dacht zelf van wel, maar Grand-maman dacht van niet en zij heeft psychologie gestudeerd. Ik voelde me oké en zo, maar zo rond die tijd begon ik... nou ja, uit mijn voegen te barsten. Ik ging stressvreten. Maar ik geloof niet dat er verband is, want dat was daarvóór al begonnen. Altijd als ik gestrest was, wist ik niet meer wat ik deed en dan at ik allemaal troep, vooral cornflakes en zo, droog uit de doos, dat was het enige waar ik zin in had, de hele dag door. Ik vroeg aan Earl om verschillende soorten te bestellen en die verstopte ik dan voor mijn grootmoeder. Maar dat houdt geen verband met dat andere. Ik vertel het alleen maar. Voor het geval dat je dacht dat er iets met mijn klieren was, dat ik een slecht werkende schildklier had of zoiets. Ik ben gewoon een stressvreter. En Déry jaagt me in de stress. Net als zijn zoons, en niet zo zuinig ook.'

'Is Déry degene die je toen heeft besprongen?'

Céleste beet op een nagel en gaf geen antwoord.

'Zég het nou.'

'Het is een lang verhaal.'

'Maak het dan korter.'

'Wat wil je weten?'

'Wie Déry is.'

'Een houtvester, oké? Inspecteur Déry. Een corrupte klootzak. Hij en zijn zoon Jacques junior. Zijn andere zoon is een Hell's Angel. Je hebt hem trouwens ontmoet – in de winter jaagt hij iedereen de stuipen op het lijf met zijn gele Hummer.'

'Die achterlijke bumperklever? Ik dacht dat je die niet kende...'

'Ik ben bang voor ze, voor alle drie, echt waar, ik ben als de dood voor ze. Maar mijn grootmoeder was helemaal niet bang, die liep gewoon het bureau van inspecteur Déry binnen en zei hem de waarheid. Ik weet niet wat ze precies gezegd heeft, maar daarna is hij uit mijn buurt gebleven. Net als zijn zoons, trouwens. Hij zei dat ik te dik en te lelijk was, dat ik er net zo saai uitzag als een kuipje margarine, voor mij tien anderen. En gelijk had hij.'

'Helemaal niet. Die onzin moet je niet geloven, er is niets van waar.'

'Maar iedereen hier zegt het. Ik ben een lelijk klein propje, een bibliothecaressetype, en ik kom nooit aan de man. Of nou ja, klein... meer zoiets als de gezusters Dandurand, hier verderop. Die zijn echt baggervet.'

'Jij bent niet baggervet, integendeel. En die "iedereen" zit ernaast. Faliekant. Trouwens, bibliothecaresses zijn cool. Heel erg cool. En waarom zou je aan de man moeten?'

'Ik ben geen plaatje. Verre van. Eerder een pop die ooit een soort vlinder hoopt te worden.'

'Je bent op de leeftijd, of bijna, waarop een jonge vrouw zich ontpopt tot een beeldschone zwaan.'

'Ja hoor. Heb je Andersen gelezen of zo?'

'Je ogen zijn bijvoorbeeld verbijsterend. Uniek.'

'Ja, ze zijn groen. Nou én? Dat kun je nauwelijks uniek noemen. Anne of Green Gables, Jane Eyre, Ichabod Crane, Pinokkio.'

'Maar alles bij elkaar... er is niemand zoals jij.'

'Wat bedoel je dáár nou weer mee?'

'De schoonheid van iets unieks ligt in het unieke van de schoonheid.'

Céleste sloeg haar smaragdgroene ogen ten hemel. 'Moet dat iets diepzinnigs voorstellen of zo?'

'Oké, dat heb ik uit een autoreclame. Maar wat ik bedoel: je bent geen doorsneemeisje. En je bent niet... saai. Integendeel. Al die andere mensen zijn gewoon jaloers. Omdat je veel slimmer bent dan zij.'

'Ik was liever mooi geweest dan slim.'

Ik keek naar de grond, want wat ze zei stemde me droevig. Mooie vrouwen zijn iets voor fantasieloze mannen, wilde ik zeggen, maar dat wilde ze natuurlijk niet horen. 'Jij bent het allebei,' zei ik opgewekt. 'Allebei evenveel.'

Céleste deed haar ogen dicht en liet haar hoofd hangen. 'Goed, ik ben jong, maar dacht je dat ik daarom niet wist wanneer een man liegt? Ik ben een menselijke leugendetector, hoor.'

Leugentjes om bestwil banen de weg voor leugens om kwaadwil: de woorden van mijn vader. 'Ik lieg niet.'

'Jawel. Je zit me te slijmen.'

'Niet.'

'Welles.'

'Nietes.'

'Waarom heb je dan nog niets met me geprobeerd?'

'Hè? Dat kun je niet menen. Je... je had mijn dochter wel kunnen zijn. Misschien zelfs mijn kleindochter...' Daar stokte ik even omdat ik moest rekenen. 'Als ik een kind had gekregen op mijn...'

'Op je vijftiende, en als dat kind op zijn of haar veertiende ook weer een kind had gekregen.'

'Precies.'

'Het komt natuurlijk omdat je Parijse vrouwen gewend bent. Van die anorectische, rijke, gescheiden societyvrouwen... die je in cafés ontmoet en die Gitanes uit hun krokodillenleren tas halen, of die je ontmoet op de Champs Élysées, of bij de boekenstalletjes aan de Seine, of op een beroemde brug, of...'

Ik was vastbesloten niet te lachen, laat staan hardop, want dan zou ze ophouden. 'Of...?'

'Of in het Louvre of in de Jardins du Luxembourg of in Flore of de Dôme of de Récamier, met zwierige capes of foulards met...'

Ik wachtte.

'...dure logo's.'

Ik fronste mijn voorhoofd om haar te laten weten dat ik hier gepast lang en diep over nadacht.

'En lach me niet uit,' waarschuwde ze.

'Ik lach toch niet?'

'Ik wil een sigaret, Nile. Nú. Je martelt me. Ik wil een slof Gitanes. Of Gauloises. Net als jouw vroegere vriendinnetjes.'

'Mijn vriendinnetjes in Parijs, of liever gezegd vriendinnetjé, enkelvoud, rookte niet.'

'Doe me een lol zeg. Laat me niet lachen. In Parijs roken álle vrouwen.'

Dat liet ik maar even voor wat het was.

Céleste slaakte een diepe zucht. 'Dus je probeert me niet te versieren omdat ik dik en lelijk ben? Omdat mijn tanden scheef staan en mijn ogen bloeddoorlopen zijn en omdat ik meer littekens heb dan een lijk op de snijzaal?'

Ik begon te ijsberen, verward, met stomheid geslagen en met ontspoorde gedachten door een opkomende hoofdpijn. Niet zwijgen, maar tact is goud. 'Ik zeg het nog eens: je bent níet lelijk. En je tanden zijn gewoon... excentriek. Dat is juist leuk, het maakt je anders, interessant.'

'Excentríék? Interessánt?'

'Ja. En je bent niet dik...'

'Wat dan? Lekker mollig?'

'Zelfs dat niet. Niet meer.' Ze was enorm afgevallen. En ze werd steeds mooier nu haar blauwe plekken wegtrokken, haar haar uitgroeide en haar huid weer begon te glanzen.

'Weet je hoe ze oma en mij noemden? De Tientonner en de Tweetonner. De walvis en het nijlpaardjong.'

'Wat is er mis met walvissen en nijlpaarden? Prachtige beesten, allebei.'

'O, dus het was als compliment bedoeld? Wat dom van me.'

'Je bent de afgelopen maand waarschijnlijk vijftien kilo afgevallen. Of nog meer.'

'Goh, misschien moet ik een boek gaan schrijven. *Vijftien kilo eraf in dertig dagen – wat ik kan, kun jij ook!*'

'Straks komen alle mannen op je af, let maar op. Waarschijnlijk trouw je met een toekomstige Nobelprijswinnaar. Of je krijgt zelf de Nobelprijs. Na je promotie, en je tweede promotie, nadat je de universele veldtheorie hebt gevonden of zoiets. Of als je een beroemd schilderes, beeldhouwster of dichteres bent geworden.'

'Welnee.'

'Jawel.'

'Niet.'

'Wel.'

'Niet.'

Enzovoort. Net als bij mijn gesprekken met Brooklyn toen ze acht was.

'Waarom zou ik trouwen?' vroeg ze. 'Om auto te kunnen rijden, dik te worden en luie, chagrijnige kinderen te krijgen?'

Daar zat iets in. 'Zo gaat het niet altijd.'

'Bovendien ben ik niet geïnteresseerd in de universele veldtheorie.'

'Niet? Waar ben je dan wél in geïnteresseerd?'

'Nergens in. Niet meer. En zo slim ben ik nou ook weer niet, oké? Nooit geweest ook. Dat was maar een idee van oma. Dat ik net zo slim moest worden als zij. Omdat ik school vreselijk vond, omdat ik iedereen daar haatte omdat niemand iets met me te maken wilde hebben en ik geen idee had waar ze het over hadden en iedereen een diktefobie had. Toen ben ik me maar voor dieren gaan interesseren en heb ik geprobeerd ze te redden en het enige wat ik bereikt heb is dat oma nu dood is en ik bijna, en daarna ben jij aan de beurt en nu wil ik me alleen nog maar van kant maken.'

Die middag stond ik lang en peinzend onder de douche, met een kop die net zo verstopt was als die van de douche. In plaats van een gulle regenbui kwam er een miezerig straaltje uit en de juiste menging van warm en koud was moeilijk te bereiken. Terwijl ik over Céleste stond te piekeren, zag ik een paar handen die elkaar wasten tegen een achtergrond van een groen medisch kruis met *Sauberkeit!* eronder, een woord uit de inrichting dat destijds voortdurend in mijn dagdromen wist binnen te dringen. Toen ik me stond af te drogen, werd mijn aandacht van het woord en het kruis afgeleid door het geluid van dichtslaande keukenkastjes. Ik sloeg de handdoek om me heen, sloop de gang door en gluurde om een hoekje van de deur.

Céleste zat aan tafel met een kom soep, een bord erwtjes en een gezinsfles Cola Light. Ze hield een doos Count Chocula omhoog met de vampier met de scheve tanden naar voren en keek in de verchroomde spiegel van de broodrooster. 'Wie zie ik daar?' zei ze met iets wat waarschijnlijk een vampierstem moest voorstellen. 'Een meisje dat best mooi is. Maar niet opvallend. Ze heeft waarschijnlijk een zwaar leven achter de rug.' Ze zette de doos neer, pakte een cracker, likte er afwezig aan als een baby die nog moet leren eten. Toen begon ze er snel met haar voortanden aan te knabbelen, als een eekhoorn.

Ik liep snel door en was al halverwege de trap toen ze met volle mond riep: 'Nile? Kan ik je even spreken? Nile?'

De trap weer af, de keuken in. 'Wat is er?'

Ze slikte. 'Vind je me nog aardig?'

Die vraag overviel me. 'Natuurlijk. Waarom vraag je dat?'

'Zomaar.'

Ik knikte en wist niets te zeggen. 'Goed. Dan... laat ik je maar verder... lunchen.' Ik deed een stap in de richting van de trap.

'Je laat me toch niet in de steek, hè?'

'Nee, natuurlijk niet.'

'Je hebt me gekidnapt, ik bedoel gered, dus nu zit je aan me vast, toch?'

'Zo is het.'

'Ik meende het niet, hoor, van... je weet wel. Ik bedoel, wel dat ik niet zo slim ben en dat ik me van kant wil maken. Maar die andere dingen niet. Ik heb nog nooit... je weet wel.'

'Wat?'

'Drank gedronken.'

'Alcohol, bedoel je. Maar ik dacht dat je zei... dat je whisky lekker vond.'

'Mijn grootmoeder vond het lekker, ik juist helemaal niet. En crystal meth heb ik ook nooit gebruikt – of wat voor drugs dan ook. Ik heb één keer wiet gerookt, toen ik een jaar of tien was, en toen werd ik zo paranoia dat ik dacht dat een boom me probeerde te wurgen. En ik heb het ook nooit met een oudere man gedaan, of met een jongere man, of... nou ja, met niemand. Het spijt me dat ik heb gelogen. Dat is mijn op twee na ergste tekortkoming volgens oma.'

'Wat zijn de andere twee?'

'En ik heb ook spijt dat ik heb gevraagd waarom je me niet probeerde te versieren. Heb ik nog iets anders gezegd? Iets stoms bedoel ik?'

'Nee, dat was het wel zo'n beetje.'

'We kunnen de stomme dingen toch gewoon wissen, hè? Of terugspoelen?'

'Oké.'

'Ik ben het niet altijd met mezelf eens.'

Ik knikte.

'Vrienden vergeven elkaar, toch?'

'Zo is het.'

'Ik was gewoon, je weet wel, een soort eend.'

'Eend?'

'Een vrouwtjeseend. Die versieren altijd het eerste mannetje dat ze tegenkomen. En jij bent de enige min of meer behoorlijke man in dit postcodegebied. Wat trouwens niet veel wil zeggen. Dat bedoel ik niet onaardig.'

Daar moest ik even over nadenken.

'Het is gewoon een kwestie van groepsdruk, weet je,' voegde ze eraan toe. 'Dat noemen ze *l'hypersexualisation des jeunes*. Misschien heb je daar weleens van gehoord.'

Ik kende het zelfs uit eigen waarneming, van Brooklyn, die op haar zevende al met haar haar zwiepte en met haar heupen wiegde als Shania Twain, op haar negende haar wenkbrauwen epileerde en op haar tiende een kinderstring droeg. Toen ik een keer heel gewaagd opperde dat ze eens een goed boek moest lezen of gaan touwtjespringen in plaats van aldoor naar clips te zitten kijken, vroeg ze wat touwtjespringen was.

'Bedoel je dat jonge meisjes worden gehersenspoeld door de reclame?' vroeg ik. 'Geseksualiseerde marketing die zich op een steeds jonger publiek richt?'

In plaats van de erwtjes op haar bord op te eten, liet Céleste ze over de rand rollen alsof het een racebaan was. 'Het hoort allemaal bij de verschuivende seksuele tektoniek.'

De verschuivende seksuele tektoniek? 'Aha.'

'Maar ik heb besloten dat mannen zonde van de tijd zijn. En seks ook.'

'Heel verstandig.'

'Ik snap hoe het wordt verpakt en verkocht, en het doet me niets.'

Ik knikte. Genieën hebben het altijd moeilijk met seks.

'Bovendien worden alle dieren triest van de coïtus, zoals Aristoteles zei.'

Hoe kon hij dat weten? vroeg ik me af. 'Heb je Aristoteles gelezen?'

'En Spinoza associeerde begeerte met verward denken.'

Ik knikte weer, ik wist er alles van.

'Nee, ik heb Aristoteles of Spinoza niet gelezen. Die dingen heb ik gewoon ergens opgevangen en ik kan ze opdreunen. Als een papegaai. Of een zeehond die kunstjes kan.'

Was dat overdrijving, wilde ze zichzelf omlaag halen?

'Maar Nile, ik ben niet je dochter, en dat moet je nooit denken, oké?'

'Oké. Mag ik dan een soort peetvader van je zijn?'

Céleste legde haar hoofd op de tafel alsof het afgehakt moest worden. 'Hè ja, een mannelijke petemoei, dat heb ik nou altijd willen hebben.'

'Nou goed, een oom dan, een oom honoris causa?'

Ze leunde lui op een elleboog. 'Nee.'

Ik was enig kind en zeurde mijn moeder altijd aan haar hoofd of ze een zusje voor me uit het ziekenhuis wilde meebrengen. 'Een broer dan, een lastige, verweesde grote broer?'

Daar dacht ze over na, met een verse cracker in haar mond, terwijl ze afwezig erwtjes over de tafel schoot alsof het knikkers waren. '*À la limite*,' zei ze met tegenzin; ze kauwde de woorden samen met de cracker. Ze slikte. 'O, en nog iets, voordat je naar boven gaat.'

Ik zette me schrap. 'Ja?'

'Er woont iemand in de kerk.'

Ik was toch al van plan geweest om naar de kerk te gaan, want het was tenslotte Kerstmis, maar ik was niet van plan geweest een Sig Sauer mee te nemen. Geladen, met zeven kogels in het magazijn. Het eerste wat me opviel was hoe zwaar dat rotding was. Céleste liet me zien hoe je het magazijn erin schuift en doorlaadt. En waar je op moet drukken om de clip er weer uit te halen. Het enige wat ik nog hoefde te doen, was waarschijnlijk de trekker overhalen.

Céleste was vaag toen ik vroeg wie ze door haar telescoop de achterdeur van de kerk in en uit had zien gaan. Hij had een bivakmuts op, zei ze op haar zakelijke manier. En hij had een slaapzak bij zich. Hoe blijft ze zo kalm? Had haar grootmoeder soms een voorraadje valium in huis? Of Mandrax?

Met mijn rug tegen de muur en het pistool omhoog naast mijn oor, net als in de film, keek ik twee keer naar binnen door een zijraampje van de kerk, een keer snel en een keer wat langer. De eerste keer zag ik alleen duisternis, de tweede keer twee zwakke oranje lichtjes. En toen hoorde ik iets, al net zo zwak: gefluit. Ik luisterde naar de melodie. *Good King Wenceslas*. Ik keek naar de pastorie en zag Célestes hoofd, dat uit het zolderraam stak. *Moed, toon moed. En geen jenevermoed.* Ik tuurde weer door het raampje. De oranje lichtjes waren uit en het fluiten was opgehouden.

Ik zette koers naar de achterdeur met mijn sleutelring in de ene hand en het pistool in de andere, en schrok toen van het piepen van hout tegen metaal. Het geluid van een klemmende deur die open wordt geduwd. Toen kwam er een man naar buiten met een zwarte bivakmuts op.

'Meneer Nightingale, hoe gaat het met u op deze schone namiddag? Hebt u een prettige tweede kerstdag? Een mooie dag voor wat ontspanning, nietwaar, na alle drukte. Maar niet voor mij. Ik moet bezig blijven, zelfs tijdens de feestdagen, anders word ik stapelgek.' Hij trok langzaam de muts van zijn hoofd.

Snel liet ik het pistool in mijn jaszak glijden. Het was Myles Llewellyn. In min of meer dezelfde kleren als de laatste keer dat we elkaar bij de kerk spraken: rossig tweedjasje, rossige trainingsbroek, zwarte overschoenen over veterloze, met tape dichtgeplakte schoenen. 'Heel goed, meneer Llewellyn, maar...'

'Wacht, wacht. Zeg maar Myles.'

'Maar... het is nog geen tweede kerstdag, Myles.'

'Niet? Daar heb je het weer. Op mijn leeftijd beginnen de dagen te vervagen, ze raken door elkaar als kaarten die worden geschud. Nou ja, niets aan de hand. Dan kom ik morgen wel terug. Of wanneer u maar wilt. Tenzij u van gedachten bent veranderd over onze... afspraak – of misschien was u het vergeten?'

'Nee, ik... nee hoor, helemaal niet.'

Hij liep weer naar de deur. 'Loopt u even mee?' zei hij; hij kromde zijn wijsvinger en kneep zijn ogen half dicht. 'Ik zal u mijn plan uiteenzetten. Mijn visie.'

In de kerk, zag ik toen mijn ogen aan het donker gewend waren, was het nog net zo kaal en troosteloos als de eerste keer dat ik er was. Er stond niet één bank meer, laat staan een altaar, een crucifix of een preekstoel. Zelfs de vloer was gestript; alleen aan de gelige lijmresten en roestige spijkers zag je nog waar het kleed onder het altaar en de brede vloerplanken hadden gelegen. Hier en daar stonden gedeeltelijk bevroren plasjes water, die via de gaten in het dak op peil werden gehouden. Bij de deur van de sacristie zag ik twee warmtekanonnen en een uitgerolde slaapzak. En op de treden die vroeger naar de preekstoel hadden geleid stond een grote wekkerradio waar, zoals ik weldra zou ontdekken, ook een cassettespeler in zat.

'U vindt het hopelijk niet erg,' zei hij toen hij me zag kijken, 'ik ben me hier een beetje aan het inrichten, *à l'improviste*. Dan kan ik 's morgens meteen aan de slag. Scheelt een hoop heen en weergereis. Ik moet het onder ogen zien: ik word oud, ik heb niet zo veel reserves meer.'

Ik had geen auto zien staan. Hoe was Llewellyn hier met al die spullen gekomen? En hoe kwam hij binnen? Had hij een loper? 'Hoe bent u hier gekomen, meneer Llewellyn?'

Hij gaf geen antwoord. Hij glimlachte alleen en wees naar boven. 'Moet u dat licht zien. De laatste keer dat ik die kleur heb gezien – pauwblauw noem je het, geloof ik – was in Chartres. De mooiste dingen zijn ook de meest nutteloze: pauwen en lelies bijvoorbeeld. Dat zei Ruskin, of woorden van die strekking.'

Hij wees naar een paar weinig opmerkelijke gebrandschilderde zijraampjes, kapotgegooid door kinderen met stenen of kapotgeschoten door jagers en slordig met afplaktape gerepareerd. Op het ene zag je het vertrouwde beeld van de Goede Herder met een schaap in zijn armen, op het andere de heilige Davnet zelf, met een zwaard in haar hand en een geketende duivel aan haar voeten. Het blauwe licht scheen door haar heen.

Ik wees. 'Dat is de heilige Davnet, toch?' Dat wist ik omdat haar naam onderaan stond.

Hij knikte. 'Beter bekend als de heilige Dymphna. Davnet is een Ierse versie van haar naam.'

'Wie was ze precies?'

'De beschermheilige van de krankzinnigen.' Hij zweeg en we keken allebei omhoog. 'En van de incestslachtoffers, weggelopen kinderen, dat soort mensen. Dat raam is meer dan honderd jaar oud – bijna even oud als ik. Robert McCausland, zou ik zeggen.'

'De kunstenaar die het gemaakt heeft?'

'Een bedrijf in Toronto. De oudste firma in gebrandschilderd glas in heel Noord-Amerika.'

Ik keek aandachtiger naar het droevige gezicht van de heilige. 'Was ze – was Dymphna – krankzinnig?'

'Nee. Haar váder was krankzinnig, zij niet.'

Ik wachtte op het vervolg. 'En... wie was haar vader?'

'Een Ierse koning – zevende eeuw, voor-christelijk. Toen zijn vrouw was gestorven, zocht hij stad en land af – niet alleen in Ierland, maar in heel Europa – naar iemand die haar kon vervangen. Iemand die even mooi was. Maar hij kon niemand vinden die aan zijn eisen voldeed, dus toen eh, "richtte hij zijn pijlen", zoals ze dat noemen, op zijn mooie dochter. Die toen veertien was. Ze vluchtte naar België om aan hem te ontkomen. Maar de koning vond haar, in Geel, en toen ze weigerde met hem mee te gaan, ontstak hij in blinde woede en onthoofdde haar.'

Goeie god, zou dat waar zijn? Ik wilde verder vragen, maar werd afgeleid door zijn armen, die hij hief met een gebaar dat merkwaardig pauselijk aandeed.

'Dit project zal mijn naam onsterfelijk maken in de annalen van de kerkelijke architectuur. Hoe goed is uw voorstellingsvermogen, meneer Nightingale?'

'Eh... goed. Meer dan goed zelfs, het is soms onbeheersbaar.'

'Rechthoekig. Hoge preekstoel, verhoogd koor en sacristie. Een transept dat wordt gesuggereerd door frontons aan de noord- en zuidzijde van de verhoging. Gotische invloeden, begrijpt u. Een zadeldak, bekleed met geribbeld koper, dubbele nok belucht met sneeuwwering. Boven het koor net zo'n dak, maar lager, met een klein daklicht. De sacristie – schuin dak. De verhoging aan de westzijde krijgt een dubbel stenen bordes, drie lancetvensters en een stenen kruis boven op de gevel. Metselwerk van behouwen steen rond de ramen tot aan de top van de gevel en een inscriptie NUNC ET IN HORA MORTIS NOSTRAE. Drie lancetvensters, twee vierpassen en een roosvenster in de koorgevel en een visblaasmotief bovenaan. De oostelijke gevel van het schip – een bewerkt stenen klokkenstoel waar de nieuwe klok in komt te hangen.'

Tot daar toe was het nog wel te volgen. Maar toen zwenkten zijn woorden af en werden ze steeds onbegrijpelijker. Ieder verband, iedere logica verdween, en toch leek het te kloppen, net als bij een abstract schilderij of een mozaïek. Het had zelfs een zekere schoonheid. Zijn zinnen bleven me in elk geval wekenlang bij, ze galmden in me na als een... klok.

'Bent u het er niet mee eens?' vroeg hij.

'Jawel, jawel, ik... dat is het niet, maar ik weet niet zoveel van...'

'Herinnert u zich het schandaal over de Sixtijnse Kapel? Of toen er iemand opperde dat de aarde misschien rond was? Ik bouw een droomkerk voor u, meneer Nightingale. Ik ben precies – ik geloof in de absolute macht van het detail. Een rechte stoel en wat kleine spulletjes, meer hebben we op dit moment nog niet nodig. En we volgen het Walmart-model: geen vakbonden, geen klachten...

Dit gaat niet om beloning, om geld, dit gaat om overleven. Deze kerk is alles wat ik nog heb. Waarom? Omdat de liefde van mijn leven me na tweeëndertig jaar heeft verlaten met een briefje van twee regels. Ik doe dit werk gratis...

Wacht, wacht. Het woord "nee" ken ik niet. De betekenis daarvan ontgaat me. Het raakt mijn netvlies, het snelt mijn gehoorgang in, maar mijn hersenen kunnen het niet ontcijferen. Nee, ik wil geen weigering horen, meneer Nightingale, daar ben ik doof voor...

Ik dacht dat ik had bewezen een man uit één stuk te zijn. De hand aan de ploeg, nooit omkijken. En toch...

"Ik ben Deborah," zei ze tegen me en ze stak me haar hand toe. Zij stapte op míj af, weet u. Ik was zo koel als een komkommer. Ik dacht: laat haar aan zet...

"Wel wel, lieveke. Wat is dat voor een kot waar ge woont?" Ik dacht dat ze daarvan onder de indruk zou zijn, begrijpt u. Dat accent. Ze was zo jong, zo mooi. Ik dacht dat ze ervan gecharmeerd zou zijn...

Ze heeft me aan de dijk gezet! Voor een jongere man! Ik ben de pensioengerechtigde leeftijd gepasseerd – wie zal er ooit nog naar me kijken?

Dat zegt u alleen maar om me op te vrolijken, meneer Nightingale. Niemand wil me meer, op mijn leeftijd. Ik lig op de mestvaalt...

Het is allemaal nogal delicaat. We kunnen het beter laten rusten. Het gaat wel weer. Je hebt er niets aan, hè, om te treuren om dingen die voorbij zijn. Als het niet gaat zoals het moet, dan moet het maar zoals het gaat. Kijk eens naar dat gebrandschilderde glas...

Sublimeren, ik moet sublimeren. Ik moet bezig blijven. Ik ben er zo een die nooit naar bed wil en ook nooit wil opstaan...

Muziek, muziek hebben we nodig! Wacht...

Ah ja. Já, luister... Da de-de-de da... Onverklaarbare verlangens wellen in me op als ik dit hoor. Ik baseer mijn leven zelfs op deze vorm, en ik raad u aan hetzelfde te doen. Allegro, andante, wals, allegro. Ik zit nu in de wals en zal mijn dagen *allegro vivace* eindigen...

Ja, ik ben een soort fossiel, ik weet het. Maar die muziek is nog steeds goed. Die is nooit overtroffen door de rock-'n-roll of de hiphop...

Het lijkt wel alsof er overal mensen zijn die in het verleden willen leven, en kun je het ze kwalijk nemen, als je erover nadenkt?

Ik ben bereid voor mijn fouten te betalen, maar dan in één keer, niet in termijnen...

Ik heb alle banden met mijn familie doorgesneden, weet u. Doorgeknipt met een botte schaar. En nu – nu zorg ik voor mijn innerlijke tuin...

Moet u luisteren, dit stukje... Ja, ik weet het, ik ben te oud om te fluiten, ik heb er de adem niet meer voor. Maar weet u, ik vóél me niet oud. Vanbinnen, bedoel ik. Ik heb het gevoel dat het jongste deel van mijn leven nog voor me ligt...

Een beetje overgewicht zorgt ervoor dat je langer leeft, volgens de studies...

Ik vroeg aan de dokter hoeveel tijd ik nog te leven had. "Laat ik het zo zeggen," zei de dokter, "koop geen groene bananen meer." Grapje van me...

De meeste mensen leven nog een hele tijd door als ze allang dood hadden moeten zijn, vindt u niet? We hangen wat rond en dan gaan we dood. Meer is de aarde eigenlijk niet – één grote ondergangssalon, een ondergangsclub, lidmaatschap postuum toegekend...

Er zijn trouwens veel te veel mensen. Een tijger is tienduizend mensen waard. Lees Blake maar.'

Toen viel er een lange stilte, die alleen werd onderbroken door het papierachtige geritsel van muizen, het galopperen van katten, Llewellyns zuchten.

'U bent prettig gezelschap, meneer Nightingale, maar nu kan ik beter alleen zijn. Me terugtrekken in het koninkrijk van mijn geest. Tot morgen dan maar?' Hij knipoogde. 'St. Stephen's Day?'

Ik nodigde hem uit om het kerstdiner in de pastorie te gebruiken en daar zelfs te slapen, maar hij bedankte. Hij had een huisje aan het Lac St-Nicolas, zei hij. Ik sloot dus de deur en liet hem daar achter, alleen in het koninkrijk van zijn geest.

Die avond zagen Céleste en ik geen licht in de kerk, en Llewellyn zagen we de volgende dag ook niet. En de dag, de week of de maand daarna evenmin. Ik zag hem zelfs helemaal nooit meer. Maar Céleste wel.

XX

Het is oudjaar & ik kijk met mijn telescoop uit het raam naar de ijsjesheuvels van de Laurentians, de oudste bergketen ter wereld. Verder naar het westen of in Europa vinden ze het misschien geen hoge bergen, maar zoals ik al zei, het zijn wel de oudste.

Ik wou dat er een tijdtelescoop bestond, zodat ik kon zien hoe ze eruitzagen toen de eerste Europeanen hier kwamen, toen de Algonquin er nog leefden. Toen het woud 30 tot 50 meter hoog was, en op sommige plekken bijna 80 meter. Zo hoog als een gebouw van 12 tot 15 verdiepingen & op sommige plekken zelfs 25 verdiepingen! De eerste kolonisten – de Franse, Ierse, Schotse en Amerikaanse boeren – zagen dat woud vooral als iets waar ze vanaf wilden. Ze hakten de bomen om alsof het onkruid was. Tegenwoordig is het nog maar 4 verdiepingen hoog.

De Laurentians zijn naar de heilige Laurentius genoemd. Toen Jacques Cartier in 1534 in de Golf aankwam, was het namelijk de naamdag van die heilige, 10 augustus. Maar hij heeft maar één kleine baai naar Laurentius vernoemd. Toen Cartiers kaarten in het Spaans werden vertaald, werd de rivier de St. Lawrence genoemd. Waarom heeft de vertaler die naam veranderd? Omdat die heilige in Spanje geboren was.

Laurentius was verantwoordelijk voor de bezittingen van de Kerk in Rome & werd in 258 tot schatbewaarder benoemd nadat keizer Valerianus alle andere beambten had laten onthoofden. Maar Laurentius bewaarde de schatten niet – hij deelde ze uit. Toen hem werd gevraagd de bezittingen van de Kerk te laten zien, kwam hij met de blinden, de kreupelen & de zieken aanzetten. 'Dit zijn de schatten van de Kerk,' zei hij. Waarschijnlijk in het Latijn. Daarom werd hij levend geroosterd. Terwijl hij gegrild werd, vroeg hij of ze hem wilden omdraaien, want, zei hij, aan de andere kant was hij nog niet goed gaar. Daarom is hij de heilige van de humor.

Een paar kilometer van mijn huis, ten zuiden van de Bogs & Ravenwood Pond, loopt de Rivière du Diable. Die stroomt een kilometer of 70 door een dal dat door de Laurentide-gletsjer is ontstaan. Die was ongeveer 2000 meter hoog, een gigantische ijsmuur waar een stad als Montreal of zelfs New York bij in het niet zou vallen, veel hoger dan de wolkenkrabbers. Als Nile & ik duizend jaar geleden op de Mont Binoche hadden gestaan, het hoogste punt hier, dan hadden we HEEL ver omhoog moeten kijken naar de ijsbergen in het noorden, hoger dan de Zwitserse Alpen.

De eerste mensen die de Laurentians overstaken, hebben waarschijnlijk de laatste resten van die gletsjer gezien. De Weskarini's? De Montagnais? Als dat zo is, hebben ze ons niets nagelaten waaruit we kunnen opmaken hoe hij eruitzag. We hebben althans nog niets gevonden.

* * *

Nu ga ik iets over de walvissen van de St. Lawrence vertellen. In 1861 leidde P. T. Barnum een expeditie naar Quebec om witte walvissen te vangen voor zijn dolfinarium in Manhattan. In zijn autobiografie schrijft hij: 'Ik moet bekennen dat ik tijdens de hele onderneming zeer trots was dat ik het initiatief ertoe had genomen en alles tot zulk een goed einde had gebracht. Het was een grote sensatie, die duizenden dollars aan mijn bezit heeft toegevoegd. De walvissen stierven echter al snel.' Barnum stuurde zijn mensen dus terug om nog twee walvissen te vangen. Die gingen ook al snel dood.

In de rivier de Saguenay, die uitstroomt in de St. Lawrence, zwommen ooit meer dan 5000 beluga's ('beluga' is Russisch voor 'wit'). Toen de vissers begonnen te klagen dat die witte walvissen hun vis opaten, zette de Canadese regering een prijs op hun hoofd. Er werden jachtpartijen georganiseerd waarbij sportjagers vanaf een boot op de walvissen konden schieten. Net zoals de Amerikanen buffels schoten vanuit de trein. De populatie liep terug tot een stuk of 500 exemplaren.

Als er tegenwoordig een beluga in de St. Lawrence een natuurlijke dood sterft, is het lijk zo vervuild dat het als gevaarlijk afval wordt beschouwd.

* * *

Ik vroeg aan Nile of hij het leuk vond met mij hier en hij zei dat hij 'in de achtste hemel' was. Daar moest ik om lachen en ik voelde me geweldig. Vooral na wat er gebeurd is. Het is geen excuus, maar ik moet geen romans meer lezen, alleen wetenschappelijke boeken. En geen champagne drinken.

* * *

Nile weet het niet, maar ik heb op de koptelefoon naar de cd geluisterd die ik met Kerstmis van hem had gekregen. Oma zou hem vreselijk hebben gevonden, want ze had een hekel aan popmuziek, maar ik vind hem mooi. Heel mooi. Er staan 3 tracks op die ik steeds weer draai: 'Foxy Lady', 'Purpe Haze' & 'All Along the Watchtower'. Ik lees ook in Niles gedichtenboek omdat ik Lewis Carroll stiekem toch wel leuk vind, al ben ik 15. Dit gedicht was met potlood omcirkeld, waarschijnlijk omdat 'The Mad Gardener' ZO op Nile zelf lijkt:

Hij dacht een Olifant te zien,
    Die speelde op een fluit:
Het bleek een Lange Brief te zijn,
    Die las hij dus maar uit ...

Hij dacht dat hij een Buffel zag
    Die graasde op de schouw:
Maar toen hij weer keek, zag hij: 't was
    Het Nichtje van zijn Vrouw ...

Hij dacht een Ratelslang te zien
    Die hem in 't Grieks iets vroeg:
Het bleek een Hele Week te zijn,
    Die had hij voor de boeg...

Hij dacht een jonge Klerk te zien
    Die uit een rijtuig stapte:
Het bleek een Nijlpaardjong te zijn
    Dat op zijn tenen trapte...

Hij dacht dat hij een Vierspan zag
    Op 't kussen, in galop:
Toen hij opnieuw keek, zag hij dat
    't een Beer was zonder Kop...

Hij dacht een Albatros te zien
    Die om de lamp heen vloog:
Maar toen hij beter keek, kreeg hij
    Een Postzegel in 't oog...

* * *

Arme meneer Llewellyn, ik moet de hele tijd aan hem denken. Ik
hoop dat het goed met hem gaat.

* * *

Ik ben mijn stem weer kwijt. Maar deze keer heb ik het gevoel
dat hij nooit meer terugkomt...

Later meer. Raad eens wie er net binnenkomt. Nile uit Neptune. ▓ Hij komt mijn kant op met een fles & twee wijnglazen die hij op een schaakbord laat balanceren, als een ober...

Het was oudejaarsavond, een avond voor vrolijke, dwaze dingen, dus ik stelde voor een potje te schaken. Uiteraard was ik van plan haar te laten winnen. Siciliaanse opening, maar een beetje slordig. Gaten laten vallen, mocht dat nodig zijn. Ze is nog niet weer de oude, voelt zich nog steeds schuldig over haar dronken aanstellerij – ik zou haar niet graag nog verder de put in helpen, dat arme kind. Vooral niet nu ze haar stem weer kwijt is en zeker weet dat ze hem nooit meer terug zal krijgen.

Ze lag met een van mijn T-shirts aan in bed te schrijven of te tekenen in haar schetsboek met NIET LEZEN VOOR MIJN DOOD erop. Ze sloeg het altijd gauw dicht als ik te dichtbij kwam – zo ook nu. Onder de tekst op de kaft had ze in iets kleinere letters EN OOK DAN VERBODEN VOOR NILE NIGHTINGALE toegevoegd.

Toen ik vroeg of ze kon schaken, sloeg ze het boek weer open en schreef onder een fraaie tekening van een paardenhoofd met blauw potlood: **Kun jij het een beetje?**

Ik zette de kristallen glazen en het Welshe druivensap neer en dacht over die vraag na. Waarom zou ik bescheiden zijn? 'Laat ik het zo zeggen: een schaakprogramma moet verdomd goed zijn om mij te verslaan.' Als kind speelde ik in Baden-Baden snel-schaak, *Blitz*, met mijn vader, in een park, met schaakstukken groter dan ikzelf, en meestal won ik. 'En jij?'

Ze maakte een draaiende handbeweging: *comme ci comme ça.* 'Heb je veel gespeeld?'

Af en toe. Met Grand-maman.

'Ooit gewonnen?'

Tegen het eind, toen ze niet meer... Ze liet me waarschijnlijk winnen.

'Misschien kan ik je wat dingen leren. Een paar trucjes.'

Céleste pakte een flesje Voxangel, een drankje tegen stemverlies dat volgens het etiket bijwerkingen had als verminderde waakzaamheid en verslechterd denkvermogen. Ze hield het aan de hals vast en nam met haar hoofd achterover een slok. **Vast wel.**

Haar opening – eerst de e-pion en daarna een zet met de koning – zou een minder menslievende tegenstander dan ik onmiddellijk een wrede schaterlach hebben ontlokt. Over onorthodox gesproken. Een favoriete opening onder kleuters. 'Tja, ehm, ik weet niet of dit eh... wel zo'n goede strategie is...'

We zien het vanzelf.

'Zoals je wilt.'

Na een stuk of vijftien zetten met begeleidend commentaar, terwijl ik bezig was haar te laten zien hoe je een Siciliaanse verdediging laat overgaan in een door mijzelf bedachte variant, zette ze me mat. Kennelijk een valstrik waar ik in was getrapt terwijl ik me op mijn pedagogische taak concentreerde, iets wat ze van haar grootmoeder had geleerd.

Je hoeft niet expres slecht te spelen. Ik kan wel tegen mijn verlies.

Ik staarde naar de stelling. Zette de stukken weer op en draaide het bord om, zodat Céleste nu met zwart speelde. Schoof mijn e-pion twee velden naar voren. 'Jij bent aan zet.'

Ditmaal hield ik langer stand; ik trommelde met mijn vingers op de rand van het bed, zat koortsachtig met mijn knieën te wippen en dacht over elke zet eindeloos na. Godzijdank waren er geen klokken.

Plotseling deed Céleste een onbesuisde zet waardoor haar dame ongedekt kwam te staan. 'Let op je dame,' waarschuwde ik, want zo wilde ik niet winnen.

Ik keek toe terwijl ze nog een slok uit het flesje nam en vervolgens **Jij bent** schreef.

Goed, je kunt het krijgen zoals je het hebben wilt. '*En garde*.'
Ik gaf familieschaak met mijn paard. 'Schaak.'

Ze verzette haar koning. Ik nam haastig haar dame met mijn paard, met een woeste beweging, zodat het stuk over het bord vloog. Zij nam het paard met haar loper en zette me tegelijk schaak. Ik schoof mijn koning schuin naar voren en zij sloeg mijn toren met haar loper. Hoe kon ik dat over het hoofd hebben gezien? Nou ja, soit, verder met de aanval. Ik schoof mijn dame dreigend naar voren...

Ze negeerde het spierballenvertoon, doldriest naar ik meende, en verzette een onbelangrijke pion. Een wanhoopsdaad? Ik antwoordde ook met een pionzet, die de opmaat moest vormen tot mijn slotoffensief. Ze schoof een andere pion naar voren, waardoor haar andere loper aftrekschaak gaf. Drie zetten later gaf ik op.

We speelden nog zes partijen. Céleste speelde snel en feilloos, meedogenloos oprukkend naar het onontkoombare eindspel – een beetje alsof Garri Kasparov tegen een chimpansee schaakte. Ze liet geen enkele keer een pion tot dame promoveren; ze koos altijd een paard, haar favoriete schaakstuk. Eén keer vroeg ze of de pion niet gewoon mocht blijven staan, aangezien ze al twee paarden had. Als ze niet aan zet was, bestudeerde ze de stelling niet, maar droedelde ze in haar schetsboek.

Ik ving in een flits dingen op als:

Of dit:

In een duidelijke poging me af te leiden at ze slierten drop, met haar hoofd achterover als een degenslikker. Ze floot ook 'Auld Lang Syne', met paarse lippen van het druivensap, en stelde irrelevante vragen.

Welk nuttig vogeltje heeft een onsympathieke naam?

'Geen idee.'

Ossenpikker.

'Ik probeer me te concentreren.'

In welke film wordt een stel verliefd tijdens het schaken?

'Ik geef het op.'

The Lodger van Hitchcock.

'Jij bent aan zet.'

Wist je dat Hitchcock geen navel had?

Ik schudde mijn hoofd.

Die werd weggehaald toen ze hem dichtnaaiden na een operatie.

'Ik probeer me te concentreren.'

In welke film schaakt een man tegen de duivel?

'Céleste...'

Het zevende zegel van Bergman.

'Dat wist ik.'

Hoe is dat boek dat je leest?

'Welk boek?'

Dat geen omslag meer heeft. Strong Winds.

'Er zit een luchtje aan.'

Ze fianchetteerde haar zwarte loper en schreef op: Mat in 2 zetten. Gelukkig nieuwjaar.

Ik schonk verbijsterd de glazen nog eens vol sap. En zette de stukken op voor een nieuwe partij. Terwijl ik zat te broeden op een ingewikkelde opening, een variant op het Nimzo-Indisch, dommelde Céleste in.

Ik trok een wollen deken over haar heen en zag in een flits dat haar schetsboek open lag bij een tekening die een halve pagina in beslag nam:

Oké, ik geef het toe. De vijftienjarige Céleste Jonquères is slimmer en sneller dan de vierenveertigjarige Nile Nightingale. Slimmer en sneller dan alle computers waartegen ik ooit heb gespeeld. Ze zou tegen God kunnen spelen, hem een loper voorgeven en toch nog winnen. Volgende keer gaan we kaarten.

XXII

Vrouwen zijn door hun aard geen uitzonderlijke schakers: het zijn geen vechters.
  Garri Kasparov

Ik zal je een geheimpje verklappen dat ik nog nooit aan iemand heb verteld (behalve aan Nile): ik ben eerder een papegaai dan een uil. Zo slim ben ik echt niet. Ik lees alleen boeken van slimme mensen, en ik heb een goed geheugen. Alles wat ik verder weet, of bijna alles, heb ik van mijn grootmoeder.

Ik had Nile gisteravond moeten vertellen dat ze Canada twee keer bij een internationaal schaaktoernooi heeft vertegenwoordigd: in Nice in 1974 en in Praag in '76. Ze heeft beide keren verloren, maar ze was wel grootmeester.

✲ ✲ ✲

Ik denk erover postzegels te gaan verzamelen. Na het schaken heeft Nile me een schitterende serie schaakpostzegels uit Afghanistan laten zien. Ik had ze al gezien, omdat ik altijd aan het rondsnuffelen ben. Toen ik zei dat ik ze prachtig vond, zei hij dat ik ze wel mocht hebben. En dat ik zijn hele verzameling mocht hebben als ik wilde! Ik zei nee. Maar dat was gewoon uit beleefdheid & ik denk trouwens dat het een grapje van hem was.

Hij zei dat er in de verzameling van zijn grootvader (die nu van hem is) een waardevolle Canadese zegel zit, de zwarte van 12 pence uit 1851, en een waardevolle Australische zegel, de omgekeerde zwaan uit 1855. De ene is 125.000 dollar waard en de andere 85.000. Maar hij is niet van plan er een van te verkopen.

Hij zei ook dat er in 2040 geen postzegels meer in omloop zullen zijn. Of kranten of boeken. 'Dat zal ik niet meer meemaken,' zei hij, 'maar jij wel.' Dat laatste ziet-ie verkeerd.

Over postzegels gesproken, we hebben vandaag weer een 'postzegelfilm' gezien, uit een serie van 10 dvd's van een Poolse regisseur, Kieslowski, waar ik nogal sceptisch tegenover stond omdat ze op de 10 geboden zijn gebaseerd. De 9e gaat over twee broers die de postzegelverzameling van hun vader erven. Een geweldige film en niet eens echt gebaseerd op het 9e gebod, maar het grappige is dat er DEZELFDE plotwending in zit als in Charade: een naïeve jongen ruilt 3 waardevolle zegels voor een hele lading waardeloze...

Weer liet Nile na afloop het beeld stilstaan bij de zegels, maar deze keer luisterde ik niet. Toen ik de beelden terug zag spoelen dacht ik dat het wel leuk zou zijn als je in het echte leven ook een terugspoelknop had. Ik stelde me voor dat mijn lichaam weer uit de Bogs omhoog vloog, dat de Exit Bag van oma's hoofd af kwam, dat die beer niet omlaag maar omhoog werd getakeld, dat Bazinets kogels weer zijn geweer in schoten, dat Déry van me af sprong, dat hij me ontpenetreerde.

Dat laatste heb ik nooit tegen iemand gezegd, zelfs niet tegen oma. Waarom niet? Omdat Déry zei dat hij en zijn zonen Grand-maman zouden vermoorden als ik ooit aan iemand vertelde wat er gebeurd was voordat ik dat potlood in zijn nek stak. En dat ik dan op een groepsverkrachting kon rekenen.

'Interessant,' zei ik tegen Nile, die wel wist dat ik er niets van had gevolgd.

✳ ✳ ✳

Nile & ik hadden het vandaag over zelfmoord. Hij begon erover, waarschijnlijk omdat ik er al eerder over begonnen was. Hij zei dat er elke dag wel een soort zelfmoord plaatsvindt. Dat er massa's botsingen op de snelweg zijn waarbij het lijkt alsof niemand op de rem heeft getrapt, alsof de slachtoffers op de een of andere manier hadden besloten dat ze dood wilden. En dat er mensen door een trein zijn overreden terwijl ze tijd zat hadden om weg te komen, maar gewoon op de rails bleven zitten. Waarom vertelde hij dat allemaal? Omdat het zijn moeder was overkomen? Hij zei dat ze bij een ongeluk is omgekomen, dus ik vroeg of het zo was gegaan, of zij op de spoorweg op de trein stond te wachten. Nee, zei hij, bij haar was het een 'inwendige onthoofding', waarbij de schedel van de ruggengraat wordt gescheiden. Ze werd geramd door een bumperklevende vrachtwagen.

XXIII

Na het schaken, terwijl Céleste sliep, bladerde ik twee boeken door die ik in de studeerkamer had gevonden, het ene over geniale kinderen en het andere over de opvoeding van zulke kinderen. Het laatste, dat *Bring Up Genius!* heette, was geschreven door dr. László Polgár, die beweert dat hij iedere gezonde baby tot een genie kan opvoeden. Om dat te bewijzen hield hij zijn drie dochters thuis van openbare scholen, die hij als middelmatigheidsfabrieken beschouwt, en leidde hij ze persoonlijk op in zijn appartement in Hongarije. Ze zijn inmiddels volwassen en allemaal briljant, en twee van hen zijn schaakgrootmeester, de twee hoogst geklasseerde schaaksters ter wereld.

Het andere boek, *L'Enfant prodige*, was geschreven door dr. Dorothée Jonquères, Célestes grootmoeder. De meeste wonderkinderen hadden volgens haar minstens één briljante (of gestoorde) ouder die vastbesloten was een briljant kind op te voeden. Vaak worden de betreffende kinderen introvert, ofwel extreem verlegen ofwel ronduit mensenschuw. Of mensenhaters. Leonardo da Vinci verachtte zijn medemensen al op jonge leeftijd, noemde ze 'vreetzakken' en 'latrinevullers'. De jonge Nietzsche noemde ze 'prutsers en stuntelaars'. Veel geniale kinderen sterven jong of worden suïcidaal, maar ze lijken niet op de bijziende, eenzame boekenwurmpjes die je in veel verhalen over vroegrijpe kinderen tegenkomt. Maar Céleste is wel degelijk een bijziende, eenzame boekenwurm, bijna alsof ze welbewust een rol speelt, compleet met dat gepraat over jong sterven.

Dit zijn een paar historische voorbeelden die Jonquères noemt:

Caravaggio, die zijn eerste meesterwerken al voor zijn twintigste schilderde, stierf niet bijzonder jong, maar had wel aanpassingsproblemen. In 1600 werd hij ervan beschuldigd een collega in elkaar te hebben geslagen en in 1601 verwondde hij een soldaat. In 1603 werd hij gevangengezet omdat hij opnieuw een collega in elkaar had geslagen en in 1604 werd hij ervan beschuldigd een bord met artisjokken in het gezicht van een herbergier te hebben gegooid. In hetzelfde jaar werd hij gearresteerd omdat hij in Rome schildwachten met stenen had bekogeld. In 1605 werd hij opgepakt wegens verboden wapengebruik, en twee maanden later moest hij Rome ontvluchten omdat hij een man had verwond toen hij zijn geliefde verdedigde. In 1606 doodde Caravaggio een man tijdens een vechtpartij na een ruzie over de stand in een kaatswedstrijd.

Thomas Chatterton begon zijn carrière als dichter op zijn elfde en was al beroemd toen hij twaalf was. Op de avond van 24 augustus 1770 vergiftigde het jonge genie zichzelf met arsenicum, zeventien jaar oud.

Terence Judd debuteerde op twaalfjarige leeftijd als klassiek pianist, begeleid door het London Philharmonic Orchestra. Vlak voor Kerstmis 1979 wierp hij zich, tweeëntwintig jaar oud, van de krijtrotsen bij Beachy Head.

Ian Curtis was in zijn tienerjaren de leider van de muzikaal vernieuwende post-punkband Joy Division. Hij verhing zich op 18 mei 1980 in zijn eigen keuken. Hij was drieëntwintig.

Kurt Cobain, een onvoorstelbaar getalenteerd zanger, gitarist en songwriter, schoot zich op 5 april 1994 door het hoofd. Hij was toen zevenentwintig.

Er raken meer uitblinkers overspannen door al op jonge leeftijd toegelaten te worden tot de universiteit dan door een carrière als olympisch turner, zo lijkt het. Sufiah Salem ontvluchtte in 2000, op haar veertiende, de universiteit van Cambridge na haar derdejaarsexamens. Toen de politie haar na een grootscheepse zoekactie vond, verweet ze haar ouders dat ze haar te veel onder druk zetten; ze maakte haar studie nooit af en werd administratief medewerkster bij een loodgietersbedrijf in Hull. Rita Lafferty studeerde in 1999 op haar dertiende cum laude af in de wiskunde aan de universiteit van Oxford. Ze werkt nu als prostituee in Amsterdam.

Aan het eind van het boek stonden cijfers uit een onderzoek van dr. Catherine Morris Cox, schattingen van de scores die zestien beroemde mannen (geen vrouwen) wier jeugd goed gedocumenteerd was zouden hebben behaald bij een moderne IQ-test:

Drake: 130	Luther: 170
Washington: 140	Kant: 175
Napoleon: 140	Da Vinci: 180
Lincoln: 150	Descartes: 180
Rembrandt: 155	Galilei: 185
Franklin: 160	Voltaire: 190
Mozart: 165	Newton: 190
Johnson: 165	Goethe: 210

Onder Goethe was in een kinderhandschrift dat ik herkende de enige vrouw toegevoegd: **Dorothée Jonquères: 211**

De volgende ochtend werd ik, met het opengeslagen boek nog in mijn armen, met een schok wakker, niet van de schreeuw van een dier of een wegvluchtende holbewoner, maar omdat ik iets naast me voelde dat tegen me aan lag, in het laken gewikkeld als in een lijkwade. Het was niet Moon, want die lag bij mijn voeten te slapen. Ik pelde het laken los.

Het was Céleste, die plat op haar buik op het bed lag. Ze was peilloos diep in slaap en maakte zachte raspende geluidjes. Ze had de turquoise indiaanse ketting om die ik voor haar had gekocht.

Ik keek op naar het licht. De opkomende zon zette de raamsponning in een gouden gloed en kroop daarna lui door het glas naar binnen, waarbij ze een nieuw patroon in de rijplaag brandde. Het leek bijna de omtrek van een gezicht. Nee, wacht – het wás een gezicht. Met een spechtenneus en een kletsnatte piekbaard. De man van de sneeuwploeg! De gordijnen... Hoe had ik kunnen vergeten de gordijnen dicht te doen? Ik sprong uit bed en keek naar buiten. Niets.

Célestes ogen gingen open, maar ze bewoog zich niet. Eén bloedstollend ogenblik lang leek ze dood.

'Ik kon niet slapen,' zei ze zachtjes, en ze knipperde met haar felgroene ogen. Haar stem was half terug, nog erg roestig, maar iets harder dan fluistersterkte.

'Wil je terug naar je eigen bed?'

'Niet echt.'

'Kom maar.' Ik schoof mijn hand zachtjes onder haar en zij sloeg, misschien ouder gewoonte, een arm om mijn hals. Een ogenblik later had ik haar in mijn armen, met deken en al, en droeg ik haar naar haar kamer, waar alle lichten brandden.

Sinds onze verhuizing naar de pastorie liet ik mijn deur 's nachts open voor het geval ze me zou roepen of doodsbenauwd wakker zou worden. Ik had haar aangeraden met haar eigen deur open en de lichten aan te slapen. En gezegd dat ze me een noodsignaal moest sturen als ze bang werd, niet kon slapen, nachtmerries had.

'Wat houdt je 's nachts wakker? De pijn?' Ik legde haar op het bed en ging naast haar zitten.

'Nee. Daar werkt de pethidine goed tegen. Kun je er meer van halen?'

'Waarom kun je dan niet slapen? Ben je bang?'

'Ik kan gewoon niet slapen. Mijn gedachten springen rond als kangoeroes.'

'Waar denk je dan aan?'

'Aan alles. En als ik eindelijk indommel, word ik wakker van nachtmerries. En dan ga ik weer liggen nadenken.'

'Nachtmerries... dat je in het moeras wordt gedumpt?'

Ze krabde slaperig aan haar jeukende wang en neus. 'Nee. Over andere dingen.'

'Zoals?'

'Wat er met oma is gebeurd. De beren in die kooien. Die arme beer die ze omlaag lieten zakken... En Déry. En Gervais met zijn sneeuwploeg – die ik buiten heb gezien, dat was ik bijna vergeten. En ook een rode sportwagen.'

Ik had ze natuurlijk ook gezien, stapvoets rijdend over de weg of de oprijlaan, met gedoofde lichten, maar ik had er met opzet niets over gezegd.

'En dat ik word opengesneden als een vis en leegbloed als een hert, want dat... nee, laat maar.'

Opengesneden als een vis? Leegbloeden als een hert? Haar nachtmerries zijn net zo erg als de mijne. 'Heb je het over... wat je die nacht is aangedaan? Die snijwonden?'

Ze schudde haar hoofd. 'Wat voor nachtmerries heb jij?'

'Ik? Waarom denk je dat ik nachtmerries heb?'

'Je schreeuwt 's nachts dingen.'

'Wat voor dingen?'

'Een soort... gegrom.'

'Holbewonersgegrom, ongearticuleerde kreten?'

Céleste glimlachte. 'Ja.'

'Ik praat met mijn verre voorouders.' Volgens glottochronologen is er een handjevol moderne woorden die de jager-verzamelaars van 20.000 jaar geleden zouden hebben verstaan. In totaal zeven, en die schijn ik in mijn dromen eindeloos te herhalen: *ik, wie, wij, gij, twee, drie* en *vijf*.

'Soms ook echte woorden,' zei Céleste. 'Die je steeds herhaalt.'

Zo blijven de gesprekken nogal beperkt. 'Ik heb twee nachtmerries, met variaties. In het ene scenario worden mijn vrouw en kind en ik achternagezeten door dieren – meestal prehistorische, maar soms ook fantasiebeesten. De achtervolging eindigt binnen een omheinde ruimte, een rechthoek of vierkant. En uiteindelijk zitten we altijd in de val, we kunnen geen kant meer op. En dan weet ik dat ik doodga. Alleen ik, mijn vrouw en kind niet.'

Toen ik dat aan mijn vader vertelde, zei hij dat dat niets was om je zorgen over te maken. Gewoon nare dromen, die heeft iedereen. Maar toen ik hem vertelde dat ik dezelfde soort visioenen had als ik wakker was, maakte hij die afspraak met dokter Neefe in Frankfurt. 'Die dieren die u ziet, zijn echo- of nabeelden,' legde de dokter uit, ditmaal in het Duits. 'Neurale sporen, resten van een visueel gefixeerde stimulus. De sterkte van het nabeeld en de snelheid waarmee het verdwijnt ,verschillen enorm per individu. Bij mensen die veldafhankelijk zijn – die de neiging hebben hun gezichtsveld in zijn totaliteit te overzien – is het nabeeldeffect zwakker. Bij veldonafhankelijke personen – mensen zoals u, meneer Nightingale, die hun aandacht selectief concentreren op een specifieke stimulus, los van de context – zijn de waarnemingsecho's sterker. En dat effect kan nog worden versterkt door het gebruik, in heden of verleden, van psychotrope middelen.' De postzegels die ik als kind eindeloos had zitten bestuderen – de prehistorische, mythologische en cryptozoölogische beesten waarin ik gespecialiseerd was – waren dus teruggekeerd om me te kwellen. 'Klopt het dat alles wat ooit is gezien voorgoed in de geest opgeslagen blijft, dokter Neefe?' De dokter legde zijn vingers in een omgekeerde V-vorm tegen elkaar en glimlachte. '*Ja, in Theorie.*'

'Ik snap het helemaal,' zei Céleste.

'Dat betwijfel ik toch een beetje.'

'Oude beelden van postzegels, toch? Die je hebt gezien toen je klein was? Een soort flashbacks, misschien opgeroepen door drugs?'

Ik dacht dat ik er ondertussen wel aan gewend was, aan die ongelooflijke vroegrijpheid van haar, maar blijkbaar niet dus. Ik zat haar een paar seconden aan te gapen. '*Eine kluge Analyse, Frau Doktor.*'

'Ik spreek geen Duits, maar ik neem aan dat ik gelijk heb?'

'Wist je dat omdat jij ook waanvoorstellingen hebt?'

'Ik heb geen waanvoorstellingen.'

'Jawel.'

'Nietes.'

'Je verkeert in de ontkenningsfase.'

'Niet.'

'Dat bedoel ik dus.'

Zucht. 'Oké, wat voor soort wanen heb ik dan?'

'BDD. Body Dysmorphic Disorder. In de wandeling ook wel "lelijkheidscomplex" genoemd.'

Céleste dacht daar even over na. 'Jij lijdt dus aan waanvoorstellingen. Wat is je tweede droom?'

'Die is heel kort, heel simpel, maar hij wordt steeds opnieuw afgespeeld, alsof hij op REPEAT staat. Er ligt een grote metalen lepel in een witte gootsteen. Ik draai de kraan open, de waterstraal komt precies op de lepel en spuit in mijn gezicht.'

Céleste glimlachte, lachte bijna echt. 'Maar dat heb ik je in het echt zien doen! Heel vaak!'

'Het is mijn noodlot, ik kan er niet aan ontsnappen.'

Nu schaterde ze het uit. Een diepe buiklach. Aha, dacht ik, nu snap ik het. Geen woordspelingen – slapstick, dáár krijg je a-gelasten plat mee. Daar worden ze gelastisch van.

'Hoe kwam je ertoe prehistorische dieren te kiezen?' vroeg ze met haar hand voor haar mond. 'Ik bedoel, als postzegel- eh... hoe heet het... -specialiteit?' Ze begon te hoesten, zoals je op school doet om te camoufleren dat je lacht, en gebaarde naar het glas water op haar nachtkastje. 'Sorry. Ga door.'

'Het is verreweg het populairste thema bij kinderen. Met afstand. Althans bij jongens. Het zou je verbazen hoe...'

Weer een salvo. Ze lachte tot het water uit haar neus kwam. 'Sorry, Nile, sorry, ik... Ik ben niet gewend... Zou je me die even kunnen aangeven?' Ze knikte naar een doos tissues op haar bureau. 'Dank je. Ga door.'

'Waar was ik gebleven?'

Ze snoot haar neus. 'Het zou je verbazen hoe...'

'Hoeveel landen dinosaurussen op hun postzegels zetten.'

'Omdat ze weten dat kinderen, of hun ouders, ze dan kopen?' Ze veegde een lachtraan uit haar oog, deed haar best zich weer te beheersen.

'Precies. Daarna kwamen de mythologische dieren, en daarna de uitgestorven soorten.'

'Niet de bedreigde?'

'Daar zou ik een heel groot album voor nodig hebben. Wel een kilometer breed.'

'En op die manier heb je veel geld verdiend?'

'Nee. Ik kocht die zegels alleen maar, ik verkocht ze nooit.'

'Hoe kwam je dan aan je geld?'

'Hoofdzakelijk met vervalsingen.'

'Was je vervalser? Ik wíst dat je een crimineel was!'

'Ik vervalste ze niet zelf, ik kocht vervalsingen – van beroemde zegels, meestal voor een belachelijk lage prijs. En die verkocht ik dan later voor een veel hoger bedrag.'

'Je verkocht ze als originele zegels, bedoel je?'

'Nee, als vervalsingen.'

'Ho, wacht even. Wát zeg je nou?'

'Ik kocht de zegels van mensen die ze als originelen aanprezen. Dan zei ik dat ik wist dat het vervalsingen waren, maar dat ik hen niet zou aangeven als ik ze van hen mocht overnemen. Zodoende kreeg ik ze meestal bijna voor niks.'

'Ik snap het nog steeds niet. Hoe kun je...'

'Omdat vervalsingen zelf ook een verzamelobject zijn geworden. Sommige zijn meer waard dan de originelen. Als ze afkomstig zijn van meesters als Jean de Sperati, die in Italië en Frankrijk werkte, of Raoul de Thuin in Mexico. Ik had een aardige collectie. En rijke verzamelaars waren daarin geïnteresseerd.'

'Wat briljant, wat... duivels! Wat vond je vader daarvan? Vond hij het goed?'

'Nee, helemaal niet. Tenminste, eerst niet. Hij veranderde van gedachten toen zijn advocaat hem een artikel uit de *Star-Ledger* stuurde. En uit de *New York Times*. Over een van de veilingen.'

'Heb jij in de *New York Times* gestaan? Goh, ik had geen idee dat postzegels verzamelen... weleens de krant haalde. Ik dacht dat het meer een hobby voor zielige losers was. Mánnelijke losers. Waar ging dat artikel over?'

'Niet over mij. Het ging over misdrukken, typografische fouten op zegels – dat is ook een specialiteit van me. Ik werd genoemd omdat ik een omgekeerd vliegtuig aan de neef van Bill Gates had verkocht, of aan zijn aangetrouwde neef, daar ben ik nooit achter gekomen. Voor een bedrag van zes cijfers.'

'Wat had je ervoor betaald?'

'Vijf cijfers.'

'Dief! Kapitalistische boef!'

'Dat zei mijn moeder ook. Dat ik precies haar vader was.'

'Dus zij vond het ook onbehoorlijk...'

'Nee, zij is me altijd blijven steunen. Zij was degene die me het eerste zetje gaf, van wie ik mijn eerste album kreeg. En toen ze merkte dat ik echt geïnteresseerd was, deed ze me de verzameling van haar vader cadeau. Een van de mooiste verzamelingen van de Franse koloniën ter wereld.'

'Is dat wat je in die rugzak bij je hebt?'

'Nee, nee, de hele boel ligt... in een kluis. Ik heb alleen het album bij me dat ik van mijn moeder heb gekregen.'

Céleste knikte. 'Waarom juist dat album?'

Omdat het een tastbaar aandenken is, omdat die postzegels me stuk voor stuk terugvoeren naar een tijd dat ik gelukkig was. 'Een opwelling.'

'Maar waarom zou je postzegels naar Quebec meenemen als je niet... ik bedoel, wat betekenen postzegels precies voor je?'

Wat ze voor me betékenen? Geannuleerde reizen. De neerslag van een voorbij moment, een voorbije transactie, letterlijk bevroren in de tijd. 'Ik denk er niet zoveel meer aan. Dat is nu allemaal verleden tijd.'

'Maar waarom heb je dan toch dat ene album meegenomen?'

Ik heb een keer gelezen dat verzamelaars tastbare objecten aanschaffen als substituut voor wat ze op geestelijk gebied missen. 'Dat heb je al gevraagd.'

'En toen gaf je een ontwijkend antwoord.'

'Ik heb dat album meegenomen om... om het nog een keer te proberen.'

'Wat?'

Gelukkig zijn. 'Jaren geleden raadde mijn therapeut me aan een hobby te nemen – dat zou me helpen om niet weer te gaan drinken, niet gek te worden. Daarom dus. Om dat nog een keer te proberen.'

'Dus je verzamelt en handelt niet meer? Je bent op een dag gewoon... gestopt?'

'Na de dood van mijn moeder ben ik zo ongeveer met alles gestopt.' En sindsdien sta ik permanent met één been in het hiernamaals. Men zegt dat de moeder degene is die tussen de zoon en de dood in staat.

'Behalve met alcohol,' zei ze.

Ik overwoog een eind aan het verhoor te maken, maar eigenlijk vond ik haar vragen niet erg. Céleste vroeg me dingen die bijna niemand me eerder had gevraagd. 'Yep.'

'Wat was het voor iemand? Je moeder. Was ze Amerikaanse?'

Ze was een mooie Française, die alcoholiste werd om het leven met een workaholic aan te kunnen. 'Nee, Française. Ze was eh... mooi. En aardig en liefdevol. En een beetje getikt.' Een familietrekje.

'En je vriendin? Hoe was zij? Leek ze op je moeder?'

'Nee, totaal niet.'

'Hoe was ze dan?'

'Française. Mooi. En een beetje getikt.'

Céleste glimlachte. 'Maar niet aardig en liefdevol.'

'Nee.'

'En je vader? Was hij een goed mens?'

Ik keek naar het plafond om te zien of daar misschien geschreven stond wat voor vader ik had gehad. Zijn doel in het leven was zichzelf keer op keer te onderscheiden en zijn zoon in vergetelheid te laten wegzinken, zo leek het. Wat in beide gevallen terecht was. 'Hij was een goed mens, zeker. Absoluut. Zijn doel in het leven was... nou ja, hoogstaand. Hij heeft allerlei onderscheidingen gekregen.'

'Wat deed hij na zijn pensioen? Bleef hij actief?'

Hij raakte verslaafd aan de glitter en glamour van liefdadig-
heidsveilingen en galabals, leek het wel. 'Ja, het was een werk-
paard, hij wist van geen ophouden. Hij wierf fondsen voor kinderkankerklinieken, voor zieke kinderen in New Jersey, Manhattan, de andere wijken van New York, Long Island, Westchester.
Dat soort dingen.'

'Kinderkankerklinieken? Daar houden ze alleen maar baby's
in leven zodat ze hun kapotte genen kunnen doorgeven. Omgekeerd darwinisme.'

Was dat weer napraterij, de mening van haar grootmoeder?

'En was hij goed voor jou?' vroeg ze.

'Natuurlijk.' Tel tot tien. 'En jij? Was je grootmoeder goed
voor je?'

'Natuurlijk.'

'Was ze niet te streng, pushte ze je niet te veel?'

'Daarom kun je nog wel van iemand houden. Venus en Serena
Williams houden ook nog steeds van hun vader. Denk ik.'

Die avond toen ik rustig in de woonkamer zat, in een grote grijze
leunstoel zonder vering, begon het te sneeuwen. Moon lag languit op mijn schoot te ronken. Mijn paperback zonder omslag lag
opengeslagen boven op haar.

Céleste zat samen met twee of drie katten op zolder, in een
schuilplaats onder het mansardedak die zelfs een heel team van
inspecteurs nooit zou kunnen vinden. Hij was alleen via een
gangkast te bereiken; je moest gebukt onder kleren door, door
een deurtje in een stapelmuur en vervolgens een donkere trap op.
Ze had de ruimte zelf opgeknapt: witte vloerbedekking, behang
met hyacinten en kolibries, een antieke rieten stoel en een hobbelpaard met een zwabber als manen en één knikkeroog. Achter
een van de muren bevond zich, verpakt in roze isolatiemateriaal,
een geheime bergplaats met documenten: foto's, video's, dvd's
en rechtbankdocumenten, allemaal over de stropersbende van

Bazinet. En ook Gervais' laarzen en rubberhandschoenen. Céleste had een vastgespijkerd wandpaneel losgewrikt en me alles laten zien. Waarom? 'Voor het geval mij iets overkomt,' legde ze uit.

'Ben je niet bang dat ze de hele boel hier in brand steken?'

'Jawel.'

Ondanks de ijskoude luchtstromen stak Céleste haar telescoop uit het zolderraam en tuurde er urenlang doorheen, tekende sterrenbeelden in haar schetsboek of speurde naar Apophis, de eerstvolgende planetoïde die volgens de berekeningen op de aarde zou botsen.

Ik voelde me goed in mijn nieuwe huis, mijn kasteel in het moeras. Het was kerstvakantie en ik wilde achteroverleunen en me koesteren in de vrede op aarde en het welbehagen. Of gaan liggen, mijn ogen dichtdoen en pas ver in het nieuwe jaar wakker worden. Vergeten dat er in mijn hoofd een oorlog woedde, dat de tijd wegtikte, dat de toekomst als een dreigende klip voor me opdoemde. De politie zou weldra hier zijn met vragen over een vermist meisje, een vermiste boswachter of mijn imitatie van een vermiste boswachter. De kinderbescherming, of hoe dat hier ook maar heet, zou ook aankloppen, evenals een zekere Alcide Bazinet...

Ik legde mijn hand zachtjes op Moons zij, voelde haar ademhaling en hoorde toen een zacht keelschrapen, gevolgd door een gespin dat klonk als een motor in de verte. Katten kunnen volgens Céleste meer dan honderd geluiden produceren, honden maar tien.

Uit de Telefunken boven klonk een kerstlied, gezongen door een jongenskoor met hemelse stemmetjes:

'Twas in the moon of wintertime when all the birds had fled
That mighty Gitchi Manitou sent angel choirs instead;
Before their light the stars grew dim
And wandering hunters heard the hymn...

Het was 'The Huron Carol', die ik sinds mijn kindertijd niet meer had gehoord, sinds... Ik leunde met mijn hoofd achterover en luisterde. Beelden van een school in Frankrijk, een bakstenen gevangenis op zeshonderd kilometer van de Seine, rond '74...

'Wat een hemels lied! Het is geschreven door Jean de Brébeuf, de beschermheilige van Canada, zoals u allen weet. Wat u misschien niet weet, is dat Brébeuf vlak bij Midland, Ontario, begraven ligt, in de Martyr's Shrine. Hij werd doodgemarteld, het is een gruwelijk verhaal: hij werd gestenigd en toegetakeld met messen, kreeg een kraag van gloeiend hete strijdbijlen en een doop met kokend water, en werd uiteindelijk op de brandstapel gezet. Omdat hij zo dapper was en niet liet merken dat hij pijn had, werd zijn hart door de Irokezen opgegeten. Goed. Het volgende lied, het laatste kerstlied van vanavond, is aangevraagd door...'

De woorden van de presentator ontketenden een hele cascade van beelden in mijn hoofd – van rode messen, bijlen en harten – zodat het volgende lied pas tot me doordrong toen het al voor de helft voorbij was. Ook dit lied werd door een jongenskoor gezongen, misschien wel dezelfde cherubijntjes, en het voerde me terug in de tijd, ditmaal naar de 'Nine Lessons and Carols' in de kapel van King's College:

...But with the woes of sin and strife
The world has suffered long;
Beneath the angel strain have rolled
Two thousands years of wrong;
And man, at war with man, hears not
The love song which they bring;
O hush the noise, ye men of strife,
And hear the angels sing...

'It Came upon a Midnight Clear'. Ruw onderbroken door de telefoon in de keuken. Moon tilde loom haar kop op en opende twee ogen als nat glanzende centen. Ik liet de bel minstens twintig keer overgaan voordat ik me ontdeed van kat en boek.

Een agressieve bariton ratelde een tekst af. 'Hierbij ontvangt u, zonder enige expliciete of impliciete verplichting, de beste wensen voor een maatschappelijk verantwoorde, niet-verslavende en milieuvriendelijke viering van de winterse zonnewende zoals gebruikelijk binnen de tradities van de religieuze overtuiging die u bent toegedaan, maar met respect voor de religieuze of seculiere overtuigingen en/of tradities van anderen, respectievelijk hun keuze om geen religieuze of seculiere tradities in acht te nemen, en voorts voor een fiscaal succesvol en persoonlijk bevredigend nieuwjaar zonder onaangename medische verrassingen, zijnde het algemeen gebruikelijke kalenderjaar, inclusief de christelijke kalender, maar niet uitsluitend beperkt tot deze en niet zonder het verschuldigde respect voor de kalenders van andere culturen. Bovengenoemde wensen geworden u zonder aanzien van ras, gezindte, huidskleur, leeftijd, lichamelijke vermogens, geloofsovertuiging of seksuele geaardheid van de ontvanger.'

Die formuleringen, die Volpe tijdens zijn rechtenstudie had geleerd, debiteerde hij elk jaar als het toppunt van geestigheid. 'Insgelijks.'

'Vernikkel je daar niet van de kou? Hebben ze in Quebec centrale verwarming?'

Ik spitste mijn oren even om te horen wat er uit zijn radio klonk: 'Jingle Bell Rock' van Bobby Helms.

'Nee, nog niet,' antwoordde ik. 'Gisteren was het zo koud dat ik een advocaat zag met zijn handen in zijn eigen zakken.'

Vijf tellen stilte. 'Vinden ze dat soort flauwekul in Canada geestig? Dat was misschien wel de slechtste advocatenmop die ik ooit heb gehoord.'

'Ja, het is... mijn hoofd staat eigenlijk niet...'

'Ik heb goed nieuws voor je.'

'Mijn ex trekt alle aanklachten in.'

'Eh, nee. Zó goed niet. Maar toch goed. Zet je schrap.'

'Doe ik al.'

'De Franse schrijver en uitgever zien af van een rechtszaak.'

Het mocht wat. 'En waarom?'

'Heb je het dan nog niet gehoord?'

Ik had wel een vermoeden. Het boek was slecht genoeg, smakeloos genoeg, om in stapels naast supermarktkassa's te liggen. 'Ik heb het boek bij de Walmart zien liggen.'

'*Een vakantie om een moord voor te doen* staat nummer zes op de bestsellerlijst van de *New York Times*! Doubleday heeft de rechten voor de pocketeditie gekocht. Doubleday! En een van de gebroeders Coen heeft geïnformeerd naar de filmrechten. Jij kreeg toch een percentage van de opbrengst?'

'Ja.'

'Hoeveel?'

'Vijftien procent in de vs en twintig voor de rest van de wereld.'

'Nile, ouwe rukker, je bent geniaal. Stuur me het contract maar. Ik zorg wel dat je krijgt wat je toekomt. Tot de laatste cent.' Zijn stem was opeens moeilijk verstaanbaar door abrupte ruisende en schurende geluiden, alsof hij de hoorn tussen zijn hoofd en zijn schouder had geklemd.

'Wat zei je als laatste?' vroeg ik.

'Dat ik zal zorgen dat je krijgt wat je toekomt, tot de laatste cent.'

'Nee, daarvoor.'

'Stuur me het contract maar.'

'Nee, dáárvoor.'

'Nile, ouwe rukker, je bent geniaal.'

'Zeg dat nog eens.'

'Je bent geniaal. Zo vader, zo zoon. Man, wat schepte hij altijd over je op. En wat hield hij van je.'

Ik hield op met rondjes lopen om de vuilnisbak, viel één, twee, drie hartslagen stil. 'Wát deed hij?'

'Ik krijg een ander telefoontje.'

Deel III - Na Kerstmis

Fails my heart, I know not how,
I can go no longer...
uit 'Good King Wenceslas'

XXIV

De dagen na nieuwjaar zijn voor mij altijd een nare, sombere tijd geweest, dus het verwonderde me niet dat er hier in de bossen van Quebec op Driekoningen nare, sombere dingen begonnen te gebeuren.

Het begon op een stille nacht met luid motorgeraas uit de richting van het kerkhof. Ik keek uit het raam van Célestes grootmoeder. Een contingent zware sneeuwmobielen, vijf op een rij, allemaal glimmend zwart, met draaiende motor. Een voor een, als bij een militaire parade, maakten ze zich los uit de formatie en reden bulderend over het kerkhof, waarbij sneeuw, lawaai en dieseldampen door de lucht stoven, en reden achter elkaar tussen de grafstenen door. De laatste, met twee berijders en het logo van de provincie op de zijkant, sleepte iets wits achter zich aan wat door de sneeuw moeilijk te onderscheiden was, iets wat niet groter was dan een hoed.

Twee van de sneeuwmobielen kwamen uit de rij en zoemden om de vijver heen, in tegenovergestelde richting, zo te zien op weg naar een frontale botsing. Maar helaas. Ze remden en stopten een paar meter van elkaar, draaiden toen abrupt om en accelereerden over de vijver weer terug naar hun kameraden. Dat verbaasde me. Het moeras en de vijver waren bevroren, maar hóé bevroren? Konden ze al dat gewicht houden? Blijkbaar wel.

Na een tijdje hielden de feestgangers hun steeplechase voor gezien en vormden ze een cirkel van vijf. Ik hoopte dat ze van plan waren terug te gaan naar de plek waar ze vandaan kwamen, maar ze zetten hun motoren uit en stegen af. De korte stilte werd gevolgd door muziek, als je het tenminste zo kunt noemen: topzware Quebec-gothic. Zit er ook een stereo op een sneeuwmobiel? Al snel werd de hemel verlicht door een vreugdevuur.

Met mijn Russische nachtkijker uit de legerdump probeerde ik te zien wat ze achter zich aan hadden gesleept. Het eerste wat ik zag was een zilverkleurige gettoblaster met grote batterijen, en het tweede een man met een witte ijsmuts, zo'n zes meter daarachter. Bij een grafsteen liet hij onder luid gelach en applaus van zijn vrienden zijn broek zakken en besproeide een engel met urine. Toen klonk het geluid van een motorkettingzaag. Ik had mijn nachtkijker niet nodig om te zien wat de man wilde omzagen: een zeldzame weymouthden die ouder was dan zijn grootouders.

'Céleste! Céleste!'

Haar deur ging open. 'Ik zie ze,' zei ze kalm.

'Ga naar zolder. Nu. En blijf daar. Neem het pistool en de taser mee.'

'Waar ga je naartoe? Wat ga je doen?'

'Dat weet ik nog niet.'

'Niet doen, Nile. Dat willen ze juist. Als je naar buiten gaat, vermoorden ze je en dan zeggen ze later dat het een jachtongeluk was.'

Ik denderde met vier treden tegelijk de trap af en pakte de telefoon. Draaide 112 en hing op. Dat was het alarmnummer in Frankrijk. Mijn hoofd wilde niet. Ik draaide 911, maar er was geen kiestoon. Telefoonkabels doorgesneden? Ik rende weer naar boven, naar mijn kleerkast, en pakte een zeker kledingstuk van het hangertje. Aarzelde. Trok het aan. Zou ik ook het geweer meenemen? Ik weet niet eens hoe het werkt. Ik pakte het geweer. En een lamp.

Weer naar beneden, naar de keuken, hyperventilerend. Ik bleef even staan om tot mezelf te komen, telde langzaam tot elf. Nam twee flinke slokken kerstabsint.

'Zet die muziek uit!' schreeuwde ik in het Engels. Toen in het Frans, twee, drie keer. Er gebeurde niets. 'Nú!' Ik richtte de Winchester op de man bij de gettoblaster. 'Ik zei: zet die muziek uit!' Ik scheen in zijn ogen. Het was een Aziaat, misschien een Chinees, met een vlassig, vierkant baardje, achterovergekamd brillantinehaar en een gezicht als een aardappel die te lang in de grond heeft gezeten. 难看, dacht ik, *nánkàn*, ongunstig, letterlijk onaangenaam voor het oog. '*Guān bì yīn lè!*' probeerde ik. Hij zette de muziek uit.

Met het geweer met de loop omlaag over mijn schouder, in een poging over te komen als een echte houtvester, beende ik op de bomenmoordenaar af. De anderen, met hun helm nog op, grinnikten, joelden en dansten om het vuur heen, en ik vroeg me af of er ergens onder in hun brein een herinnering voortleefde aan tienduizend jaar oude rituelen, of ik hier getuige was van genetische regressie.

Ik stapte door de poedersneeuw; mijn parka maakte kleine knisperende geluidjes als een speeltje dat op batterijen loopt. Van een afstand van een meter of twee richtte ik de lamp op het hoofd van de houthakker. Ik zag alleen roestvrij staal en een witte ijsmuts. 'Zet uit! Nu! Leg dat ding op de grond!'

De man zwaaide met de zaag, die hij voor de goede orde eens flink liet gieren. Hij had me niet verstaan of hij had geen zin om hem neer te leggen. Maar daar vroeg ik niet naar. Ik pakte mijn geweer bij de loop en zwaaide ermee als met een honkbalknuppel, stapte instinctief vooruit, draaide mijn heupen en schouders, strekte mijn armen en zwaaide het geweer door de *strike zone*. Zoals ik van mijn oom had geleerd.

Hij hief de brullende zaag omhoog om zich te beschermen, en er spatten vonken op bij het contact van metaal met metaal. De zaag ketste tegen hem aan en hij brulde het uit en greep naar zijn onderarm. Ik sloeg nog een keer, ditmaal opwaarts, en raakte hem vol onder de kaak. Zijn hoofd knakte naar achteren, zijn ijsmuts vloog af en bleef in de takken hangen. Zijn knieën knikten, hij wankelde alsof hij dronken was en viel toen met zijn hoofd naar voren tegen de boom die hij had willen omzagen. De zaag bleef roerloos naast hem in de sneeuw liggen.

Mijn handen tintelden en klopten alsof ik ze in een wespennest had gestoken en het bloed gierde in mijn oren. Ik ademde geen lucht in, maar brandbaar gas: mijn hoofd stond in brand. Ik moest bij die man weg voordat ik iets heel ergs deed. Drie slagen en je bent uit. Ik zag al voor me hoe zijn oog aan de grijzig roze sliert van de oogzenuw uit de kas hing. Ik knipperde met mijn ogen, en toen nog eens, om het beeld te verjagen. Ik zwaaide het geweer weer over mijn schouder en liep naar de anderen toe. Mijn hart bonkte als dat van een renpaard. Het enige wat ik tegen de aanstormende gekte wist te verzinnen was doorlopen, in beweging blijven. De stemmen en beelden laten wegsterven.

Bij het vuur stonden de drie holbewoners naar me te kijken, zonder terug te deinzen, zonder angst. En waarom zouden ze ook bang zijn? Een aanvallende macht moet drie keer zo groot zijn als de verdedigende macht, zei een geschiedenisleraar eens.

'Ik mag hartstikke doodvallen,' zei de langste, 'als dat de Lone Ranger niet is.'

Ik tuurde naar het getinte vizier of ik daar een geitensik zag, maar zelfs toen ik in zijn gezicht scheen wist ik het niet zeker. Maar ik herkende de nasale stem. En de lucht van bier, zweet en dierenbloed die in zijn kleren hing.

'Die homo met zijn Parijse accent, de microgroenten-eter. Ik wíst dat je van de plantjes was zodra ik je zag.' Een varkensachtig geknor ontsnapte hem.

De man naast hem deed niet mee met het blatende gelach dat op die woorden volgde en zei: 'Gervais, je had niks over een houtvester gezegd.' Hij staarde naar mijn parka. Ik scheen in zijn rookglazen vizier. Het was Darche, de ijshockeyer met de Ferrari. Hij droeg een kruisboog en een pijlenkoker over zijn schouder. 'Als dit in de krant komt...'

Uit mijn ooghoek zag ik iets bewegen. De kettingzager kwam op me af, zigzaggend en met zijn gezonde hand om zijn pols. Ik scheen in zijn gezicht. Net als Gervais had hij een vlakke, doodse blik in zijn ogen. Maar die zaten tenminste nog steeds in hun kassen, goddank. Hij was kaal en had een scherpe, gekromde neus. Met zijn felle overbeet leek hij net een bijtschildpad.

Hij spoog een zin uit die ik niet verstond maar die waarschijnlijk de ergst denkbare vloek in het Québécois was, gevolgd door een boog kots die oplichtte boven het vuur. Hij trok zijn motorhandschoen uit, veegde het bloed en het braaksel met zijn blote hand van zijn mond en sloeg zijn hand af in de vlammen. 'Fijn dat je even kwam helpen, Gervais,' sputterde hij. 'Vuile schijtlaars. Ik ben net vrij. Ik ga niet nog een keer de bak in, en ik wil ook geen taakstraf. Wist ik veel dat-ie van de politie was.'

'Doe niet zo zielig,' zei Gervais. 'Jankerd, zeikerd. Ben je soms bang voor een uniform?'

De man drukte een hand tegen zijn kaak en kreunde. 'Het lijkt godverdomme wel of-ie in brand staat.'

Gervais glimlachte en keerde me zijn gezicht toe. 'Je zou oranje moeten dragen, meneer de houtvester. Ecoholist. In dat pak word je nog neergeschoten.'

'Niemand had iets over een houtvester gezegd,' zei Darche. 'Ik dacht dat het een dominee was of zo. Een watje, zei je. We zouden hem alleen een beetje intimidéren. Maar dat is niet echt gelúkt, hè.'

O jawel, dat is heel goed gelukt, dacht ik. Ik ben geïntimideerd – ik ben als de dood. Maar angst en gevaar fascineerden me en ik nam even afstand om ze wat beter te kunnen bekijken.

'Dat is geen houtvester, domme lul,' zei Gervais. 'Hoe vaak moet ik het nog zeggen? Hij zit achter de bisschop aan. En hij beschermt die dikke brilsmurf. De slappe zak. Ik weet wie jij bent, indianenneuker, en je komt niet uit Frankrijk. Je komt uit de States, hè?'

Dat was niet wat ik wilde horen. Hoe kwam hij aan die wijsheid? Van de brilsmurf? Van Earl? Ik zei niets. Ik stak mijn handen diep in de zakken van mijn parka, zodat hij niet zag hoe ze trilden.

'Wat is er, dappere schutter?' vroeg Gervais, die me nauwlettend in de gaten hield. 'Heb je de beverik?'

Ik stak hem kwaad mijn beide handen toe en was opgelucht dat ze helemaal niet trilden, al had ik het gevoel van wel. Woede verjaagt angst.

Gervais zette zijn helm af en veegde het zweet van zijn kop. 'Word je door de FBI gestuurd, klootzak, of ben je een premiejager?'

Ik wachtte totdat de woorden zich uit het slib losmaakten en deed mijn best de betekenis van Gervais' woorden tot me te laten doordringen. Had Bazinet de Amerikaanse wet overtreden? Er vielen me een paar zinnen in uit het boek dat ik had vertaald, *Een vakantie om een moord voor te doen*. 'Het enige wat jij hoeft te weten, slijmbal, is dat ik hem mee terug neem, dood of levend. Zodra hij vrijkomt. En je weet best waarom.'

'Met dat uniform hou je mij niet voor de gek. Want ik weet van wie het is. Voor wie werk je eigenlijk? Voor je eigen?'

Ik wist niet wat ik moest zeggen. De Royal Canadian Mounted Police? Ik schraapte mijn keel en haalde diep adem. 'Mag ik je eraan herinneren dat je voor een sneeuwmobiel op particulier terrein...'

'Dit is openbáár terrein.'

'Mag ik je eraan herinneren dat je voor een sneeuwmobiel op openbaar terrein een registratie en een plaatje moet hebben? En als je ermee de openbare weg op gaat, moet je een rijbewijs en... een veiligheidscertificaat hebben.'

Gervais wuifde mijn rookgordijn lachend weg, maar de Chinees leek wel onder de indruk en begon in het Mandarijn excuses te stamelen. De enige wet die hij overtrad, zei ik tegen hem, was een Chinese wet: je mag niet meer dan drie kleuren tegelijk dragen.

'Voor wie werk je?' viel Gervais me in de rede.

Ik keek even naar de pastorie, naar het zolderraam, en wilde dat Céleste er was om me te souffleren. Dat was een vergissing, een domme beginnersfout. Gervais volgde mijn blik naar het raam, waardoor een nachtkijker naar buiten stak.

'Ik werk voor...' Ik wilde zeggen 'het ministerie van Binnen-landse Zaken', maar hij leek al te weten dat dat niet waar was. 'Het Bureau voor Wereldjustitie,' zei ik. Het bureau voor Wé-reldjustitie?

'Het wát?'

Ik haalde weer diep adem en wist mijn stem in bedwang te houden. 'Afdelingscommandant Faunabeheer.'

'Wat is dat in godsnaam...'

'Dus luister goed, ploegmans. Ik wil jou niet meer in de buurt van deze kerk zien. Niet met je sneeuwploeg en niet met je sneeuwmobiel. Als ik jou of je gore bosvriendjes ook maar in een straal van tien meter van Céleste Jonquères zie, maak ik je af. Je hebt het al eens geprobeerd. En dat was de laatste keer.'

'Waar heb je het godverdomme over? Ik heb haar met geen vinger aangeraakt. Als je denkt dat ík haar die verwondingen heb bezorgd, dan zit je ernaast.'

'Wie heeft het over verwondingen?'

Daar kwam geen antwoord op, althans niets verstaanbaars. Terwijl hij stond te knorren en te snuiven, schoot me nog iets uit het boek te binnen.

'Als je nog één keer in haar buurt komt, kun je de minuten van je leven op de vingers van één hand tellen – en dan hou je nog vingers over. Dus oprotten. Opzouten. Nu.' Ik nam mijn be-bloede geweer van mijn schouder, maar ik laadde niet door of zo, want ik had geen idee hoe dat moest.

Een paar eindeloze seconden lang bleef Gervais roerloos staan. Hij zei niets totdat de Chinees tegen me begon te pra-ten, beleefd, iets over een *wù jiě*, een misverstand. 'Hou je bek, rijstrat!' zei Gervais. Het spuug spatte van zijn lippen.

Zacht grommend en mompelend begon iedereen in navol-ging van Gervais zijn bullen te pakken. Ze startten hun motoren een voor een, staken hun middelvinger op en scheurden weg, een spoor van vuile uitlaatgassen achterlatend. De laatste middelvinger droop van het bloed, maar het gebaar kwam me ineens merkwaardig bekend voor. De eigenaar van die vinger had dat gebaar al twee keer eerder gemaakt, herinnerde ik me opeens, vanuit een gele Hummer.

Zijn dit de moorddadige inteeltproducten, de freelance psychopaten, die Céleste levensgevaarlijk hebben verwond en in het moeras gedumpt? Maar waren er niet víjf sleden? Waar was de vijfde gebleven, waar twee man op zaten?

Ik schopte sneeuw over het vuur heen en liep naar de plaats van de kettingzaagmoord. De schade aan de oude boom was minimaal. Die mongool had niet aan de stam, maar aan een grote tak gezaagd. Een paar meter verderop ontwaarde ik het lange touw dat ik door de nachtkijker had gezien en dat van de sneeuwmobiel was losgesneden. Ik volgde het met mijn schijnwerper totdat ik zag wat eraan vastgebonden zat. Ik sloot mijn ogen. Het was een klein diertje. Met een witte vacht en een rood halsbandje.

Toen ik met Moon tegen mijn borst gedrukt bij de pastorie aankwam, stond de deur wijd open. Ik liep langzaam naar binnen, door de keuken, waar gebroken glas onder mijn laarzen knerpte. Ik legde haar op een deken op de keukentafel.

'Céleste! Alles goed met je? Céleste!'

Geen antwoord. Maar hoe kon dat ook? Ze had geen stem... Ik vloog de trap op, naar haar kamer. 'Céleste!' Ze was er niet. De gang door naar de ongeverfde deur die eruitzag als de deur van een linnenkast. Daardoorheen naar het korte trappetje.

Ik hoorde een motor voor het huis; er werd gas gegeven. Door het zolderraam zag ik een sneeuwmobiel wegscheuren. Met twee berijders. Of waren het er drie? Was dat Céleste die tussen hen in zat?

Weer een geluid, nu uit de richting van grootmoeders studeerkamer. Mijn natte laarzen piepten terwijl ik de zoldertrap af rende en de gang door stoof.

De kamer was helemaal overhoop gehaald en gruwelijk toegetakeld: stoelen en archiefkasten waren omgegooid, boeken van hun bed gelicht en in het rond gesmeten, hun ruggetjes gebroken, schilderijen en lijsten waren kapotgeslagen, de radio, de schrijfmachine en de wereldbol waren ingebeukt. Het was een chaos alsof er een vliegtuig was neergestort. Niets breekbaars was ongebroken, niets scheurbaars ongescheurd – zelfs de vlag van de Canadese anglicaanse Kerk en de foto van Céleste met haar grootmoeder.

Ik vond Céleste op de grond, opgerold tot een bal naast de stenen rand van de haard. Haar ogen waren wijd open, maar de uitdrukking die erin lag had ik nog nooit eerder gezien. Er sprak geen herkenbare menselijke emotie uit. Haar gezicht stond vol radeloze, dierlijke angst. Boven haar, op de schouw, stonden woorden die volgens haar met dierenbloed waren geschreven:

VUILE AMERIKAANSE KINDERNEUKER ROT OP.

XXV

Ik probeerde me groot te houden voor Nile. Maar ik kon de tranen niet tegenhouden, het ging gewoon niet. Het lijkt wel alsof ik tegenwoordig aan één stuk door huil. Dat is echt iets van de laatste tijd. Vroeger huilde ik nooit, zelfs als baby niet.

Nile heeft me geholpen met een grafschrift – de beste stukjes zijn van hem – en hij zegt dat hij het in steen zal laten beitelen.

MOON
2004-2009

Waar ben je nu, mijn kleine meid,
die zo tevreden bij ons woonde,
speelde en in de keuken troonde,
ons leven deelde, al die tijd?
Gisteren sprong je nog op schoot...
Ben je ons werkelijk ontnomen
om nooit meer bij ons terug te komen?
Je graf is klein, de smart is groot.

Waren we maar in het oude Egypte, waar iemand die een kat doodmaakte de doodstraf kreeg...

Nile zei dat hij nooit een kat zoals Moon had gekend en dat hij heel verdrietig was. Na de begrafenis sloeg het verdriet om in woede. Hij was witheet. Ik zag het aan zijn ogen. En hij was niet eens dronken. Was de pin eindelijk uit de granaat getrokken?

W e begroeven Moon de volgende ochtend. Céleste had de halve nacht gehuild en was de andere helft bezig geweest een grafschrift te componeren. Zelf was ik de hele nacht furieus bezig de studeerkamer weer netjes te maken. Toen ik daarmee klaar was, ging ik de keuken opruimen. En daarna begon ik aan de badkamer, waarbij ik de groezelige en uitgeputte man in de spiegel probeerde te negeren, evenals het lawaai en de stank van motoren en kettingzagen in mijn hoofd. We sliepen geen van tweeën ook maar een seconde. Woede – of liever gezegd razernij, een rode verblinding – kan die uitwerking hebben. Gedurende mijn ene uur in bed telde ik mijn weinige zegeningen, en schaapjes op weg naar het slachthuis.

Het is maar een kat, herhaalde ik steeds maar bij mezelf, *het is verdomme maar een kat...* Moreel hoogstaande mensen, zoals ik er vroeger een was, vinden dat iemand die wreed is tegen dieren een gewoon mens is. Geen misdadiger, maar gewoon ziek. Zo iemand hoort geen gevangenisstraf te krijgen, maar een arts of medicijnen om zijn verwrongen neurale stromen weer in goede banen te leiden. Inmiddels vind ik dat mensen die zoiets doen, net als moordenaars en verkrachters, hun lidmaatschap van de menselijke soort hebben verbeurd. Die moeten uit de weg worden geruimd.

Céleste had de indringers niet gezien. Ze stond vanuit het zolderraam naar me te kijken toen ze hoorde dat de achterdeur werd ingeramd. Ze waren met z'n tweeën, zei ze.

'Wie waren het?' vroeg ik.

'Ik heb ze niet gezien.'

'Maar je hebt hun stemmen gehoord.'

Céleste aarzelde.

'Zeg op!' zei ik.

'De Dérys, *père et fils*.'

'Shit. Hebben ze... Wat zochten ze?'

'Mij. En toen ze me niet konden vinden, gingen ze op zoek naar andere dingen.'

'Zoals?'

'Video's. Mijn grootmoeder bewaarde er een paar in haar studeerkamer. Min of meer verstopt.'

'Hebben ze ze gevonden?'

'Een paar, maar ik heb kopieën.'

'Op zolder?'

Ze knikte.

'Oké. Nu is het genoeg geweest.'

Ze keek me doordringend aan. 'Hoe bedoel je? Kap je ermee?'

Ik keek terug en probeerde woorden uit te spreken. *Soms moet je je zonder voorbehoud ergens in storten:* mijn vaders woorden. Ik deed mijn mond open, er kwam een soort iel gekwaak uit.

'Nile? Kap je ermee?'

Ik heb me nog nooit zonder voorbehoud ergens in gestort; ik was een stuitgeboorte, mijn voeten kwamen als eerste ter wereld. Ik werd licht in het hoofd en de kamer begon te draaien.

'Nile?'

Soms moet je je hoofd in de muil van de leeuw steken: dezelfde stem weer. 'Het is tijd.'

'Tijd waarvoor? Om ze aan te geven? De politie te waarschuwen? Tegen ze te zeggen dat ze zich onrechtmatig op grond hebben bevonden die niet eens van ons is? Dat ze een kat hebben vermoord?'

'Om mijn hoofd in de muil van de leeuw te steken.'

Céleste duwde haar bril iets hoger op haar neus. 'Voel je je wel goed?'

'Jagers zoeken altijd het laagste punt op, net als water. Geweld tegen dieren is de weg van de minste weerstand.'

Dat overdacht Céleste drie tellen lang, met half gesloten ogen. 'Zou je dat nog eens willen herhalen?'

'Het is genoeg geweest.'

'Ja, dat zei je al.'

'Het is tijd.'

'Dat zei je ook al. Tijd waarvoor?'

'Om de jacht op de jagers te openen.'

'Om ze op te sporen, bedoel je? En ze af te schieten? We hoeven ze niet op te sporen, ze komen wel naar ons toe. En dat zal niet lang meer duren.'

Ik wachtte tot de kamer ophield met draaien, tot de woorden tot me doordrongen. 'Ik... ik heb tegen Gervais gezegd dat ik hem zou afmaken als hij zich nog eens in de buurt van dit huis vertoonde. Letterlijk. In de zin van zijn leven beëindigen, hem doden, in de zin van het zesde gebod. En ik meende het.'

Céleste nam me met half dichtgeknepen ogen taxerend op, alsof ik een verdachte postzegel was die ze door een vergrootglas bestudeerde. 'Hij komt terug. Maar de volgende keer is hij niet meer degene die de bevelen uitdeelt.'

'O nee? Wie dan wel?'

'Alcide Bazinet.'

Ik vroeg me af waarom ik het had gevraagd. Ik stond op het punt iets anders te vragen, maar ik werd afgeleid door de rimpels in Célestes voorhoofd. Denken was bij haar een zichtbaar proces – de ideeën streken over haar gezicht als wind over een vijver.

'Ik heb een plan,' zei ze.

'Dat dacht ik al.'

Alcide Bazinet was een hondsdolle psychopaat die vrij rondliep, dat wist iedereen. Maar de provinciale en de landelijke politie leken zich daar geen van beide erg druk over te maken. Waarom niet? Omdat hij zijn gewelddadige psychose niet op mensen,

maar op dieren botvierde. Althans, tot voor kort. Ging ik nu bewijsmateriaal verzamelen en dat ter beschikking stellen aan de
politie in de hoop dat die hem zou beschuldigen van poging tot
moord? Nee. Ik ging die man vermoorden zodra hij uit de bak
kwam. Maar Célestes plan was subtieler en veiliger – en toen ik
weer wat helderder kon denken, stemde ik ermee in.

Iedereen in de streek ging er inmiddels van uit dat ik bij Faunabeheer werkte, dus ik droeg het uniform altijd. Als ik in mijn
overgeschilderde wagen patrouilleerde, de bossen en wegen af-
speurde naar de geheimzinnige berentruck. In het postkantoor,
in de hoop op postzegels van uitgestorven diersoorten en brie-
ven van Brooklyn. Bij Earl, om te kijken of er nieuwe partijen
microgroente waren binnengekomen. Bij de Walmart, op jacht
naar de heks die die hond met een bezem had geslagen. Bij de
dierenarts, op zoek naar... de dierenarts.

Céleste had beloofd op zolder te blijven terwijl ik weg was, de
omgeving in de gaten te houden door haar telescoop en me bij
het eerste teken van onraad een noodsignaal te sturen. Maar ik
geloofde er geen woord van. Ik zou haar niet meer alleen achter-
laten, nooit meer. Van nu af aan ging ze mee als ik op pad ging,
decreteerde ik.

'Uh-uh,' antwoordde ze hoofdschuddend. 'Veto. Ten eerste
voel ik me nog niet goed genoeg om in die ouwe rammelkast
van jou rond te hobbelen. Ten tweede wil ik niet dat iemand me
ziet, want ik wil niet terug naar het kindertehuis, waar ik tussen
al die mongolen zit. En ten derde zullen we hier niemand zien
voordat Baz vrijkomt.'

Ik keek haar aan alsof ze mijn hulp en bescherming nodig
had. En zij keek mij aan alsof ik háár hulp en bescherming nodig
had.

'Geloof me nou maar,' zei ze.

Ik had geleerd haar ogen te geloven, het licht erin – smaragd-
groen, honinggeel en allerlei kleurgradaties die geen namen
hadden. 'Waar gaat hij als eerste heen als hij vrijkomt?'

'Naar zijn neef. Zeg, bekijk dit 's. Kun je me deze spullen bezorgen?'

Ze gaf me een bladzij die uit haar schetsboek was gescheurd, met een lijstje benodigdheden voor 'Het Plan':

- klei (5 dozen van een pond)
- bloem (2 zakken)
- stucgips (1 pot)
- acrylverf (5 tubes: wit, ivoorkleur, rood, blauw en groen)
- doorzichtige matte acrylverf (1 pot)
- skistokken (1 paar)
- ijshockeyschaatsen (damesmaat 38 of $6\frac{1}{2}$)
- nieuwe (sneeuw)banden voor het busje

'Vind je het erg?' zei ze. 'Ik weet dat het een hoop geld is, maar ik zal je terugbetalen. Weet je waar je de verfspullen moet kopen?'
'Walmart?'
'Nee.'
'Earl?'
'Ja.'
'En de banden bij Canadian Tire?'
'Nee, daar koop je de schaatsen. En de skistokken.'
'En de banden?'
'Ik zal een plattegrond voor je tekenen.'

Haar gedetailleerde plattegrond, ongetwijfeld op schaal getekend, leidde me naar de noordrand van Ste-Madeleine en het bouwvallige Centre du Pneu Express, waar ik 'de beste illegale modder- en sneeuwbanden voor uw geld' kon krijgen ('vraag naar Ray'). In hetzelfde strookje bos resideerden toevallig ook Gervais en zijn clan, in een paars huis dat ze met een kruis had aangegeven.
'Heeft hij een gezin?' vroeg ik.
'Drie zoons.'
'Jezus christus.' Wat voor toekomst wachtte die jongens? Wat

zou het eerst komen, gevangenis of begrafenis?

'En een voetveeg van een vrouw. De laatste keer dat ik haar zag had hij haar zulke grote blauwe ogen geslagen dat ze wel een panda leek.'

'En Bazinet?'

'Hoe bedoel je?'

'Heeft hij ook een gezin?'

'Zoiets. Hij haat vrouwen, vooral als het wetshandhavers zijn, maar hij is er op de een of andere manier in geslaagd een dochter te krijgen. Van mijn leeftijd. Die woont met haar moeder ten noorden van Tremblant.'

'Ken je haar?'

'Nee, nooit gezien.'

Ray, een goeiige getatoeëerde kolos, droeg een maat spijkerbroek waarvan ik niet eens wist dat die bestond en een riem met een zilveren gesp ter grootte van een taartvorm. Hij bracht de nieuwe banden aan en zei dat ik nu zelfs met tweehonderd kilo zandzakken achterin nog een muurvaste wegligging zou hebben. 'Of met jou naast me' – dat zei ik niet. Alle straten hier hadden vogelnamen. Met de zandzakken achterin sloeg ik stabiel linksaf bij Rossignol, rechtsaf bij Hirondelle en weer linksaf bij Alouette. In scherpe bochten schraapte de rechtervoorband met een geluid als van een krijsende uil langs het spatbord. Aan het eind van Alouette, een kort doodlopend straatje, zag ik een zwarte pick-up die een eindje van de stoeprand af stond. Ik besloot hem wat beter te bekijken en stopte ernaast. De wagen had een verhoogd chassis, maar geen grille, geen platform, geen kapotte koplamp.

Op de oprit ernaast stond een auto die me bekend voorkwam: een zilverkleurige Saab. Hij was achteruit ingeparkeerd, zodat ik het nummerbord niet kon zien. Eindigde dat soms op RND, net als dat van de auto die ik op het parkeerterrein van de Walmart had gezien?

Ik wilde net uitstappen om te gaan kijken toen ik gelach hoorde. Ik keek naar links en naar rechts, maar kon niet zien waar het vandaan kwam. Wel zag ik een jonge hond vlak bij de Saab, een golden retriever. Hij had een kort touw om zijn hals, pal onder zijn kaak. Het andere uiteinde was aan een aluminium hek vastgebonden. Wanhopig hijgend probeerde hij meer lucht te krijgen. Hoe harder hij trok, hoe erger hij het maakte.

Twee jongens, die op de treden van de veranda zaten, lachten als jakhalzen. Ik tastte in het handschoenenkastje en pakte een zakmes.

'Amuseren jullie je?' riep ik de jongens vanaf het trottoir toe, in het Frans.

'Wat gaat jou dat aan?' riep een van hen in het Engels terug.

Ik sneed het touw door zodat de hond weer gewoon kon ademhalen. Het beest schudde met zijn kop en slenterde dankbaar in de richting van mijn busje.

'Hé, wat moet dat, eikel?' riep dezelfde jongen.

Ik klapte het mes dicht en stak het in mijn zak.

'Bemoei je met je eigen zaken, watje!' riep zijn vriend.

'En donder op, je hebt hier niks te zoeken!' riep de ander weer.

Wat er vervolgens gebeurde, ging helemaal buiten mij om. Mijn mond plooide zich tot een bijzonder bekoorlijke glimlach en ik slenterde vredelievend op hen af. 'Wat zijn jullie aan het doen?' vroeg ik op vriendelijke, vaderlijke toon.

'We bakken een taart, nou goed?'

Toen ik de Saab voorbijliep, wierp ik een blik achterom op het nummerbord. Ik bleef staan op een paar meter afstand van de grootste jongen, die als laatste gesproken had en nu in mijn richting spuugde, en wees over mijn schouder naar de hond. Toen de jongen omkeek, haalde ik als een schermer uit en gaf hem een klap waar zijn oren van tuitten. Die verraste hem volkomen. 'Mama!' riep hij. De dikkere jongen wilde haastig vluchten, maar ik greep hem bij zijn enkel en trok zijn tegenstribbelende lijf naar me toe. Ook hem sloeg ik, van twee kanten met dezelfde hand, zoals ze in films altijd doen. Hard, maar niet zo hard als ik eigenlijk had gewild.

Ze waren allebei stil en verlamd van angst, met vuurrode

wangen en open monden van schrik. 'De volgende keer dat ik jullie op zoiets betrap, komen jullie er niet zo makkelijk af. De volgende keer gooi ik jullie in de cel.' Ik haalde mijn portemonnee tevoorschijn. 'En als jullie daar te jong voor zijn, geef ik jullie zo'n aframmeling dat je een week niet kunt zitten. Begrepen? Ik zei: BEGREPEN?'

Ze knikten allebei driftig.

'Hier, dit is mijn kaartje. Geef dat maar aan je moeder en zeg dat ik haar heb gefilmd toen ze die hond met een bezem sloeg. En dat ik het filmpje op YouTube heb gezet. PAK AAN!'

Ik stapte weer in het busje. Ik had de motor aan laten staan; dit was geen goed moment voor startproblemen. De hond keek me vanaf de stoep na. De jongens waren 'm gesmeerd, maar ik zag de gordijnen voor het raam bewegen. Zou ik de hond meenemen? Dat arme beest, wat had hij het beroerd getroffen bij die mensen. Ik deed het portier open en riep hem, maar hij holde terug naar het huis.

Terug naar Hirondelle en op naar Héron, waar ik een oudere vrouw zag die bezig was zout te strooien; de zak stond in een kinderwagen. Toen ik naderde, dacht ik eerst dat ze vriendelijk naar me zwaaide, dus ik zwaaide terug. Maar ze stapte op de weg en stak als een agent haar hand op. Ik stopte en draaide mijn raampje omlaag.

'Kunt u me misschien helpen, agent?'

'Hoe wist u dat ik een agent ben?'

'Dat kan ik toch aan uw auto zien?'

Ik zweeg even. 'Daar kan ik niet op ingaan. Wat kan ik voor u doen, mevrouw?'

'Ik ben mijn hond kwijt.'

'Een golden retriever?'

'Nee, een kleine terriërpup. Nou ja, eigenlijk een bastaard. Bijna helemaal zwart, met een beetje wit op de snuit.'

'Ik heb hem niet gezien, maar ik zal naar hem uitkijken. Ik ben nu aan mijn ronde bezig. Waar woont u?'

Ze wees naar een witte suikertaart van een huis achter zich. Er stond nog een klein Kerstmannendorpje in de voortuin en op de oprit, met onder andere een grote Oldfolksmobile. 'Dank u, inspecteur. Of moet ik zeggen brigadier?'

'Ik eh... ik ben eigenlijk rechercheur.'

'Dank u zeer, rechercheur.'

'Graag gedaan. O, trouwens, ik ben op zoek naar een zwarte pick-up met een grote grille en een kapotte koplamp. Hebt u er toevallig zo een gezien?'

'Zo'n opgevoerd monster voor jagers? Met een valse buldog-genkop?'

'Precies, die.'

'Ik weet niet of hij een kapotte koplamp heeft, maar twee straten verderop heb ik er zo een gezien. Aan Rouge-gorge. Linksaf. Een krottig paars huis aan de rechterkant, u kunt het niet missen.'

Paars? 'Aan Rouge-gorge? Is dat huis toevallig van iemand die Gervais heet? Een lange man met een warrige zwarte baard?'

'Gervais Cude, inderdaad – dat stinkhol is van hem.'

'Dank u hartelijk, mevrouw. Hier hebt u mijn kaartje.'

Het bouwvallige, leproos lavendelblauwe huis was eigenlijk meer een schuur, met een dak dat gedeeltelijk uit zeildoek en schots en scheve planken bestond. Aan de voorkant bevond zich een knekelveld vol auto-onderdelen, aan de achterkant een loods van golfplaat. Er stond een omheining om het terrein, een scheefgezakt geval van kippengaas, met een bordje DÉFENSE D'ENTRER op het geïmproviseerde toegangshek. Maar er was nergens een auto te bekennen. Noch enig lid van de Cude-clan. Waar waren ze? Zaten ze witte bonen uit blik te eten in de schuur, allemaal met dezelfde vork? Waren ze platte lol aan het trappen in de loods, of maakten ze elkaar daar af met ijsbijlen?

Weer terug op Héron kwam me een zwarte pick-up tegemoet, op mijn rijbaan. Wilde hij me bang maken? Nee. Met een luid gekrijs van zijn monsterlijke banden sloeg hij bij Rossignol rechtsaf, en die straat leidde rechtstreeks naar de grote weg.

Ik pakte het draagbare zwaailicht, stak het uit het raam en klikte de magneet vast op het dak; de stroomkabel liep strakgespannen over mijn schoot. Ik schakelde de sirene en het lichtsignaal in op het bedieningspaneel. En trapte het gaspedaal in.

XXVII

Ik volgde de pick-up naar het parkeerterrein van een gribus van twee verdiepingen met een rode neonreclame. Door de vallende sneeuw zag ik het neonlicht met twee doorgebrande E's stotteren: BAR CAV. De bestuurder wees op een afstand van vijf meter met de afstandsbediening naar de auto en de deuren klikten gehoorzaam op slot. Naar mij keek hij niet eens om.

Ik parkeerde naast de pick-up en zag meteen dat het niet de auto was die ik zocht. Het was een fourwheeldrive met een voor- en achterbank, een schijnwerper en een rek voor geweren. Maar geen versterkte bumper, geen stalen plateau. Ik rukte het zwaailicht van het dak en zette de motor uit. Trok mijn parka uit en gooide hem achterin. Als iemand iets over een eenogige berentruck wist, dan vond ik die ongetwijfeld hier.

De Bare Cave had misschien een zekere charme gehad toen hij pas gebouwd werd – in de tijd dat postzegels 2 cent kostten – maar het oorspronkelijke steen- en houtwerk was met platen aluminium afgedekt en de grote ramen waren dichtgeverfd als bij een mortuarium. De gecapitonneerde voordeur, die het beetje daglicht buiten hield dat nog naar binnen had kunnen vallen, zat vol stickers en opschriften in viltstiftletters, zoals:

RED EEN JAGER, OVERRIJ EEN MILIEUACTIVIST
WERK JE VOOR DE KOST OF BEN JE MILIEUACTIVIST?
RED DE IJSBEER – HIJ IS LEKKER
VERBIED HOMO'S, GEEN VUURWAPENS

Er waren op de hele deur maar twee tegenstemmen te bekennen, een helemaal bovenaan en een onderaan, allebei haast onlees- baar gemaakt met onbeholpen getekende piemels:

JAGER: BEEST OP ZOEK NAAR DIEREN

WIE VOOR GELD MOORDT IS EEN HUURLING
WIE VOOR DE LOL MOORDT IS EEN SADIST
WIE HET ALLEBEI DOET IS EEN JACHTGIDS

Ik trok aan het rendiergewei dat als deurknop dienstdeed en kwam in een neonverlichte ruimte die rook als een Amsterdam- se kroeg. Ik werd begroet door een zwarte beer die op drie poten in de aanvalshouding stond. Ik bekeek hem van dichterbij. De dreigende voorpoot was uitgestoken, maar de nagels leken ge- lakt, gemanicuurd. De gebarsten tong was van rood plastic en een van de kraaloogjes was blauw. Op het koperen bordje bij zijn poten stond: 'Geschoten door Didier Cude, Mont Rolland, 1979'.

Aan de muur daarnaast hing een plaquette waarop de ge- schiedenis van de Bare Cave, oorspronkelijk Bear Cave, te lezen stond. Die was als jachthuis gebouwd door Harold K. Beechum, een negentiende-eeuwse industrieel die er grote jachtpartijen en jachtmaaltijden voor beroemdheden en politici wilde organise- ren. Ten tijde van de opening, op 22 november 1906 (in hetzelfde jaar als de kerk), was het een afgelegen, moeilijk bereikbaar huis; nu lag het aan een snelweg.

Naast de plaquette hing een ingelijste fotokopie van het eerste Thanksgiving-feestmenu:

PROCESSIE VAN WILD

Soep
Hert (Chasseur)
Wildbouillon

Vis
Gegrilde Harder in Garnalensaus
Gebakken Zeebaars in Rode Wijnsaus

Gestoofd
Bergleeuwbout, Zwarte Berenham
Hertentong, Buffeltong

Braadstuk
Grote Tafeleend, Zwarte Eend, Pijlstaarteend
Zwartstaarthert, Kraaghoen, Amerikaanse Haas,
Bizonlende, Grizzlyham, Elandbout,
Opossum, Wilde Kalkoen, Prairiekraanvogel

Gebakken
Labradoreend (indien verkrijgbaar), Trekduif (indien verkrijgbaar)
Bokje, Eskimowulp, Buffelkopeend
Pluvier, Houtsnip, Canadees Vlieghoorntje

Hoofdgerechten
Gesmoord Moeraskonijn in Roomsaus
Getruffeerde Korhoenfilet
Berenragout Chasseur

Decoratieve schotels
Piramide van Wild à la Québécoise, Prairiehoen en Socle
Piramide van Wildeganzenlever in Gelei,
Roosvleugelspreeuw in Boom
Ontbeende Kwartel in Verenkleed, Wasbeer bij Nacht

Ik trok weer aan een gewei en kwam in een mistbank van blauw-grijze rook terecht. Bierreclames gloeiden op als bakens in de mist en leidden me naar de bar, waar een stuk of zes mannen in verschoten camouflagejacks en met honkbalpetjes op hoge bar-krukken zaten, vrijwel roerloos. Voor hen stond een asbak die groot genoeg was voor een hele kankerafdeling.

'Het enige wat ik hoorde was pa-wóp, pa-wóp,' zei een van de mannen.

'Wat woog-ie?'

'Twaalfhonderd hoorde ik, gevild en schoongemaakt, dus levend moet het iets van vijftienhonderd zijn geweest. Volgens Déry was het misschien wel de grootste die hier in de provincie ooit geschoten is, een zestienender.'

Zeven mannen, zeven pensen. De man met de grootste tuurde over zijn getinte brillenglazen, draaide zich om en nam me van hoofd tot voeten op. Er zat een gouden waas van bierschuim op zijn zwarte snor. 'Kan ik je helpen?' vroeg hij, op een toon die duidelijk maakte dat dat wel het laatste was waar hij zin in had.

Ik liep door naar de twee pooltafels achterin, waar Québécois-countrymuziek schetterde uit twee gebutste zwarte boxen zo groot als kinderlijkkisten. Er scheen blacklight, zodat het leek alsof je onder zee was, en er stond een collectie opgezette vissen, waaronder muskellunges en snoeken met het aas nog in hun bek.

Hiernaast lag nog een grotere ruimte, die vroeger wellicht een kleine balzaal was geweest, maar waar nu dartboards hingen en pokermachines, een Pacmantafel, een paar tv's met groot scherm en een verzameling dode dieren stonden. Twee giechelende oudere delinquenten, behoorlijk aangeschoten, gooiden met darts naar een opgezette eland.

'Hé, wat moet dat?' zei ik tot mijn eigen verbazing. Tot mijn nog grotere verbazing mompelden ze beiden iets verontschuldigends en wankelden het zaaltje uit, arm in arm en op rubberen benen.

Ik bekeek de geperforeerde elandenkop en daarna de rij lokeenden op de plank daarnaast. Schieten op een zwemmende of drijvende eend is buitengewoon onweidelijk. Er is geen enkele behendigheid voor nodig en geen jager zal ooit toegeven dat hij het heeft gedaan. Daarom vroeg ik me af hoe het kon dat er in zoveel van die eenden kogelgaten zaten.

Ik keek om me heen. Er stonden honderden specimina van preparateurskunst in het zaaltje, waaronder veel behoorlijk oude. Opgezette konijnen en vossenwelpjes in de bek van opgezette wolven. Een elandkalfje met een houtvestershoed en een insigne van het *Ministère des Ressources Naturelles*. Een hertenkop met een sigaret in zijn bek. Een mottige poema die Kitty heette en met gespreide poten plat op de grond lag, als een kleedje. En vogels. Die waren overal; ze zaten op richels, tafels, planken en kozijnen of hingen aan een draad aan het plafond. Als al die arenden, valken, haviken, buizerds, visarenden, aalscholvers, ijsvogels, uilen en spechten plotseling weer tot leven kwamen, zouden ze met z'n allen een mooie wraakactie op touw kunnen zetten, dacht ik.

Ik liep verder, naar een met groen laken bespannen deur achterin met een touw ervoor en een hangslot erop. Er hing een bordje op: TOEGANG UITSLUITEND VOOR LEDEN. Er is altijd een kleine kring van ingewijden, dacht ik, zelfs in zo'n gribus. Naast de deur stond een man in astronautenpak. Geen echte man, maar een etalagepop, en geen echt astronautenpak, maar een berenjagerspak dat uit laagjes staal, titaniun, rubber en malienkolder bestond. Op de grond, onder zijn voet, zag ik een rood papiertje liggen dat een paar centimeter onder de zool uit stak.

'Daarbinnen hebben ze het echte grote spul,' zei een stem achter me. Een bekende stem. 'Driesterren-ultrahorror.'

Ik draaide me om en keek omhoog. Het was de slungelige, blowende jonge makelaar. Gehuld in het veldtenue van het Sovjetleger en met een jagerspet op die zo scheloranje was dat het pijn aan je ogen deed. In de zak op zijn dij zat een bobbel ter grootte van een paar gram coke.

'Yo,' zei ik in een poging om jong te doen. Of zwart. Hij stak me zijn vuist toe. Ik keek ernaar. 'Probeer je deze tent te verkopen?' vroeg ik.

Hij lachte hard, al had ik bij mijn weten niets geestigs gezegd. 'Dat is maar een bijbaantje, hm? Niet mijn echte werk.' Hij keek naar zijn vuist en liet hem weer zakken.

'Wat is je echte werk dan?' Drugshandel?

'Ik doe in curiosa. Antieke jacht- en visspullen, weet je wel?'

Daar dacht ik even over na. 'Ivoren biljartballen uit de negentiende eeuw en zo? Of halskettingen van jaguartanden uit het Amazonegebied? Dat soort dingen?'

'Mmm... ja. Heb je die toevallig?'

'Nee.'

Hij greep in zijn borstzak. 'Xtc'tje?'

'Nee, bedankt.'

'Echt helemaal master hoor, deze.'

'Ik geloof het graag.'

Hij maakte de stud van een broekzak open. 'Special K dan?'

Dat was een nieuwe. 'Wat is dat?'

'Coke met ketamine. Geweldig.'

'Dat is een tranquillizer voor paarden.'

'Is dat zo?'

'Ja.'

'Zullen we een lijntje doen?'

'Nee.'

'Wil je een rondleiding?'

Ik knikte in de richting van de afgesloten kamer. 'Wat is daar? Wat is driesterren-ultrahorror?'

'Alleen voor ingewijden.' Hij legde een vinger op zijn lippen.

Ik knikte. Ik wist niet eens zeker of ik het wel wilde weten.

'Wil je een rondleiding?' herhaalde hij.

Ben je eigenlijk wel oud genoeg om hier naar binnen te mogen? 'Oké.'

'Deze tent is beroemd, hm? Er zijn hier mensen doodgeschoten. Aan repen gesneden. Bewusteloos geslagen. Er zijn hier meisjes zo van de straat naar binnen gesleurd, het podium opgejaagd en gedwongen te strippen. Én het is de laatste kroeg in Quebec waar je binnen mag roken.'

Ik vroeg naar de bekende weg.

'Omdat de politie hier niet oplet, daarom. De laatste die er wat van zei, kreeg een biljartkeu in zijn bek geramd. Bij wijze van sigaar, weet je wel. Waar hou jij van... meneer Nightingale, was het toch? Is 't goed als ik Neil zeg?'

'Als je erop staat. Maar ik heet Nile.'

Weer zo'n lach, veel te hard en veel te lang, als het ingeblikte gelach bij een tv-serie. Of als je een enorme baal wiet hebt geblowd. 'Kom,' zei hij toen hij zich hersteld had. 'Het beste is boven.'

Terwijl hij naar de trap liep, dook ik onder het touw door en haalde het rode papiertje onder de voet van de berenman vandaan. Frommelde het op, stak het in mijn achterzak.

We beklommen een houten trap naar de bovenverdieping. De donkerrode porte-brisée zwaaide open, ik keek in het nevelige donker totdat mijn ogen eraan gewend waren en nam het decor in me op. Het plafond was zo laag dat het wel voor mensen met een groeistoornis ontworpen leek; iedereen behalve een kind of de bankdirecteur zou hier krom moeten lopen, en de rook die eronder hing had niet dikker kunnen zijn als iemand een traangasgranaat naar binnen had gegooid. Ik heb niet veel verstand van binnenhuisarchitectuur, maar ik weet vrij zeker dat de combinatie van rook, duisternis en rode lavalampen in de Hades bijzonder zou aanslaan.

De klanten konden hier kiezen uit twee soorten amusement: in hokjes met een gordijn ervoor – die enigszins aan de masturbatiekamertjes in een vruchtbaarheidskliniek deden denken – naar filmpjes kijken waarin dieren werden gedood of seksueel misbruikt, of voor het podium zitten en naar mensenwijfjes kijken die hun kleren uittrokken. Op een schoolbord met een klemspotje stonden net als in een restaurant de specialiteiten van de dag:

– *Les Braconniers au ciel (Stropersparadijs)*
– *Phallus in Timberland (Tampen in de wouden)*
– Diane Chasseresse (Diana, godin van de jacht)
– Eva Gobère, Miss Gedetineerd Bloot 2001

Het lege podium was omringd door zwakke rode peertjes van vijf watt en op de stoelen zaten een stuk of tien verdoofde spoorvolgers, huidenkopers en drijvers op Diane en Eva te wachten. Sommigen keken om en gaapten me aan, alsof er een buitenaards wezen op hun grond was geland.

De makelaar en ik vonden een leeg tafeltje naast drie bergbewoners met zoveel haar dat ze er samen moeiteloos een divan mee hadden kunnen opvullen. 'Dat meen je niet,' zei een van de drie in het Engels met een blik in mijn richting. Op zijn T-shirt prijkte een reebok met daarvoor het dradenkruis van een vizier, strategisch geplaatst voor een hart-longschot. 'Wat had je bij je?'

'Een Savage .300.'

'En je hebt er twíntig neergelegd?'

'Alleen al door de knal.'

Uit de nevel doemde langzaam een gedaante op, een serveerster met een plamuurlaag van make-up op en een T-shirt in een kindermaatje aan. In haar gepiercete gezicht flitste meer metaal dan in die vissen beneden.

De makelaar, die aan ongerichte praatzucht leed, stak een monoloog af waar ik geen touw aan vast kon knopen, en de serveerster naar haar blik te oordelen evenmin. Iets over verdrinken en het getal drie. 'Als iemand verdrinkt, hm, dan komt-ie precies drie keer boven voordat hij doodgaat. En terwijl ze verdrinken, tellen ze op hun vingers tot drie... En als een verdronken lijk zinkt en niet uit het water wordt gehaald, dan komt het na negen dagen weer bovendrijven, hm? Dat is dus drie keer drie...'

'Wat kan ik voor jullie inschenken?' vroeg de serveerster, ongevoelig voor het geleuter.

'Wat heb je?'

De serveerster bleef met haar dienblad op de heup staan en keek naar de grond. 'Die vraag moet ik even verwerken, hoor. Wil je dat ik hier, nu, alles ga opnoemen wat we in huis hebben?'

'Boréale Noire,' antwoordde de makelaar. 'Een karaf, twee glazen. En hier is mijn advies, en het kost je niets.'

De serveerster wachtte, in de veronderstelling dat ze gratis advies ging krijgen.

'Ik heb het tegen mijn cliënt.' Hij wuifde haar weg met ongeduldige handgebaartjes.

'Als je dat nog een keer doet, giet ik dat bier in je broek,' zei ze.

'Dat is me d'r een, die daar,' zei de makelaar achter zijn hand terwijl de serveerster wegliep. 'Heb je haar ringvinger gezien?'

Ik schudde mijn hoofd.

'Die is langer dan haar wijsvinger.'

'En dus...?'

Hij kreunde alsof hij zijn kleine broertje iets simpels moest uitleggen. 'Dus is ze géíl,' antwoordde hij. 'Nymfomáán.'

Ik knikte; ik wilde het kort houden.

'Net een stekelvarken, hm? Stekelvarkens doen het elke dag, hun hele leven lang. Dat wist je toch?'

'Nee.'

'Dan wist je dit misschien ook nog niet: het orgasme van een lieveheersbeestjeswijfje duurt... hou je vast... negen uur.'

Ik toonde me verrast.

'Négen úúr. Weet je hoe ik dat weet?'

Ik haalde mijn schouders op.

'Van die servéérster. Snap je?'

Ik knikte.

'Dus dit is mijn advies, Nile. Weet je wat jij moet doen met dat pand dat je net hebt gekocht? Die oude badkuip eruit halen, de marmeren wastafel eruit halen en die twee schouwen eruit slopen. En dan steek je de boel in brand voor de verzekering.'

Ik liet die woorden even tot me doordringen toen hij opeens met zijn hand tegen zijn voorhoofd sloeg als een slechte toneelspeler. 'Ik ben beneden iets vergeten!' Weer zo'n lange, luide lach. 'Mijn vriendin!'

Hij sjokte naar beneden en ik keek om me heen. Vriendin? Wie ging hier nu met zijn vriendin naartoe? Ik zag niet één vrouw in de hele zaak, althans niet als klant. Niet één... of wacht, daar zat er een. De laatste die ik hier had verwacht. Helemaal in haar eentje bij het podium zat, vervaarlijk aantrekkelijk... de dierenarts. Ze leek in haar eigen wereld te verkeren en alleen serieuze aandacht voor haar glas te hebben.

'Wat ik verkoop?' vroeg een van de houthakkers aan het tafeltje naast het mijne. Hij nam een trek van een klein jointje dat voor een sjekkie moest doorgaan. 'Een verhoogde Dodge uit '88, fourwheeldrive.' Hij hoestte, rochelde en schraapte zijn keel. 'Met extra grote banden.'

Dat was misschien de man die me iets over een eenogige berenpick-up kon vertellen, dacht ik.

'Waar blijft mijn bier?' informeerde een van zijn vrienden met dikke tong terwijl hij moeizaam boven zijn schoot een sjekkie probeerde te draaien. 'Waarom duurt die vertraging zo lang?'

'Weet je hoeveel getrouwde vrouwen ik heb gekrikt?' vroeg iemand die ik niet kon zien.

'Wees zo goed die heer...' begon de sjekkiesdraaier, die naar mij wees, '...van mijn nuchterheid te verzekeren.' De hele tafel lag in een deuk.

Na lang aarzelen besloot ik naar de wc te gaan; het tafeltje van de dierenarts lag op de route. Toen ik erlangs liep, hief ze haar hoofd en keek me met haar grote hertenogen aan – of liever gezegd dwars door me heen, alsof ik een van de elandenkoppen aan de muur was.

Toen ik vlak achter me voetstappen hoorde, werd me duidelijk dat ze niet naar mij keek maar naar iemand achter me, een grote man in een zwart pak, met een brede skizonnebril op en een rode bandana om zijn hoofd, die ook haar kant uit liep. Terwijl ik de wc-deur openduwde, hoorde ik een stem. 'Hoe gaat het met uw... huisdier?'

Ik stond stil en draaide me om. Had ze het tegen mij? Ze leek me in elk geval recht aan te kijken. Ik stapte achteruit en liet de deur weer dichtvallen. 'Pardon? Had u het...'

'Uw huisdier. Gaat het weer goed?'

'Ja, goed... beter.'

'Ik versta u niet.'

Ik liep naar haar tafeltje toe en ze gebaarde naar een stoel. Een stoel die heel dicht bij de hare stond. 'Heel vriendelijk, maar ik ben al bezet' – dat zei ik niet. Met gespeelde kalmte schoof ik de stoel naar achteren, maar mijn hart bonkte in mijn keel. De man met de zonnebril zag dat ik ging zitten en draaide zich weer om.

'Hond?' vroeg ze.

'Kat.'

'Wat was er met haar gebeurd... of hem?'

'Haar. Een jong vrouwtje. De een of andere... zieke geest had haar met een mes toegetakeld en in het moeras gegooid.'

'Echt? Weet u wie het was?'

'Daar probeer ik achter te komen.'

Ze keek snel heen en weer en toen achterom. 'Hebt u het aangegeven? Waarom bent u niet met haar naar de praktijk gekomen?'

'Ik... was bang dat ze dood zou gaan als ik haar verplaatste. Uiteindelijk heb ik de wonden zelf gehecht.'

Ze keek naar mijn gezicht, naar mijn kleren. 'Bent u arts?'

'Nee.'

Ze pakte haar glas, dat in een metalen hulsje met een oor zat. Het stond op een rood servetje waarvan de kleur en het materiaal me bekend voorkwamen. 'Kijkt u mensen nooit aan als u met ze praat?'

Ik had mijn hoofd de hele tijd en profil gehouden. Ik was bang dat er geen zinnig woord meer uit zou komen als ik in haar ogen keek. Helena van Troje had niet mooier kunnen zijn. Ze was zo prachtig dat ik haar een hand had willen geven om haar ermee te feliciteren. Ik keek haar aan, in haar ogen: diep, vochtig, wetend. In de praktijk onder de tl-buizen hadden ze me al geraakt, maar in dit rossige halfdonker kon ik ze niet zo duidelijk zien en ik had mijn bril ook niet op. 'En komt u hier... uit de buurt?'

'Montreal. Iets ten oosten daarvan. St-Hyacinthe.'

Wat deed een dierenarts in een striptent? Bijverdienste? Moest ze zo meteen op? Nee, waarschijnlijk had het iets met die dierensnuffmovies te maken.

Ze streek door haar weelderige haar. 'Mijn dochter had verkeerde vrienden, zoals dat heet, dus toen heb ik hier gesolliciteerd. In de hoop dat ze de middelbare school afmaakt.'

'De middelbare school? Dan moet u wel heel jong zijn geweest toen u haar kreeg. Een jaar of... tien?'

Haar glimlach werd langzaam breder. 'Dank u. Iets ouder.'

'Achttien?'

Ze keek me aan, op haar hoede. 'Bingo. U moet op de kermis gaan werken.'

Dan was ze nu een jaar of zesendertig. Volgens Balzac op het hoogtepunt van haar bloei. Zo oud was Cleopatra ook toen Marcus Antonius het Romeinse Rijk voor haar opgaf.

De serveerster in het T-shirtje onderbrak ons en keek me aan met een vuile blik, alsof ze wilde zeggen: hoe haal je het in je kop ineens ergens anders te gaan zitten? 'Mocht je die eikel zoeken waar je mee binnenkwam, die ligt onder de tafel te pitten.' Ze schudde haar hoofd zodat haar oorbellen rinkelden en zette met een klap twee glazen en een *pichet* schuimend donker bier neer.

'Mag ik u een glas aanbieden?' vroeg ik aan de dierenarts terwijl ik naar het pak twintigjes in mijn achterzak tastte. Ze bedankte.

'Hij ligt te ronken als een grasmaaier,' preciseerde de serveerster. Haar chagrijnige gezicht klaarde als bij toverslag op toen ik haar mijn gebruikelijke fooi gaf. Ze nam het biljet uit mijn hand en kneep even in mijn vingers.

De dierenarts bracht haar hand naar haar mond om een kuchje of een lach te smoren. Ik schonk beide glazen vol voor het geval ze van gedachten mocht veranderen en dronk er toen een half leeg, en er viel een lange stilte die we geen van beiden leken te kunnen doorbreken. Zij was aan de beurt om iets te vragen, besloot ik, maar er kwam geen vraag. Ze pakte het potlood dat naast haar *café allongé* op tafel lag en liet het tussen haar vingers ronddraaien als een majorettestokje. Ik stond al bijna op het punt over de foto te beginnen die ik in Célestes afgesloten la had gezien, maar hield toch maar wijselijk mijn mond.

Voor twee onbekenden zaten we wel heel dicht bij elkaar, het scheelde een haar of we raakten elkaar aan. Zo dichtbij dat ik rook dat ze geen parfum of eau de toilette op had. Als een vrouw een man wil inpakken is dat dé manier.

'Is dit het moment waarop we elkaar een zwaar gecensureerde versie van ons levensverhaal gaan vertellen?' vroeg ze.

'Ik... dat zouden we kunnen doen.'

'Stel maar een vraag.'

Er kwam een klikje als van de sluiter van een camera uit haar richting. Of misschien was het achter haar. Ik keek naar het tafeltje achter haar, maar daar zat niemand die naar me keek, niemand met een camera. De uitsmijter stond nu bij de muur, maar met zijn rug naar ons toe en zijn handen in zijn zakken. Ik zweeg even en probeerde mijn gedachten te ordenen.

'Waarom gaf u me die medicijnen mee waar ik om vroeg? In uw praktijk?'

'Die cefalexine?'

'Die pethidine.'

'Wat is dat?'

Wat dat ís? 'Een pijnstiller. Zoiets als morfine.'

'Andere vraag.'

Waarom weet je niet wat pethidine is? Noemen ze het hier anders? 'Gaat het... gaat alles hier naar wens? Met uw dochter?'

'Niet echt. Haar nieuwe vrienden zijn net zo erg als de oude. Erger.'

'Studeert ze al of...'

'Ze stript.' Ze schoof haar stoel naar achteren en stond op, waarbij ik twee zweetplekken onder haar oksels zag. 'Ze moet zo op.'

Ik had het gevoel dat ik me niet populair bij de moeder zou maken als ik bleef zitten kijken terwijl haar dochter zich uitkleedde. Bovendien was ik kapot. Zoveel lawaai, zoveel mensen als op deze ene avond kreeg ik normaal in geen halfjaar te horen of te zien. En ik maakte me zorgen om mijn pupil, mijn depressieve jonkvrouwe uit de bergen, wat ook uitputtend was. Als ik de walkietalkie niet in de auto had laten liggen, zou ik haar nu oppiepen... De wijzers op het bord naast het podium gaven aan dat ik nog vijf minuten had voordat de voorstelling begon. Ik keek naar de gezichten om me heen – grijnzend, stuurs, lachend, uitdrukkingsloos. Toen viel mijn oog op het rode servetje onder het koffieglas van de dierenarts. Maar het was geen servetje, het was een opgevouwen vel papier. Hetzelfde soort papier als het velletje in mijn zak...

Ik stak mijn hand er al naar uit toen ik uit mijn ooghoek de dierenarts zag, die terugkwam van de wc. Haar houding en haar tred waren fier – om niet te zeggen majestueus – alle hoofden draaiden zich naar haar om als heliotropen naar de zon. Iedereen zat te kwijlen, zo kun je het ook zeggen.

Terwijl ik opstond om haar stoel aan te schuiven, kwam ik even op de gedachte mijn hand heel licht op haar rug of op haar lange vlecht te leggen, maar het bleef bij een gedachte. Ze ging zitten, de muziek begon en het zaallicht werd gedimd.

'Ik moet gaan,' zei ik. 'Voor mijn patiëntje zorgen.'

Weer die trage glimlach. 'Laat het maar weten als ik nog iets voor haar kan doen.'

'U zou niet toevallig... of nee, laat maar.'

'Wat zou ik niet toevallig?'

U zou niet toevallig in een kerk willen wonen, met uw dochter, en Célestes stiefmoeder willen worden? 'Ik zoek een zwarte pickup, een berenjagerswagen. Grote wielen en één kapotte koplamp. Eh... zegt u dat misschien iets?'

Ze schudde haar hoofd. Maar keek ze even licht verrast?

'Een schot voor de boeg.' Ik haalde mijn schouders op.

Ze stak mijn hand toe en ik overwoog die te kussen, maar ik schudde hem alleen. Haar handdruk was vastberaden, stevig en koel als marmer, misschien gereserveerd voor mensen met een huisdier dat ze niet had kunnen redden. 'U weet waar u me kunt bereiken,' zei ze, 'maar neemt u dit toch maar mee.'

Ik nam het gebodene aan; het was een groen kaartje. 'U hoort van me.' De woorden gutsten naar buiten en mijn hart sprong op alsof ik nog een puber was.

'Ja, natuurlijk.'

Ik stelde me voor, wat ik veel eerder had moeten doen, maar zij zei nog steeds niet hoe ze heette. Ze keek naar de uitsmijter, die nu bij de wc's rondhing, en toen naar het podium, waar Diana, de godin van de jacht, juist opkwam met een roze pijl en boog.

Hij kuste de dierenarts, van wie hij nog steeds niet wist hoe ze heette, op de mond. Zonder erbij na te denken, zonder te aarzelen en zonder haast. Ze stonden heup aan heup, hart aan hart! Hij begreep niet wat hem bezielde...

Ik probeerde de scène te herschrijven terwijl ik de trap afliep, maar werd afgeleid door een gestalte op de onderste tree. De makelaar. Hij hing tegen de leuning aan, zonder pet en zonder vriendin. Hij zag er beneveld uit. Hij beantwoordde mijn groet niet en leek me niet te herkennen.

Buiten sneeuwde het nog steeds en alle auto's hadden een hoge muts van sneeuw. De neonreclame flakkerde niet meer – hij zoemde en siste alleen nog maar, als een bijenkorf. Met mijn onderarm veegde ik wat sneeuw van mijn busje en ik stapte in. Hij startte meteen. Ik zette de verwarming en de ruitenwissers aan. Ik zat er even naar te kijken terwijl ik aan de dierenarts dacht, en toen schoten het groene kaartje en het rode papiertje me weer te binnen. Ik haalde ze uit mijn achterzak, zette mijn bril op en knipte het licht aan. Op het kaartje stond een telefoonnummer waar je stroperij kon melden, maar geen ander nummer.

Dr. Med. SOLANGE LACOURSIÈRE
Morphologiste légiste
Centre Québécois sur la santé des animaux sauvages
St-Hyacinthe (Québec)
SOS BRACONNAGE 1-800-463-2191

Ik draaide het om. Achterop stond met potlood haar mobiele nummer, met twee strepen eronder.

Toen was het rode papier aan de beurt:

TRIPLE-X ULTRA-HORROR KERSTSHOW — UITSLUITEND
VOOR GENODIGDEN

1. *Casuistry* (Canada, 2002, 88 min.)

In mei 2001 martelen drie jonge kunstenaars uit Toronto een kat dood en filmen zichzelf terwijl ze daarmee bezig zijn. *Casuistry* ontleent zijn titel aan een term voor spitsvondigheden, drogredenen om twijfelachtig gedrag goed te praten. Volgens de aanvoerder van de groep stond dat woord in zijn woordenboek vlak boven *cat*. Twee plaatselijke galeriehouders en een ambtenaar van de Raad voor de Kunst verdedigen de actie met een beroep op de artistieke vrijheid.

2. *Bleu blanc et rouge I V* (Canada, geen dialoog, 26 min.)

In deze reeks doopt een jager-kunstenaar uit de Laurentians opnieuw een dier – ditmaal een wolvenwelp – in een kuip blauwe verf, snijdt zijn poten af en laat het dier over het doek glibberen en glijden totdat het de laatste adem uitblaast en er alweer een rood-wit-blauw meesterwerk is ontstaan.

3. *Zwarte makaken* (Indonesië, ondertiteld, 45 min.)

De Taiwanese kapitein van een tonijnvissersboot laat twaalf levende zwarte makaken naar zijn schip brengen. Er worden jagers naar het oerwoud van het Indonesische natuurreservaat Tangkoko gestuurd om de zeldzame apen te vangen. Om de baby's levend in handen te krijgen worden de moeders afgeschoten. Aan boord van de trawler binden de bemanningsleden de handjes en voetjes van de dieren vast. Met scherpgepunte bamboestokken doorsteekt de bemanning dan de zachte schedel van de diertjes. Als de stuiptrekkingen in hevigheid afnemen, worden de hersenen rauw opgediend.

Grote god. Misschien hebben ze dáárom hier in de buurt een psychiatrisch ziekenhuis neergezet. En misschien was de dierenarts daarom vanavond hier. Wat zegt de wet over films waarin dieren worden gedood? Niet veel, te oordelen naar de tv-programma's over jacht en jagers.

Ik schoot met gierende banden, gierende gedachten en een draaierig gevoel in mijn maag de snelweg op zonder te beseffen dat ik gevaarlijk hard reed, dat ik het gaspedaal helemaal had ingetrapt. Dat had ik nou net nodig, nog meer ontregelende beelden in mijn toch al permanent bonkende, oververhitte brein. Nog meer dingen om last van te krijgen als ik eraan dacht en woest van te worden als ik erover droomde.

Ik ben normaal gesproken geen bumperklever, maar nu was dat anders. Mijn bicamerale geest verkeerde in een toestand van entropische razernij en de gedachten aan katten, welpjes, zwarte makaken en mausoleumachtige stripclubs stuiterden als biljartballen door mijn hoofd. Ik reed met één hand, met witte knokkels, en piepte Céleste op terwijl ik roekeloos in een onoverzichtelijke bocht de auto voor me inhaalde, toen het opeens tot me doordrong. Die auto voor me was een politiewagen.

XXVIII

Elke keer dat ik hier iets opschrijf, vraag ik me af: is dit de laatste keer? Bazinet komt binnenkort vrij, het kan elk moment zover zijn, en ik weet niet wat er dan zal gebeuren. Ik werk aan een verdedigingsplan om Nile te redden & aan een aanvalsplan dat waarschijnlijk mijn dood wordt.

Ik ga er dus maar van uit dat dit de laatste keer is & zal het niet over mensen hebben maar over dieren, bijzonder interessante dieren die niet meer bestaan.

Ongeveer 10.000 jaar geleden stierf 3/4 van de grote zoogdieren van Noord- en Zuid-Amerika uit. De mastodont, de wolharige mammoet, de sabeltandkat, de wolharige neushoorn, de cynodesmus (een gigantische hond), de Amerikaanse leeuw, de holenbeer, de reuzengrondluiaard, het reuzenhert, de gaffelantilope, de reuzenwolf, de castoroïde (een bever die groter was dan een beer), het reuzennavelzwijn (een zwijn dat groter was dan een tijger) & onze eigen inheemse paarden, leeuwen en kamelen.

Waardoor stierven die dieren zo massaal uit? Dat kwam niet door een meteorietinslag of zoiets. Het kwam door iets wat in de wetenschap de Pleistocene Overkill wordt genoemd. Toen de eerste mensenstammen de Beringstraat (toen nog een landbrug) overstaken & de Canadese Rocky Mountains introkken, vonden ze daar een jagersparadijs: wouden met zo'n 100 miljoen grote zoogdieren. Die beesten hadden nog nooit met jagers & hun gewoonten kennisgemaakt, dus de speren & pijlen van de jagers waren een complete verrassing voor ze. Ze werden bij honderdduizenden afgemaakt. De menselijke populatie nam explosief toe. En als aan de basisbehoeften is voldaan, zoeken mensen naar vrijetijdsbesteding, zeggen de antropologen. Die eerste stammen joegen niet alleen op die grote beesten om ze op te eten of om er kleren van te maken, maar voor de lol, als trofee. De jacht was een manier om je mannelijkheid op de proef te stellen & te bewijzen.

De moderne mens heeft net zoveel schade aangericht als de primitieve jagers uit het Pleistoceen. Sinds de 18e eeuw hebben de Noord-Amerikaanse jagers nog veel meer soorten uitgeroeid, waaronder de grote zeekoe, de reuzenalk, de labradoreend, de eskimowulp & de oostelijke poema. Om nog maar te zwijgen van de trekduif, die leefde in groepen van wel 50 miljoen stuks die bij het overvliegen urenlang de zon verduisterden. Het laatste exemplaar is in Canada neergeschoten.

Ik wil het hier kort over 4 van die dieren hebben waar weinig aandacht voor is.

De grote zeekoe

Op het land was er maar één groter dier, de olifant. 'Zeeolifant' zou dus misschien een betere naam zijn dan 'grote zeekoe'. De grootste exemplaren, vrouwtjes, konden wel 10 meter lang worden & meer dan 6000 kilo wegen. In de Noordelijke Grote Oceaan kwam deze soort veel voor, maar de primitieve jagers hebben ze vrijwel uitgeroeid. Ze overleefden alleen in de buurt van de Commander Islands in de Beringzee, want daar woonde niemand. De eerste Europeaan die ze te zien kreeg was Georg Steller, een Duitse natuurvorser. In 1741 beschreef hij de jacht op deze dieren:

Ze werden gevangen door middel van een grote ijzeren haak, die door middel van een ijzeren ring aan een zeer lang, dik touw was bevestigd, dat aan wal door 30 man werd vastgehouden... Nadat het dier in de rug was geharpoeneerd, grepen de mannen aan wal het andere eind van het touw en trokken het radeloos spartelende dier met veel moeite naar zich toe. De mannen in de boot maakten het met een ander touw vast & putten het uit met voortdurende slagen, totdat het vermoeid was & roerloos bleef liggen, waarop het met bajonetten, messen & andere wapenen werd aangevallen & aan land getrokken. Daar werden dikke plakken van het nog levende dier afgesneden, maar dat sloeg slechts gelijk een razende met zijn staart & maaide zo met zijn voorpoten dat het grote repen huid afscheurde. Daarenboven hijgde het zwaar, alsof het zuchtte. Uit de wonden in de rug spoot het bloed als een fontein omhoog...

Ze koesteren een buitengewone liefde voor elkander, die zo ver gaat dat wanneer er een geharpoeneerd werd, alle anderen hem wilden redden & trachtten te beletten dat het aan wal getrokken werd door een kring om het dier heen te vormen. Andere dieren poogden het schip te doen kapseizen. Weer andere legden zich over het touw heen of trachtten de haak uit de wonde in de rug te verwijderen door er met hun staart tegen te slaan, waarin zij herhaaldelijk slaagden...

Het is een zeer opmerkelijk bewijs van hun echtelijke genegenheid dat een mannetje, nadat het uit alle macht doch vergeefs heeft gepoogd het wijfje van de haak te bevrijden, haar ondanks de slagen die wij hem gaven volgde naar de wal en zelfs toen zij reeds dood was, onverhoeds gelijk een speer naar haar toe schoot. Des anderen daags, toen wij reeds vroeg het vlees kwamen uitsnijden om het naar de boot te brengen, zagen wij het mannetje wederom bij het wijfje zitten, en des derden daags zag ik dit wederom...

Toen de moderne mens de grote zeekoe eenmaal ontdekt had, duurde het nog maar 27 jaar voordat de soort was uitgestorven. Daarmee is deze zeekoe de snelst uitgeroeide diersoort aller tijden.

***

De reuzenalk

De Vikingen uit de 10e eeuw waren waarschijnlijk de eerste Europeanen die deze prachtige vogels zagen, de 'pinguïns van het noorden', die niet konden vliegen. In het water waren ze snel, maar op het land heel traag. In het broedseizoen waren ze dus volkomen hulpeloos.

Toen Jacques Cartier in 1535 Funk Island bij de kust van Newfoundland bezocht, ving zijn bemanning honderden van deze vogels & propte ze in vaten. Ze roofden tevens zoveel eieren uit de nesten als ze maar konden dragen. De reuzenalk broedde niet alleen in de buurt van Newfoundland, maar ook op de Magdalen Islands in de Golf van St. Lawrence en in de Golf van Maine & Massachusetts Bay. Bij de oostkust van de Atlantische Oceaan broedden ze op verschillende eilanden, vooral op St. Kilda bij de westkust van Schotland en op een paar kleine eilandjes in de buurt van IJsland. Overal waar ze hun nesten bouwden werden ze afgeslacht.

Zo werden de reuzenalken rond 1800 op Funk Island bij Newfoundland behandeld: duizenden vogels werden binnen een enorme omheining bij elkaar gedreven totdat ze zo dicht op elkaar stonden dat de arme dieren zich nauwelijks konden verroeren. Groepen mannen met knuppels met spijkers erin waadden tussen de vogels door en sloegen ze dood of verdoofden ze. Daarachter liepen andere mannen, die de vogels over de omheining op een hoop bij de vuurkuilen gooiden. Om de veren los te maken, wer-

316

den ze dood of levend in reusachtige ketels gekookt in het vet van hun soortgenoten die al eerder waren vermoord. Dan was er nog een ploeg die ze plukte om de veren te verkopen als kussenvulling of poederdons. De kaalgeplukte lijven werden in het vuur gegooid.

In 1830 waren er op de hele wereld al nauwelijks meer reuzenalken overgebleven. Hun laatste bastion was Geirfulasker, een vulkaaneiland voor de IJslandse kust dat in dat jaar tot uitbarsting kwam & in zee verdween. De paar alken die nog over waren, konden alleen nog maar naar het eiland Eldey. Op 3 juni 1844 landde daar een schip dat door een verzamelaar was gestuurd om te zien of er nog reuzenalken te vinden waren. De zeelui zagen een paartje dat hoog boven de kleinere zeevogels uittorende. Het wijfje broedde op een ei – de laatste hoop voor de toekomst van deze vogels. De twee reuzenalken probeerden in paniek het water te bereiken, maar de ene werd tussen de rotsen in een hoek gedreven en de andere werd vlak bij zee gevangen. Ze werden allebei doodgeslagen. Het ei werd onder de laars van een zeeman geplet.

* * *

De eskimowulp

Deze VERBIJSTERENDE vogel had de ingewikkeldste & gevaarlijkste migratiecyclus die je je kunt voorstellen. Hij begon in het noorden, in Canada, vlak onder de poolcirkel, dan trok hij in een enorme cirkel met de klok mee naar het oosten via Labrador, dan via de Atlantische Oceaan & de Caraïbische Zee naar het zuiden & dan almaar door tot de Argentijnse Campos, ten zuiden van

Buenos Aires! In het voorjaar maakten ze de cyclus af door over Texas te vliegen & dan over Kansas, Missouri, Iowa & Nebraska terug te gaan naar Canada. Het schijnt dat alle exemplaren van de soort in één gigantische zwerm samen reisden. Sommige mensen vergeleken hun zang met het 'rinkelen van sledebelletjes'.

Als ze landden, moet dat een indrukwekkend gezicht zijn geweest: in Nebraska is een zwerm gezien die 20 hectare besloeg. Maar je moet wel bedenken dat dat waarschijnlijk de hele wereldpopulatie aan eskimowulpen was.

Als ze in Newfoundland aankwamen, werden ze op de stranden beslopen. In het donker kwamen er mannen met lantaarns om ze te verblinden & stokken om ze mee dood te slaan. Als de wulpen door een storm in New England terechtkwamen, pakte iedereen zijn geweer.

Op de noordelijke route over de grote vlakten vlogen de 'prairieduiven' in enorme hinderlagen, een jaarlijks terugkerende slachting. Jagers vulden kar na kar met dode vogels. Soms lieten ze ze in hoge stapels wegrotten & gingen er dan nog meer schieten.

Tegen het eind van de jaren vijftig zijn er in Texas nog een paar gezien (en zelfs een gefotografeerd) en in 1964 is er op Barbados een eskimowulp geschoten. Af en toe hoor je nog dat iemand er een heeft gezien. Maar zelfs als je ervan uitgaat dat die mensen geen spoken zien, dan nog blijft het feit dat die paar overlevenden geen schijn van kans hebben. Het is hun instinct om over twee hele continenten te trekken – beschermd door hun grote aantal. Dus zelfs als er nog een paar eskimowulpen over zijn, is de soort ten dode opgeschreven.

✳ ✳ ✳

De Canadese poema

Deze grote katachtige staat bekend onder veel verschillende namen – poema, bergleeuw, zilverleeuw, puma concolor – en kwam vroeger overal in de Laurentians en op het hele continent met tienduizenden in de oerbossen voor. Ze zijn een halve eeuw geleden uitgeroeid – afgeschoten, vergiftigd en in strikken en klemmen gevangen. In de buurt van Mont Tremblant heeft een zekere Jimmy Doucette tussen 1896 en 1906 voor het prijzengeld meer dan 200 poemascalpen ingeleverd. De enige bergleeuw die nog in de Laurentians is overgebleven is Kitty, een geprepareerd, mottig exemplaar dat in de Cave aan Highway 117 te zien is en op eerste kerstdag 1958 is doodgeschoten. Officieel is het dier uitgestorven.

Maar er zijn hier nog steeds mensen die beweren dat ze hier & daar in de Laurentians poema's of poemasporen zien. Wetenschappers denken dat er misschien nog een paar in het wild leven. In de jaren negentig is uit DNA-onderzoek van uitwerpselen gebleken dat ze nog voorkomen in Quebec, Vermont & Massachusetts. En in de zomer van 2006 is er een op het oog gezond mannetje in de buurt van St-Jovite door een bus doodgereden.

Nile zegt dat hij een grote katachtige op het kerkhof heeft gezien, een keer in december en een keer in januari. En ik geloof hem, zelfs al gelooft hij het zelf niet. Dat is mijn enige hoop, het enige waar ik me nog aan vastklamp – dat de bossen nog steeds groot & diep genoeg zijn voor de laatsten van dat geslacht.

Maar de politiewagen, die zijn zwaailicht aanhad, gaf me geen stopteken. De chauffeur reed ook heel hard, kennelijk op jacht naar iets groters dan een joyrijder met twee biertjes op zoals ik. Ik trapte rustig op de rem en zwenkte weer naar rechts. Het was weer eens goed afgelopen.

In de pastorie was overal licht aan, ook op zolder, hoewel ik Céleste op het hart had gedrukt het licht daar nooit aan te laten. Het luik voor het raam rammelde in de koude windvlagen die om het huis heen wervelden.

Op de keukentafel lag een briefje in een handschrift dat ik herkende. Het gaf me een akelig voorgevoel en ik was bijna bang om het te lezen. De letters werden afwisselend scherper en waziger, alsof ze met onzichtbaar en weer zichtbaar wordende inkt waren geschreven. Een eis om losgeld te betalen? Een zelfmoordbriefje?

'Céleste!' riep ik. 'Ik ben thuis!' Geen reactie. Ik staarde met bonkend hart naar het briefje totdat de letters niet meer wriemelden. **Volpe heeft gebeld.**

Ik rende de trap op en de gang door naar de zolderdeur. Rukte die open en vloog de trap met twee treden tegelijk op. 'Céleste? Is alles goed met je?' Geen reactie. Ik rende terug naar haar kamer, waarvan de deur op een minuscuul kiertje openstond. Ik duwde hem helemaal open.

Mijn heidense engel lag op haar buik op haar bed in haar schetsboek te schrijven of te tekenen. 'Hoi Nile,' zei ze hees, zonder op te kijken. 'Ik word zeker doof, want ik heb je niet horen kloppen.'

'Wat dóé je?'

'Ik teken,' zei ze terwijl ze verder werkte. 'Maar ik zeg geen woord meer tot je me netjes goeiendag zegt.'

'Ik heb je de hele tijd opgepiept. Waarom reageerde je niet, verdomme? Is het weleens bij je opgekomen dat ik me misschien zórgen maak? Dat ik bijna een beroerte kreeg toen er geen antwoord kwam? En dat bedoel ik niet figuurlijk. Ik ben nog steeds aan het flippen van de stress.'

'Hé, chill. Dat ding is kapot.'

'Hoe kan dat nou? Wat heb je ermee uitgehaald?'

'Niks.'

'En we hadden toch heel duidelijk afgesproken dat je jezelf op zolder zou opsluiten als ik er niet ben? Met alleen maar een klein leeslampje aan? En de wapens naast je?'

'Hé, kom nou maar van die kast af. Het is daar koud.'

'Daar heb je het straalkacheltje voor.'

'Dat is ook kapot. Kijk zelf maar. En die wapens kan ik nergens vinden.'

'Nergens vinden?! De taser niet en de Sig Sauer niet? Wat heb je dáár dan in godsnaam mee gedaan?'

'Niks. Jij hebt ze mee naar beneden en naar buiten genomen, weet je nog? Om te oefenen.'

Dat was waar. Ik geloof dat ik ze in de keuken had laten liggen. 'Maar waarom ben je ze dan niet gaan zoeken, verdomme?'

'Rustig nou maar. Niks aan de hand. Had je een rotdag op kantoor?'

Ik veegde het zweet van mijn voorhoofd en masseerde mijn nek. Mijn hoofd bonsde zoals vroeger als ik speed had genomen, en mijn ogen brandden. Een korte blik in de hel kan hetzelfde effect hebben. 'Dat kan je wel zeggen, ja.'

'Je kijkt nu net zoals 's morgens voordat je je eerste kop koffie op hebt. Volpe heeft gebeld. Ik heb opgenomen toen de telefoon honderd keer was overgegaan.'

'Wat wilde hij?'

'Jou spreken.'

'Heb je met hem gepraat?'

'Hij had muziek aan op de achtergrond, uit de jaren veertig of zo, dus ik kon hem niet goed verstaan. Maar één ding weet ik zeker – hij heeft goed nieuws voor je.'

'Namelijk...?'

'Bel hem maar, dan hoor je het.'

Ik doorzocht de hele keuken naar de twee wapens. Deed mijn ogen dicht, wreef erin. Om mijn geheugen op te peppen maakte ik een kop loeisterke koffie warm in de magnetron en dronk hem zwart op. De koffiekop van de grootmoeder was abnormaal hoog en breed – ik had mijn handen erin kunnen wassen. Op het moment dat het apparaat driemaal piepte nadat ik er een tweede kop in had gezet, werd er precies synchroon daarmee driemaal op de voordeur geklopt. Ik loerde met een woeste cafeïneblik de gang in. Door het smalle glazen rechthoekje zag ik het blauw-rode zwaailicht van een politieauto.

Eens kijken, waar heb ik dit bezoek aan te danken? Te hard rijden, rijden in een gestolen voertuig, aanranding van twee minderjarige meisjes, me uitgeven voor een agent, ontvoering? Kies maar, agent, het is uw geluksdag. Weer drie klopjes, harder ditmaal.

'Wie is dat?' riep Céleste boven aan de trap. 'De politie?'

'Ga maar naar zolder, ik regel dit wel.' Voor één keer sprak ze niet tegen. Ik hoorde haar als een muis wegschieten, de gang door en de zoldertrap op.

Traag, met lood in mijn schoenen, liep ik naar de voordeur, alsof ik de treden naar een galg beklom. De vloerplanken kraakten luid, alsof er een valluik openklapte. De gedachten raasden door mijn hoofd en ik zag zwarte stippen. Ze hadden mijn naam van de bank gekregen. Of van de makelaardij. Ze hadden hem in de computer ingevoerd, contact gezocht met de politie in New Jersey. Er werd weer tweemaal geklopt.

'*Oui?*' riep ik terwijl ik naar de deur toe liep, en nog een keer nadat ik hem had opengedaan.

'Monsieur Nightingale?' vroeg een agent met de onvermijdelijke snor. Zijn collega had er geen, want dat was een vrouw.

Ik knikte dommig.

'Ik ben brigadier Larose, en dit is mijn collega Viau. Het spijt ons dat we u op dit late uur storen, maar we eh... zouden u graag een paar vragen willen stellen als u het niet erg vindt.'

'Ga uw gang,' zei ik met een stijf lachje. 'En kom toch binnen.' Ik voelde mijn benen slap worden, smelten als goedkope paraffine.

'Dank u. Het duurt maar heel even. Het gaat over het... het ongelukkige incident dat eh... gisteravond heeft plaatsgevonden. Met die sneeuwmobielen.'

'Aha.'

'We weten wie u bent,' zei de vrouw, die een loensend oog had, met een aarzelend lachje om haar mond. Ze stampte haar laarzen af op de mat. 'Dat u maar weet dat we op de hoogte zijn, bedoel ik.'

Ging ze me nu handboeien omdoen en zeggen dat ik het recht had te zwijgen en dat alles wat ik zei tegen me gebruikt kon worden? Of deden ze dat niet in Canada? 'Oké.'

'We weten dat u bij het ministerie van Binnenlandse Zaken werkt,' zei de man terwijl hij de deur achter zich dichtdeed.

Ik knikte en slaakte een zucht door mijn opeengeklemde tanden. 'Dat hang ik liever niet aan de grote klok. Wie heeft me verraden?'

'We eh... kwamen een kaartje van u tegen bij een onderzoek dat we instelden na een klacht.'

'Ik zou het op prijs stellen als u het niet...'

'Maakt u zich daar maar geen zorgen over,' zei de vrouw. 'We begrijpen dat u achter Alcide Bazinet aanzit. Klopt dat?'

'Eh, ja, maar dat is nogal eh, geheim en zo. Hoe bent u...'

'We staan aan uw kant,' zei de man. 'Wij willen Bazinet ook graag kwijt, hoe eerder hoe liever. Die man heeft meer dieren de dood in gejaagd dan honderd winters. Je hebt een dag nodig om zijn strafblad te lezen, hij heeft meer strafbare feiten gepleegd dan Al-Qaeda. U en uw partner zoeken hem wegens misdrijven in de v s, begrijp ik? Tegen de natuurbeschermingswet?'

Mijn partner? Wie is dat? Mijn buurman het spook soms? 'Dat klopt. Hem en zijn neef. In Vermont.'

'We dachten New Hampshire.'

'Daar ook, ja.'

'Naast Alcide lijkt zijn neef haast een koorknaap. Ik hoop dat ze allebei geroosterd worden. Jullie hebben in de States toch nog steeds de elektrische stoel?'

'Nou en of.'

'Hadden we die hier ook nog maar!'

De vrouw glimlachte tegen me. 'We zijn hier ook nog voor iets anders. Ik bedoel, behalve om u te verzekeren dat er hier geen... invasies meer zullen plaatsvinden. Er is een meisje vermist. Ze heet Céleste Jonquères. Ze is een paar weken geleden weggelopen uit een jeugdzorginstelling in Ste-Madeleine en we vragen ons af of ze misschien hiernaartoe is gevlucht. U hebt niet toevallig een vijftienjarig meisje gezien, donker haar, groene ogen, bril, half indiaans? Tattoos op beide schouders, een beetje een stoere meid?'

'Nee, dat... zegt me niks. Maar ik zal opletten of ik haar zie.'

'Ze is hier in de streek een eh... soort beroemdheid. Een whizzkid, superintelligent. Er heeft een artikel over haar in *L'Information du Nord* gestaan.'

'Waarom denkt u dat ze hiernaartoe zou komen?' vroeg ik.

'Ze woonde hier vroeger met haar grootmoeder. Die is vrij recent overleden, in... wanneer was het, René? Oktober?'

René knikte.

Heeft Céleste haar vermoord? wilde ik eigenlijk vragen. 'Echt? Hier? In dit huis? Hoe is ze overleden?'

'Uit onderzoek is gebleken dat het zelfmoord was. En men vermoedt dat het meisje haar heeft geholpen.'

'En, is dat zo?'

'Moeilijk te zeggen. Ze is in elk geval niet officieel in staat van beschuldiging gesteld.'

Er klonk een zacht gekraak uit de mobilofoon en ze knikte

ten afscheid. Toen ze de deur opendeed kon ik een paar woorden verstaan, iets met '10-23' en een verzoek om assistentie. Daarna het krakende en piepende antwoord van een andere wagen. Tegelijkertijd ging de telefoon in de keuken over.

'Aanrijding met lichte schade zo te horen,' zei Larose terwijl hij zijn handschoenen weer aantrok. 'We gaan ervandoor. Dan kunt u naar uw telefoon.'

'Mag ik u nog iets vragen?' vroeg ik snel.

'Ga uw gang.'

'Waarom stond het zwaailicht aan toen u hier kwam?'

Hij knipoogde. 'Dat zult u toch wel weten?'

Ik knikte onaandoenlijk, want ik wist het niet. Maar ik deed een gok. 'U... wilde dat het leek alsof u niet wist wie ik was. Alsof ik een verdachte was in de zaak van het verdwenen meisje.'

'Bingo,' zei hij.

'Slim,' zei ik. 'O, en eh, mijn partner. Dat ik even weet hoe het u gelukt is om...'

'We hebben onze bronnen. We zijn hier niet zo achterlijk als u misschien denkt. We hebben haar zelfs aan haar dekmantel geholpen.'

'Dekmantel?'

'Ja, de praktijk.'

Ik keek peinzend naar de grond. De praktijk van de dierenarts? Werkte de dierenarts undercover? Ach, natuurlijk...

Ik keek de politieauto na terwijl de telefoon bleef overgaan. In de keuken keek ik naar de belsignalen die als nachtvlinders in kringen omhoog fladderen in de lucht, die donker was en doorspikkeld met puntjes blinkend chroom als vuurvliegjes. Ik nam op.

'Ik heb goed nieuws en slecht nieuws,' zei een zwakke stem over een krakende lijn die tot nu toe glashelder was geweest.

'Begin maar meteen met de clou.'

'Je ex heeft alle aanklachten ingetrokken,' zei Volpe.

Ik voelde alleen een lichte opluchting en was niet eens verrast. Ik was met mijn gedachten nog steeds bij de dierenarts. 'Heb je haar verteld dat ik mijn erfenis over de balk heb gegooid?'

'Ik hoop dat dat niet waar is, verdomme. Je ouweheer heeft er zijn hele leven over gedaan om het vermogen te verdubbelen dat hijzelf had geërfd. Mede dankzij mijn goede raad natuurlijk. Nou ja, misschien niet helemaal verdubbeld, na de crisis en...'

'Tegen mij zei hij dat hij alles aan goede doelen naliet.'

'De helft.'

'Waarom heeft ze alles dan ingetrokken?'

'Brooklyn wilde niet meewerken, ze wilde niet getuigen.'

Dat moest ik even tot me laten doordringen. 'Wat is het slechte nieuws?'

'Ze is weggelopen. Ze belde me uit... zit je goed? Uit Atlantic City. Uit een motel, je weet vast wel welk. Ze moet waarschijnlijk gaan tippelen om de rekening te betalen. Ze wil je telefoonnummer en je adres. Ze wil bij jou in Canada komen wonen.'

Was dit dan mijn lotsbestemming? Twee pubermeisjes opvoeden? 'Dat vind ik geen slecht nieuws.'

'Ze is woedend op haar moeder. Beweert dat die haar mobieltje heeft afgepakt en al jouw sms'jes heeft gewist. Ik denk dat je terug moet komen. Er loopt nog het een en ander tegen je, weet je nog? Rijden onder invloed, kleine overtredingen. Ik zorg wel dat je er met duizend dollar boete vanaf komt. Een jaar ontzegging van de rijbevoegdheid. Maar je moet wel terugkomen, even je gezicht laten zien. Ik kan het niet in mijn eentje, man.'

Ik keek naar boven, uit het raam, naar een paarszwarte hemel die bezaaid was met ontelbare sterren en een bijna volle maan, en toen naar beneden, naar de scheve schaduwen van de grafstenen. Van oost naar west, zo leggen ze je in het graf ter ruste. 'Ik zal het proberen.' Ik had het vage vermoeden dat de *Garden State* de Nightingales niet meer zou zien, dat de Nightingale-dynastie hier op dit kerkhof in het noorden haar einde zou vinden.

'En een beetje snel, hè,' zei Volpe. 'Ik dacht aan morgenochtend, de eerste vlucht vanuit Montreal.'

Er lag een bijna pauwblauw parallellogram van maanlicht op de grond. 'Geef Brook maar wat ze heeft gevraagd.'

'Roger. O, en Nile...'

'Ja?'

'Werk je niet weer in de nesten.'

Er woedde een sneeuwstorm in mijn hoofd en ik staarde naar de telefoon – een uur lang, leek het wel, maar het was waarschijnlijk maar een minuut. *Als je de neven hebt afgemaakt steek je de Cave in de hens, je legt de boel volledig in de as...* Toen het zwarte bakeliet van de telefoon begon te smelten en te roken, kwam ik met een schok tot mezelf. Pakte het kaartje van de dierenarts, draaide haar mobiele nummer: 'Dit nummer is momenteel niet bereikbaar. Probeer het later nog eens.' Het nummer in St-Hyacinthe draaien had geen zin, want daar was ze niet.

Ik liep naar de trap. 'Céleste?'

'Ja?' Ze zat op de bovenste tree.

'Wat doe je daar?'

'Niks.'

'Ben je naar zolder gegaan, wat ik zei?'

'Zoáls ik zei.'

'Geef nou maar gewoon antwoord.'

'Nee.'

'Waar heb je dan gezeten? Wat deed je?'

'Ik lag op de vloer in mijn kamer door een kier te luisteren. Je deed het heel goed.'

Ik zuchtte. Dit was niet het moment voor een preek. 'Heb je een telefoonboek?'

'Een wát?'

'Een telefoonboek!'

'Ligt op de ijskast!'

Beroepengids. Nogmaals de V. *Véhicules, Vêtements... Vétérinaires.* Een blik op de klok: tegen tienen. Er was vast niemand meer in de praktijk, ik sprak wel een bericht in, dan hoorde ze dat morgen.

Ik pakte de telefoon en begon het nummer te draaien, maar hoorde een schreeuwende stem aan de andere kant. Met muziek op de achtergrond.

'Godverdomme, wat heb ik daar de schurft aan,' zei Volpe, 'als iemand pal in je oor een nummer draait.'

'Ik wilde iemand bellen – het is belangrijk.'

'Dit is belangrijker. Dit was ik nog vergeten: de auto van je vader. Die is ergens in een weiland in upstate New York gevonden. Met de sleuteltjes nog in het contact.'

'Kan ik je zo terugbellen?'

'Weet je daar iets van?'

Ik was rusteloos, mijn aandacht zigzagde naar andere zaken. Soms kun je je niet voor dingen afsluiten.

'Nile?'

'Wat vroeg je ook weer?'

'De auto van je vader. Of je daar iets van weet.'

'Mag ik me op mijn zwijgrecht beroepen?'

'Wat wil je dat ik met die auto doe?'

'Wil je hem hebben? Bij wijze van honorarium?'

'Een deel van mijn honorarium bedoel je?'

'Precies.'

'Je hoeft me niet te betalen, idioot. Ik laat hem wel bij jullie in de garage zetten.'

'Heb je een sleutel?'

'Nee, ik laat hem dwars door de garagedeur naar binnen rijden, nou goed? Natuurlijk heb ik een sleutel. Wat ga je trouwens met het huis doen? En wie moet erop passen?'

'Ik heb de verwarming aangelaten.'

'En Parijs?'

Hij doelde op een appartement op de bovenste verdieping van een gebouw aan de Avenue Wagram.

'Zal ik het voor je verkopen?' vroeg hij.

Nee, ik weet een meisje dat het later misschien nog nodig

328

heeft. 'Nee, misschien heb ik het ooit nog nodig.'

'Wanneer ga je de nalatenschap van je vader uitzoeken? O, wacht even, ik krijg een telefoontje op de andere lijn.'

Hij zette me in de wacht, niet even, maar minutenlang. Bijna een heel nummer lang, 'Three Steps to Heaven' van Eddie Cochran.

'Nile? Dat was je ex. Brooklyn is terug, gezond en wel. En ze heeft je nummer. Dus wat je nu...'

'Prachtig. Kun jij...'

'...moet doen is...'

'...een soort lijfrente voor haar regelen, een studiefonds of hoe zoiets ook heet?'

'Nile, we praten door elkaar heen.'

'Kun jij een studiefonds voor Brook regelen?'

'Natuurlijk, maar wat jij eerst moet doen...'

'En de rest aan Céleste Jonquères nalaten? Kun je dat allemaal zwart op wit zetten en mij de papieren sturen?'

Stilte. 'Begrijp ik dit goed? De rest aan wíé nalaten? Aan die bijdehante meid die ik aan de telefoon had? Waar hebben we het nu over, Nile? Over een testamént?'

'En de privéspullen van pa uitzoeken en meenemen wat je wilt hebben?'

'Nile, denk hier nu eerst eens heel goed over na, ik ben daar niet zo vóór, zo'n impulsieve beslissing, ik heb zoiets wel eerder gezien, heel vaak zelfs, en...'

'Ben jij de juridisch adviseur van de familie Nightingale?'

'Wat?'

'Ben je de juridisch adviseur van de familie Nightingale of niet?'

'Eh, ja, dat geloof ik wel, maar...'

'Hou dan je kop en doe wat ik zeg.'

Een twee drie vier vijf. 'Spel de naam van dat meisje eens. En haar adres.'

Ik vertelde hem precies hoe je dat allemaal schreef. 'Als ik door welke oorzaak dan ook niet persoonlijk kan tekenen, dan moet je mijn handtekening vervalsen. En die van de getuige. Kun je dat?' Als ik goed was ingelicht, zou dat niet de eerste keer zijn.

'Dat zou niet de eerste keer zijn.'

'Beloof je me dat je daarvoor zorgt? Zweer je het op het graf van mijn vader?'

'Natuurlijk, als je het zo wilt stellen.'

'Zeg het.'

'Ik zweer het op het graf van je vader.'

'Bedankt, Leon. Je bent een goeie kerel.'

Voor de tweede keer die avond stond ik half in trance naar de telefoon te staren. Toen toetste ik een nummer in dat ik inmiddels uit mijn hoofd kende, het nummer van de praktijk van de dierenarts, en sprak een lang en breedsprakig bericht in.

XXX

Vroeger werd er veel geschaatst op Ravenwood Pond. Ik heb een stapel zwart-witfoto's van mijn grootmoeder waarop je dat kunt zien. Massa's mensen, wel honderden tegelijk, kwamen kunstrijden of ijshockeyen of bij maanlicht over de vijver rondschaatsen. De kinderen gingen er na school meteen naartoe, renden naar huis om even snel te eten en gingen dan weer schaatsen onder de sterrenhemel. Volgens Grand-maman heeft Bosbeheer in de jaren vijftig een keer een vuur op het ijs gemaakt waarbij de schaatsers zich konden warmen.

Dat is nu allemaal anders. Tegenwoordig mag er niet meer geschaatst worden. Nooit. Zelfs niet als het ijs een halve meter dik is & en er een hele vloot tientonners overheen zou kunnen rijden. Ze meten de dikte van het ijs niet meer zoals vroeger, laat staan dat ze een vuur bouwen. En niet alleen omdat het ijs minder dik wordt dan vroeger.

Er zijn drie keer mensen door het ijs gezakt en verdronken: in 1906, in 1972 & in 2002. Op 29 december 1906 zakte de elfjarige Wallace Ward door het ijs toen hij met twee vriendjes aan het schaatsen was. Op 14 februari 1972 waren 7 jongens tussen de 14 en de 18 aan het ijshockeyen, al stonden er bordjes met VERBODEN TE SCHAATSEN. Toen een van de jongens door het ijs zakte, vormden de andere 6 jongens een menselijke keten om hem eruit te trekken. Toen brokkelde er nog meer ijs af & vielen ze er allemaal in. Hun lichamen zijn nooit gevonden.

Op 1 januari 2002 is er nog iemand omgekomen, maar niet bij het schaatsen. Volgens de laatste die haar levend heeft gezien, liep er een vrouw van 27 op blote voeten over de besneeuwde vijver. Ze was onder invloed van drugs. Zij is ook nooit terug-gevonden. Dat was dus mijn moeder.

Nadat zij was verdronken begon mijn grootmoeders obsessie met ijs. Ze leek haar herderlijke plichten helemaal te vergeten en richtte zich op haar eerste liefde, de wiskunde. Vooral op de cryoscopie, de studie van ijs en vriespunten. Ik werd haar assis-tente, in het kader van het thuisonderwijs dat ik van haar kreeg.

Ze zocht een numeriek model dat de variabelen van de groei & het smelten van het ijs in meren weergaf. Ze wilde met name de toekomstige dikte van het ijs op de vijver kunnen voorspellen. Zo nauwkeurig mogelijk schatten hoeveel dagen de temperatuur onder een bepaald minimum moest zijn geweest om een ijsdikte van 5 cm, 7 cm enzovoort te bereiken.

Een keer per week gingen we de diepte en dichtheid van de sneeuwlaag op Ravenwood Pond meten, en de ijsdikte & de tem-peratuur. Met een ijsboor maakten we gaten in het ijs. Aan de oevers is het ijs altijd dikker dan in het midden, dus we moesten een heleboel metingen doen. We bonden een koperen staaf van 30 cm aan een meetlint van 10 meter vast & lieten die in de pas geboorde gaten zakken. Als hij door het ijs heen was, trokken we het meetlint langzaam omhoog, zodat de staaf aan de on-derkant van de ijslaag vast bleef zitten. Dan noteerden we de afstand van de onderkant van de ijslaag tot het water en tot de bovenkant van het ijs. Het verschil tussen die twee cijfers (de 'vrijboorbepaling') gaf ons een indicatie van de topografische kenmerken van de ijslaag en de dikte van het ijs. Rond Pasen waren we klaar met onze boringen & dan gingen we de smeltsnel-heid in de loop van het voorjaar meten.

In de derde winter dat Grand-maman met mij in de pastorie woonde, werd ze vrijwilliger in deeltijd bij Bos- & Faunabeheer en ging ze ook de ijsdikte van andere vijvers & meren meten. En waarschuwingsborden neerzetten als dat nodig was. VERBODEN TE SCHAATSEN, VERBODEN VOOR SNEEUWMOBIELEN en zo.

Zo ontdekte ze dat Ravenwood Pond zich anders gedraagt dan

de andere wateren in de regio. Heel anders. De vijver heeft een paar heel vreemde eigenschappen. Om te beginnen is hij bijna volmaakt rond, en hij is weliswaar niet erg groot maar wel HEEL diep, veel dieper dan alle andere meren of vijvers in de wijde omgeving. Op die andere meren en vijvers is de dikte makkelijk te meten en kun je heel makkelijk vaststellen of het ijs veilig is voor schaatsers, sneeuwmobielen en ijsvissers. Vaak zie je het alleen al aan de kleur. Maar bij Ravenwood Pond niet.

Dit was onze 'kleurcode':

– Zwart ijs – nieuw ijs, komt vroeg in het seizoen vaak voor.
Helder blauw, zwart of groen ijs – dat is het sterkste ijs voor zijn dikte.
– Wit/ondoorzichtig ijs – komt meestal midden in de winter voor, als het al dagenlang heeft gevroren. Het moet twee keer zo dik zijn als het heldere blauwe, zwarte of groene ijs om hetzelfde gewicht te kunnen houden.
– Vlekkerig ('rot') ijs – dat is bedrieglijk omdat het bovenop heel dik kan lijken, maar middenin en onderaan aan het wegsmelten is. Zulk ijs komt meestal in het voorjaar voor & en het heeft vaak bruine plekken door aarde, plantentannine & ander natuurlijk materiaal dat door de dooi naar de oppervlakte komt. Ongeschikt om zelfs maar één voet op te zetten!

En onze veiligheidsregels:

– 7 cm (nieuw ijs) – VERBODEN TOEGANG
– 10 cm – houdt ongeveer 100 kg
– 12 cm – houdt één sneeuwmobiel of één SUV
– 20-30 cm – houdt een busje of een groep mensen
– 30-38 cm – houdt een lichte pick-up of bestelwagen
– 60 cm – houdt een vliegtuig van 13 ton

Op Ravenwood Pond is het ijs eigenlijk nooit veilig. Het kan op de ene plek keihard zijn & op een andere plek zo onbetrouwbaar als een valluik. Dat komt voornamelijk door de onderaardse bronnen & stromingen, die warmer zijn en het ijs van onderaf verzwakken. Dat is erg gevaarlijk, want het is moeilijk te zien. Of te voorspellen. Vooral bij het rotsachtige gedeelte bij de noordelijke oever. Er zit geen logica in.

Maar er zijn nog meer redenen waarom de Pond een soort Russische roulette is. Ten eerste heb je daar donkere vegetatie, die boven het ijs uitsteekt of vlak onder de oppervlakte drijft (als het haar van zelfmoordenaars?), warmte absorbeert & die aan het ijs doorgeeft. Ook rotting veroorzaakt warmte. Bij de gedeelten met zeggebedden en waterplanten is het ijs dus veel zwakker dan op de plekken waar die niet groeien.

Ten tweede is de Pond brak, zilt. En zoutwaterijs is zwakker & moet dus dikker zijn dan zoetwaterijs om hetzelfde gewicht te kunnen dragen.

Ten derde bevriest ondiep water sneller dan diep water. In het noordelijke gedeelte, bij de 'steile onderzeese rotsmassa's' of zwarte dagzomende aardlagen, is de Pond ongelooflijk diep – misschien wel zo diep als Loch Ness, wie weet? Er zijn oude Algonquin-legenden & 19e-eeuwse verhalen over de bodem van Ravenwood Pond, maar die zijn goeddeels vergeten. Alleen mijn grootmoeder & de bibliothecaresse van het dorp (& ik) hebben ze gelezen, geloof ik. In een van die verhalen valt een man erin en wordt zijn lijk jaren later in een meer in China gevonden. Volgens een ander verhaal wordt de Pond bij het Laatste Oordeel de Poel des Vuurs waar alle zondaars in worden geworpen. God giet ze erin uit 'als een zak spijkers'.

Niemand heeft ooit de diepte bij die dagzomen gemeten en niemand heeft ooit kunnen ontdekken hoe het nu precies zit met die bronnen & stromingen. Hun wegen zijn ondoorgrondelijk. Maar nu ik daar een paar dagen met Nile heb rondgeschaatst & geboord & gemeten & gewogen, geloof ik toch dat ik wel een paar dingen heb uitgeknobbeld.

XXXI

Ze kwamen niet in sneeuwmobielen, maar in auto's. Een oude sneeuwploeg met een plexiglas geschutskoepel waar een geweerloop uit stak en een zwarte pick-up met een verhoogd chassis, een buldog-grille en een koplampoogkas die me leeg aanstaarde. Ditmaal waren ze minder talrijk, met z'n tweeën maar – de koning van het woud en zijn nar – en was het klaarlichte dag.

Céleste kreeg ze als eerste in de gaten, door de lens van haar telescoop. Ze stuurde me een noodsignaal, niet op de walkietalkie, die kapot was, maar door op twee vingers te fluiten, één keer kort en één keer lang en dat tweemaal achter elkaar, de alarmkreet van een uil – ons teken om ons plan in gang te zetten. Háár plan, moet ik eigenlijk zeggen.

We troffen elkaar in de keuken, allebei onverklaarbaar kalm, alsof het allemaal maar een gezamenlijke droom was die spoedig zou eindigen. Céleste had een verzaligde glans van berusting over zich terwijl ze haar sneeuwlaarzen strikte. Ik reikte haar het kogelvrije vest aan.

'Ik ben van gedachten veranderd,' zei ze. 'Ik trek het niet aan.'

'Jawel,' zei ik.

'Het is me te groot en het is te zwaar.'

'Trek aan of het hele plan gaat niet door. Wie denk je verdomme dat je bent, Wonder Woman?'

Ze zuchtte en stak eerst haar ene en daarna haar andere arm uit. Ik snoerde het vest aan de voorkant dicht. Ze trok haar parka aan, maar liet hem openhangen.

'Rits dicht,' zei ik, en ze gehoorzaamde. 'Weet je echt niet waar het pistool is?'

'De taser of de Sig?'

'Maakt niet uit.'

'Nee. En ik heb ze ook niet nodig.'

Ik keek haar aan en fluisterde twee bij dit soort gelegenheden gebruikelijke clichéformules: 'Wees voorzichtig. Toitoitoi.'

Tot mijn verbazing omhelsde me, snel en innig. '*See you later, alligator*,' fluisterde ze in mijn oor.

Zij liep met haar schaatsen over haar schouder de achterdeur uit en ik ging, met mijn geweer over de mijne, op weg naar de voordeur. Maar nadat ik even tegen een muur bij de ingang geleund had gestaan met het gevoel alsof ik bijna flauwviel, keerde ik op mijn schreden terug om in de keuken een slok te nemen van *la fée verte*. Door het raam zag ik Céleste uit de kerk komen met een grote jutezak. Net zo een als waarin ze in het moeras had gelegen...

Ik wilde haar net achterna hollen om te vragen waar ze in godsnaam mee bezig was toen er twee schoten klonken, een paar seconden na elkaar. Het ene trof de kerkklok, het andere sloeg tegen de voordeur van de pastorie. Zou er een derde schot komen, gericht op Céleste? Ik keek naar haar terwijl ze de jutezak moeizaam naar de vijver sleepte, buiten hun gezichtsveld.

Twee krachten trokken me twee tegengestelde kanten uit. De sterkste van de twee dreef me de gang in. Ik wilde daar niet heen, niet zien wat er aan de andere kant van die deur was. Ik wilde bij Céleste zijn. Maar die kracht was sterker dan ik.

Ik ging schuin achter de deur staan en loerde door het rechthoekige ruitje. Niemand. Althans niet op de veranda. In de voortuin stond de sneeuwploeg, met zijn schep omhoog en de loop van het kanon in de geschutskoepel op mij gericht. Hij kwam grommend dichterbij, en voor de tweede maal vroeg ik me af of hij zou stoppen. Dat deed hij.

Gervais droeg voor de gelegenheid een soort groene sjerp over zijn parka heen, als een hopman of een Zuid-Amerikaanse president. Met een zwakzinnige grijns bracht hij me met zijn ongehandschoende handen een militair saluut, eerst met de rechterhand en daarna met de linker. Hij had hoekige, behaarde handen, die me deden denken aan gorillaklauwen uit een feestwinkel.

Bazinet – wie anders? – zat op de bijrijdersplaats. Hij klauterde omlaag en liep op de deur toe, zijn lippen getuit alsof hij floot. Ik haalde lang en diep adem om mijn longen vol te zuigen voor wat me wachtte, om de indruk te wekken dat ik even kalm was als hij. *Woede verjaagt angst, woede verjaagt angst,* herhaalde ik als een mantra. Het zou niet in hun belang zijn om me nu al te doden, redeneerde ik als iemand in een film, maar in het echte leven weet je het nooit. Na nog een diepe ademhaling voelde ik me behoorlijk goed: een beetje plankenkoorts, meer niet. Ik gooide de deur wijd open – en was met stomheid geslagen door wat ik zag.

Ik had me de grote schurk voorgesteld als een schimmige figuur met vurige, scheve duivelsogen. Lelijk geheelde, door dieren toegebrachte littekens op zijn gezicht. Een donkere wolk boven zijn hoofd, als een soort omgekeerde aureool. Maar in werkelijkheid was hij een belachelijk alledaags uitziende man: normale lengte en lichaamsbouw, onopvallend gezicht, een saai kantoormannenkapsel in een onduidelijke kleur, iets tussen bruin en zwart in. De nietszeggendheid in eigen persoon. Het enige opmerkelijke aan hem was dat hij geen winterkleding droeg, alleen een grijs jasje en een grijze coltrui, zwarte geitenleren handschoenen en een nette grijze broek die met militaire precisie in een scherpe vouw was geperst. Met die kleren en dat buikje zag hij eruit als een golfer. Of een werper. Of een werkstuk van een preparateur. Dat laatste zeg ik omdat de dood op de een of andere manier om hem heen hing; zijn ogen waren als matte grijze stenen en zijn haar en gezicht net een pruik en een masker.

'*Monsieur Bazinet, je présume,*' wist ik uit te brengen.

'*À votre service, monsieur Nightingale.*'

'We verwachtten u op Valentijnsdag. Of dan toch minstens een kaartje.'

Een plastic glimlach. 'Vandaag, Aswoensdag, leek me... gepaster, laat ik het zo zeggen.' Zijn stem was ook van plastic: kleurloos, toonloos, zonder het Franglais, het argot of het nasale van zijn neef. 'Maar laten we ter zake komen: ik wil een persoonlijke kwestie bespreken met het meisje. Ze heeft een paar dingen die van mij zijn. Als u me haar nu brengt, overkomt u niets.'

Ik liet een paar seconden voorbijgaan om tijd te winnen, tijd voor Céleste. 'Bedoelt u stropersvideo's en foto's van berenfokkerijen? Of wilt u ook Gervais' legerlaarzen en rubberhandschoenen hebben?'

Hij wierp een lange, cellofaanachtige blik, niet op mij maar op een punt vlak boven me. Misschien keek hij naar het kogelgat in de deur. 'Ik heb gezegd wat ik te zeggen had.' Zijn lippen vormden een rechte lijn, en zelfs als hij praatte deed hij ze nauwelijks van elkaar, alsof hij een buikspreker was.

Ik kreeg een scherpe lucht in mijn neus. Niet de stank van een achterlijke drankstoker zoals zijn neef, maar de geur van eau de cologne, iets ouderwets als Brut of Hai Karate, dat met een brandweerslang leek te zijn opgebracht. Was dat om zijn natuurlijke geur te maskeren, omdat dieren anders roken hoe gemeen hij was, hoe pervers, en uit zijn buurt bleven? Omdat ze intuïtief aanvoelden dat wie dat niet deed nog maar kort te leven had?

'Goed,' zei ik. 'U mag met haar praten. Maar in ruil daarvoor moet u ook iets voor mij doen.'

Een miniem, stroef lachje. 'En wat mag dat wel zijn?' Er was een merkwaardig luchtige ondertoon in zijn stem gekomen, met de charme van liftmuziek.

'Ik wil u een paar dingen vragen. Om alles voor mezelf op een rijtje te zetten.'

Hij wierp over zijn schouder een snelle blik op Gervais, waarna hij weer op dezelfde stroeve manier glimlachte. 'Ik zal u aanhoren, meneer Nightingale. Ik heb geen zin om heel lang te praten, maar eventjes kan wel.' Hij vermeed oogcontact, als een cyborg, en de kou leek geen vat op hem te hebben. 'Beschouw het maar als uw laatste sigaret.'

'Goed, maar ik hoef geen blinddoek.'

'Als we toch beleefd gaan converseren en geestig gaan doen, zullen we dan niet liever naar binnen gaan? Dan kan ik alles misschien meteen even opmeten voor nieuwe gordijnen. Het huis is tenslotte eigenlijk mijn eigendom. Of wordt dat binnenkort. We zouden het over de kunst van het jagen kunnen hebben. Of vast uw laatste gebeden kiezen uit een gebedenboek, ervan uitgaande dat madame Jonquères er een had. Bij een goed glas wijn misschien, als heren onder elkaar. Wat zegt u daarvan?'

Je bent nog gekker dan ik dacht. 'De wijn is op. Maar ik kan wel een wodka-dollekervel voor u mixen.'

Zijn gezicht bleef onbewogen. 'Heel goed, ik heb bewondering voor mensen die grapjes blijven maken terwijl hun laatste minuten wegtikken.'

'Nu we het toch over wegtikkende minuten hebben: wat hebt u precies met Céleste gedaan? Hebt u geprobeerd haar te doden?'

'Ik zat in de gevangenis. Goed alibi, vindt u niet?'

Mijn oog viel op een leren veter die over zijn trui hing; volgens Céleste zat er een stuk gedroogd berenhart aan het uiteinde, bij wijze van talisman. 'Maar was u degene die de opdracht gaf? Om haar als een beest te laten leegbloeden?'

'Ik heb geen idee waar u het over hebt.'

'Leugenaar,' fluisterde ik. Ik voelde de naald van mijn schedeldrukmeter langzaam omhoog kruipen. 'Vuile leugenaar, godverdomme,' schreeuwde ik. Voor de tweede keer had ik de dwaze aandrang om met mijn geweer te gaan zwaaien als met een honkbalknuppel.

'Misbruik de naam des Heren niet... en blijf van dat geweer af, anders schiet mijn neef uw gezicht aan flarden.'

Ik balde mijn vuist en ontspande weer. De deur van de sneeuwploeg viel met een klap dicht en de bestuurder klauterde eruit. Met een geweer.

'Gervais,' zei Bazinet, bijna zonder om te kijken of zelfs maar zijn stem te verheffen. 'Stap weer in.'

'Maar ik heb het je toch gezégd, Alcide. Wat hij met Jean-Marc heeft gedaan. Hij ging helemaal over de rooie. Met datzelfde geweer.'

'Stap weer in.'

'Ik vertrouw hem voor geen meter.'

'Stap... weer...'

'Hij is zo gek als een deur.'

'...in.'

Gervais wist dat hij als domme soldaat beter niet tegen de bisschop in kon gaan. Hij draaide zich om en uitte een reeks religieus geïnspireerde vloeken, waaronder *hostie, câlisse* en *tabarnac*.

Bazinet draaide zich om en zei met stemverheffing: 'Ik heb het je al eerder gezegd: ik wil geen godslasteringen horen!'

'En haar grootmoeder?' vroeg ik terwijl Gervais weer in de cabine klom met zijn eskimolaarzen. 'Dr. Jonquères? Wat is er met haar gebeurd?'

'Ik heb gehoord dat ze zelfmoord heeft gepleegd. Met hulp van haar kleindochter. Dat zijn twee doodzonden bij elkaar.'

'Maar u was blij dat u van haar verlost was, of niet soms?'

Hij haalde zijn schouders op. 'Ze was een jacht-*sabo*, net als u en dat meisje. En de dierenarts.'

'Sabó?'

'Saboteur.'

'En daarom heeft Gervais haar vermoord?'

Bazinet lachte met een grimmig gezicht en bracht toen zijn hand naar zijn mond alsof hij zich geneerde. Aan zijn pink, diep verzonken in de huid, zat een dikke, gladde gouden zegelring. 'Walvissen die spuiten worden geharpoeneerd, zo gaat dat.'

Ik zag dat Gervais nu op zijn stoel op en neer zat te wippen alsof hij naar muziek luisterde. Of nodig moest plassen. Ik wilde die twee het liefst ter plekke afmaken, al liet ik er zelf het leven bij, en dat hele plan vergeten. Maar dit was niet het juiste moment om te sterven.

'En de houtvester, die Amerikaan? Hebt u die ook vermoord?'

Hij schudde zijn hoofd. 'Ik dood geen mensen. O, ik zou best willen, hoor, ik zou ze willen afschieten, ze in m'n achterbak gooien als beesten. Vooral vrouwen, die de mannen al sinds Adam het leven zuur maken. Wist u dat er meer vrouwen op de wereld zijn dan welke andere soort ook, behalve insecten? En nummer twee op mijn lijstje zouden de indianen zijn. Een eeuw geleden waren er nog maar honderdduizend, nu alweer meer dan een miljoen. Maar ik ben niet gek. Dieren bellen het alarmnummer niet. Dieren gooien je niet in de gevangenis. Dieren komen je niet gewapend achterna om wraak te nemen. Snapt u wat ik bedoel?'

Of ik snapte wat hij bedoelde? Absoluut, ik had nog nooit van mijn leven iets zo goed gesnapt. 'Jawel. Maar dat vroeg ik niet.'

Hij trok aan de handschoenen tot ze strak over zijn knokkels spanden. 'De houtvester werd door inspecteur Déry gevonden. In zijn s u v, zo hard als een blok ijs, begraven in een greppel vol sneeuw.'

Dat leek me niet logisch. Als de houtvester – al weken geleden – vermist werd, waarom had de u.s. Fish & Wildlife Service dan niet iemand gestuurd om naar hem te zoeken? 'Dat is vreemd. Als de houtvester...'

'Hij opereerde op eigen houtje. Gepensioneerd. Op premiejacht naar ondergetekende.'

Ik knikte, probeerde alle informatie te verwerken. 'Dus zijn dood was een ongeluk.'

'Daar lijkt het wel op. Maar u zult van de moord worden beschuldigd.'

'Omdat ik hem in een greppel zou hebben begraven?'

'Déry zweert dat hij het lijk in uw hut op de grond heeft gevonden, met een kogelgat in zijn rug. Van een Sig Sauer 380 met uw vingerafdrukken erop. Dat ziet er niet best voor u uit. Een voortvluchtige die bekendstaat als gewapend en gevaarlijk en gezocht wordt in de staat New York.'

'New Jersey.'

Weer zo'n wassenbeeldengrijns. 'Neem me niet kwalijk. De

Garden State.' Zijn doffe grijze ogen waren hard en hadden iets gepolijsts en anorganisch, als knikkers. 'En nu wil ik het meisje.'

'Ze is er niet. Doorzoek het huis maar.' Ik deed een stap opzij.

Zijn ogen schoten heen en weer en bleven op de Winchester rusten die over mijn schouder hing. Hij was iedere seconde op zijn hoede. Met zijn gehandschoende hand trok hij zijn jasje opzij, misschien speciaal voor mij. Ik keek omlaag. Op zijn heup hing een zwartleren foedraal waar het dubbele gegroefde handvat van een vlindermes uit stak, precies zo een als ik weleens in China had gezien. 'En waar is ze dan wel, als ik vragen mag?'

'Ze is gaan schaatsen.'

'Op de vijver?' Hij wierp opnieuw een blik achterom naar Gervais en keek toen weer naar een punt boven mijn hoofd. 'Ik kom terug. Als u me in de maling neemt, maak ik berenlokaas van u, meneer Nightingale. Gedoopt in esdoornstroop en vastgebonden aan een boom.'

Ik beklom de trap naar de zolder, in mijn hoedanigheid van torenwachter en schatbewaarder. Alles lag nog achter de muur, ook Célestes schetsboek, veilig in de Halliburton-reistas van mijn vader. Mijn handen trilden, maar volgens mij niet van angst. Meer van... afschuw. Dat is niet hetzelfde. Bazinet had iets over zich, iets wat vele malen erger was dan een ongure uitstraling. Ik installeerde me, stelde Célestes telescoop scherp, ging op haar rieten stoel zitten, met trommelende vingers en wippende knieën, en wachtte tot haar plan in werking zou treden.

Ik voelde me ten onrechte in een bijrol gedrongen, en terwijl ik grimmig naar de secondewijzer van mijn horloge tuurde vroeg ik me af waarom ik die rol ooit had geaccepteerd. Ik had tegen Céleste gezegd dat haar scenario niet deugde, dat ik bij haar wilde zijn op de vijver, dat ze nog niet fit genoeg was om daar in haar eentje te zijn. Maar ze hield koppig vol dat mijn plaats hier was. 'Bovendien is het ijs op de plek waar ik heen ga niet sterk genoeg om twee mensen te dragen. En als jij daar bij me bent, blijft Baz uit de buurt.'

Bazinet was inmiddels, met een lange bontjas aan, op een drafje op weg naar de vijver, waarbij hij geen moeite deed om atletisch of snelvoetig te lijken. Daar aangekomen inspecteerde hij het ijs, wreef met zijn laars over het bevroren oppervlak en stampte er twee- of driemaal op. Ik wist vanwege de boringen en metingen die we diezelfde ochtend hadden uitgevoerd dat het oersolide was. En daar waren veel meer aanwijzingen voor: de sporen van ijsvissers en de verkoolde resten van hun vuren, en sporen van sneeuwmobielen en dieren – herten, konijnen en iets wat een groot soort hond zou kunnen zijn geweest.

Céleste schaatste langs een van de sneeuwmobielbanen en boog toen af in de richting van een rotseilandje helemaal aan de noordkant. Ik zag haar, en Bazinet zag haar ook. Ze was ook moeilijk te missen: ze zwaaide heftig, sireneachtig, met haar rechterarm. Ze schaatste een paar meter verder, maakte een scherpe bocht en kwam tot stilstand in een L-vormige paardensprong. Dat betekende 'tot nu toe gaat alles naar wens'.

Bazinet wandelde in zijn wolk van eau de cologne langzaam terug naar de sneeuwploeg, alsof hij overdacht wat hij nu zou doen. Ik bad dat hij het busje niet zou zien, dat nu bij de vijver stond en gecamoufleerd was met sneeuw en afgerukte takken. Hij bleef er pal voor staan, maar in plaats van zijn hoofd een paar graden opzij te draaien keek hij omhoog, alsof in de lucht geschreven stond hoe het nu verder moest. Hij trok zijn handschoenen strak en streelde het handvat van het mes aan zijn riem. Daarna liep hij fluitend verder terug naar Gervais' sneeuwploeg.

Hij klauterde in de cabine, ging daar een sigaret zitten roken, stapte toen weer uit en liep naar zijn pick-up. Zijn neef volgde hem op de voet. Uit de laadbak haalden ze twee metalen oprijplanken, een soort ladders, en duwden er een glanzende zwarte sneeuwmobiel over omlaag. Met Gervais aan het stuur en Alcide met het geweer in de aanslag achterop zetten ze met brullende motor koers naar de vijver.

Céleste schaatste ondertussen terug naar de oever. Ik schreeuwde tegen haar, zinloos, door het raam heen, toen ik het zag...

Nu komen we bij het onbetrouwbare deel van het verhaal: mijn visuele geheugen houdt koppig vol dat ik een poema zag. Hetzelfde visioen dat ik tweemaal eerder had gehad. Het moet een uitstekende rots zijn, hield ik mezelf voor. Of misschien Kitty, het opgezette beest uit de Cave. Alleen lijkt het of hij beweegt, of hij tot op ongeveer een meter van Céleste sluipt. Maar hoe kan dat? Ze is nu minstens vijftig meter van hem af. Zijn er twee Célestes?

Ik trok mijn hoofd terug van de telescoop en wreef met mijn vuisten in mijn ogen. Schudde mijn hoofd heen en weer en keek weer door de lens. Alles was onscherp, het glas golvend en vervormend als tranen. Ik draaide de telescoop en stelde de lens scherp totdat de twee mannen in beeld kwamen. Kneep één oog dicht zodat het beeld scherper werd, maar de kleuren leken niet goed, te grijs, alsof ze uit een andere tijd afkomstig waren.

Ze waren tot stilstand gekomen aan de zuidelijke oever. Bazinet stond naast de sneeuwmobiel en staarde recht voor zich uit, verstard als een jachthond. Toen maakte hij ineens geagiteerde handgebaren en wees opgewonden naar iets. Hij sprong weer op de slee en die schoot met een ruk naar voren. Ik draaide de telescoop weer om te zien waar ze achteraan zaten. Céleste natuurlijk...

Maar ik zag haar niet meer. Ik draaide de telescoop als een razende van de ene naar de andere kant, en daarna langzaam weer terug. Bleef weer hangen bij die rots. Een lichtbruine rots... met een staart. Hij sprong naar voren en zette het op een rennen, op weg naar de plek – bij een aantal uitstekende grijze en zwarte rotsen – waar ik Céleste net nog had gezien! Ik liet de telescoop weer zwenken en zag haar – ze stond naast de rotsen, zo stijf als een standbeeld, alsof ze verstard was van angst.

Er klonken twee schoten. Na het eerste bleef de poema rennen, in volle galop. Bij het tweede knikte hij door zijn knieën en viel. Maar hij krabbelde weer op, zijn heup een donkerrode vlek op mijn schildersdoek, en rende verder. Na een derde schot sleepte hij met zijn achterpoten over het ijs. Hij struikelde en viel, trillend, en probeerde zijn ingewanden met zijn poot weer naar binnen te duwen. Kwam wankelend weer overeind en strompelde verder, maar struikelde al gauw over zijn ingewanden, die als een verknoopt rood lint achter hem aan sleepten.

De neven volgden hem, zonder te schieten, totdat het uitgeputte dier puffend en hijgend in elkaar zakte bij de uit het water stekende rotsen. Ze maakten twee rondjes om hem heen voor ze stopten. Bazinet richtte het geweer, wachtte even – zijn lippen bewogen, misschien prevelde hij een mantra, een moordenaarstrommellied – en schoot de poema toen herhaaldelijk door zijn kop. Gervais joelde en pompte met zijn vuist in de lucht, Bazinet stapte van de sneeuwmobiel af om zijn trofee te inspecteren – en toen verdwenen ze in de diepte.

Het ging heel snel. Ze wankelden niet, verloren hun evenwicht niet. Het ijs opende zich als een valluik en ze zakten erdoor. Nog een paar seconden trappen, armzwaaien en schreeuwen. Ze gingen kopje onder, kwamen weer boven, zakten opnieuw in de diepte en kwamen niet meer terug. Er viel een elektrisch geladen stilte, zo krachtig dat het leek alsof de tijd zelf abrupt tot stilstand kwam.

Ik vloog de trap af en de keukendeur uit, met een duizeligmakende optocht in mijn hoofd, een netvliescircus van schaakstukken, postzegels en dieren. En gedachten die rondtolden als de brandende fakkels van een goochelaar: *Zou dit soms allemaal niet echt gebeuren? Zou je nog veel gekker zijn dan je al dacht? Ongeneeslijk krankzinnig. Of nee, wacht, misschien ben je helemaal niet gek, maar – tromgeroffel – DOOD! Je bent in het moeras omgekomen toen je een onbekende probeerde te redden, en alles daarna was een na-de-doodervaring, jouw reis door het hiernamaals. God die een geintje met je uithaalde. Of Lucifer. Of het was allemaal,*

van begin tot eind, één lange hallucinatie – je allermooiste waan-
voorstelling – op je ziekbed, je sterfbed, in Neptune. Je bent hele-
maal nooit in Canada geweest...

Ik duwde die gedachten weg, smeet ze op de oever van de
vijver, en schreeuwde Célestes naam. Mijn stem klonk echt. Ik
trapte tegen het ijs, voelde aan mijn gezicht. Ik leek toch wel in
het hier-en-nu te zijn. Mijn gedachten richtten zich op de reden
dat ik hier nu was: het plan, en het feit dat niet alles volgens
dat plan was verlopen. Céleste had het lokaas moeten zijn, niet
een door de Voorzienigheid gezonden poema, en haar redding
de cryoscopie, niet een *puma ex machina*. Nadat ze naar Bazinet
had gezwaaid, had ze zich achter een van de rotsen moeten verstoppen, in een spleet waar alleen een kind in paste. Dat was de
reden dat ze de laatste dagen zo ongeveer gevast had. Zat ze daar
nu? Of was zij ook door het ijs gezakt? Of lag haar aan flarden
geschoten lichaam daarginds op het ijs?

Ik was tien meter van de oever toen ik in de verte iets zag wat
haar vorm en kleuren had – en het stond overeind! Maar tegelijk
hoorde ik haar stem achter me, uit de richting van de begraafplaats. 'Céleste?' Doodse stilte. Ik draaide me om. Riep ze me
vanuit het geestenrijk?

De stem was zacht en ijl, alsof hij schor was geworden van
het schreeuwen, van vele martelingen. Ik liep in de richting van
het geluid, terwijl ik het zweet aan weerszijden vanuit mijn oksels langs mijn lijf voelde druppen. Een aura van koningsblauw
kwam onder het dichte gebladerte van een grote ceder vandaan.
In paniek duwde ik de takken uit elkaar en zag een lichaam dat
half onder de sneeuw lag. Dood?

Ik riep haar naam. Opnieuw stilte. Toen ik dichterbij kwam,
zag ik beweging: haar lichaam trilde. En haar ogen stonden vol
tranen en waren roodomrand. Met haar handschoen veegde ze
het condens van haar bril.

Ik knielde, sloeg mijn armen om haar heen. 'Céleste! Godzijdank. Is alles goed met je, ben je...'

Ze zei iets vreemds, mogelijk in een heel oude taal – Laurentiaans? –, en duwde me weg. Ze ging zitten en begon haar schaatsen los te maken. Ze waren oud en gehavend, niet de nieuwe die ik voor haar had gekocht... Was zij het wel? Had iemand mijn Céleste door een andere vervangen?

Ik had duizend-en-een vragen over wat er was gebeurd, of niet gebeurd, maar mijn hoofd en mond waren gevuld met klanken en beelden die met elkaar worstelden. '*¿Cómo habría podido sucede... Είδατε... 美洲狮... Penso che stia perdendo... Est-ce que c'était vraiment... Ich brauche einen Arzt...*'

Ze keek naar me alsof ik ijlde, koorts had, in tongen sprak. Wat ook zo was. Mijn trommelvliezen trilden van woorden die alleen ik kon horen, de staafjes en kegeltjes in mijn ogen werden door fotonen getroffen die beelden vormden die alleen ik kon zien.

Céleste hield haar hoofd scheef en keek over haar bril heen. 'Voel je je wel goed?'

Het doden van herten en elanden schonk mensen als Alcide Bazinet steeds minder bevrediging, begreep ik nu – van die dieren waren er meer dan genoeg. Ze hadden zich nu gericht op de zeldzame soorten, en de extase van het afschieten van een van de laatste exemplaren...

'Nile, ben je daar nog?' Ze zwaaide met haar hand heen en weer voor mijn gezicht.

Ik wilde proberen alles te begrijpen, maar de neuro-acrobatiek hield niet op, de geesten weigerden netjes in een rij te gaan staan. Ik probeerde iets te zeggen, maar mijn kaak verkrampte en de woorden bleven steken. Ik deed mijn ogen dicht, haalde diep adem en probeerde met een denkbeeldige ruitenwisser mijn geest schoon te vegen. Heen en weer, heen en weer. Een ouwe truc van me, die maar zelden werkt. Ik stak mijn arm half op. 'Present.'

'Niet waar. Je bent weer in zo'n trance – dan zie je eruit alsof je tegelijkertijd dood en levend bent.'

Ik had moeite om haar woorden te verstaan, alsof de lucht van stroop was. Wat was er aan de hand? Stikstofnarcose, delirium tremens, alcoholische hallucinose? Ik haalde nog eens diep adem, probeerde weer zuurstof binnen te krijgen. 'Wat... wat deed je in...'

'Ik had me verstopt. Kom, wegwezen hier.' Ze trok haar laarzen aan, gooide haar schaatsen in een sneeuwhoop. 'Wacht, nog even dit rotding uittrekken.' Ze deed de rits van haar parka open.

Het duurde een paar seconden voor ik begreep wat ze bedoelde. 'Nee,' zei ik, en ik hield haar tegen. 'Niet doen. Laat dat vest...'

Het geluid van motoren onderbrak het gesprek. We draaiden ons tegelijk om naar de begraafplaats. Vier zwarte sneeuwmobielen lieten hun motoren razen. En daarachter, met ingeschakeld zwaailicht, een politiewagen die ik eerder had gezien.

Een plof in mijn hoofd bracht wat meer helderheid, het visuele equivalent van oren en die openploppen nadat er water in is gekomen. Larose en Viau... 'Daar is de cavalerie!'

'Nee, dat is geen reddingsbrigade. Kom.' Zij ging voorop.

'Maar ik ken ze. En trouwens, ze blokkeren...'

'We gaan de andere kant op.'

Ik schudde met mijn hoofd, in mijn nek kraakte iets. 'Over de vijver? Weet je hoeveel het busje weegt, met ons erin?'

'Tot op een halve kilo nauwkeurig. Rij maar precies zoals ik zeg, dan gebeurt er niks.'

We veegden de sneeuw en de takken van het busje – Céleste langzaam en ik als een bezetene – en stapten in. Ik draaide het contactslot om, en de motor schuurde en knarste maar wilde niet starten.

'U staat onder arrest!' klonk de versterkte stem van brigadier Viau. 'Stap uit met uw handen omhoog!'

Toen de motor brullend aansloeg, stoven de mobielen met hun besneeuwbrilde Darth Vaders op ons af. Ze waren in een paar seconden bij ons, op een meter of wat van de oever, maar ze schoten niet. Ze namen een patrouilleformatie aan: twee een paar meter voor ons en twee als achterhoede pal achter ons, onze achterbumper rakend.

Céleste wees hoe we moesten rijden, ze had de route aangegeven met blauwe fleur-de-lys-vlaggetjes. 'Rustig, langzaam rijden,' zei ze. Ik hoefde niet te vragen waarom, want dat had ze me al uitgelegd. Het gewicht van de auto drukt het ijs naar beneden; tijdens het rijden veroorzaak je een golfbeweging die kan terugkaatsen tegen de oever of eilanden die je nadert of waarvan je je verwijdert, en daardoor kan zelfs dik ijs breken. Dus hoe langzamer, hoe beter.

We reden niet langs de gladde banen die door sneeuwmobielen waren gemaakt, maar over stukken met ruwe sneeuw. 'We komen nu... in de buurt van het gat,' zei ik tegen Céleste. Maakte een dubbele zelfmoord onderdeel uit van het plan?

'Doorrijden,' zei ze hees en met klapperende tanden.

Ik trok mijn parka uit, bleef met mijn knieën sturen en sloeg hem ondanks haar protesten om haar heen. Hij bedekte haar van hoofd tot voeten, maar het trillen hield niet op. Kwam dat doordat die mannen door het ijs waren gezakt? Of doordat ze de *Puma concolor* hadden gedood, zijn wilde symmetrie hadden doorbroken?

De twee sneeuwmobielen die op mijn achterbumper zaten, stopten toen we de plek des onheils naderden. Er was bloed over het ijs gespat, en er welde nog steeds bloed op uit de flank en de snuit van de poema. Het was een jong dier, nog niet volgroeid. Waren zijn ouders in de buurt? Over zijn wang liep één enkel straaltje bloed, alsof het beest zelfs na zijn dood nog huilde.

Ik was tot in mijn middenhandsbeentjes verkleumd, bijna verlamd door een golf van ijzige kou in mijn zenuwen. 'Niet kijken,' zei ik terwijl ik Céleste aankeek. Maar het was te laat – ze volgde mijn blik al.

'Waarnaar niet?'

Ik keek naar haar gezicht – er was geen verbazing op af te lezen, geen schrik, geen afgrijzen – en toen weer over mijn schouder naar de poema. Er was niets te zien, geen lichaam, geen sporen, alleen maar een zwart-bruine rots die uit het water stak, een ruige rechthoek die ruwweg de vorm en grootte van een poema had... Was het beest ook door het ijs gezakt? Ik kon het beeld dat ik had gezien niet meer uitwissen.

De andere sneeuwmobielen zetten koers naar de andere kant van de vijver en maakten een omtrekkende beweging om hun bedoeling niet te verraden; waarschijnlijk wilden ze ons de doorgang versperren. Maar ook zij stopten en maakten rechtsomkeert toen ze merkten dat hun kameraden schreeuwden, naar hen zwaaiden en naar iets bij de rand van het gat wezen, iets wat aan een scherpe ijspunt was blijven hangen: Gervais' rood-wit-blauwe pet.

Een paar seconden of mogelijk minuten later kwamen de vier sleden bij elkaar voor een beraadslaging, waarna ze, een voor een, de terugtocht naar de kerk aanvaardden. Wij sukkelden verder naar de enige plek waarheen niemand ons zou volgen: het natte graf. Het was Bijbelzwart, zo donker als het heelal, het ijs eromheen 'rot', papperig, vol bruine, brons- en roestkleurige vlekken. We naderden de plek tot op tien meter, vijf meter, op een magisch tapijt van helder blauwgroen, en het ijs hield.

Bij het gat, vastgebonden aan een staak in het ijs, stond... Céleste. Of liever gezegd: haar tweelingzusje. Ze stond daar als een vogelverschrikker, maar dan een vollediger versie, een hogere-solutieversie, als een trompe-l'oeil-pop in een kunstinstallatie. Ze droeg een Jeanne d'Arc-pruik, een metalen bril en Célestes blauwe ski-jack en -broek. En schaatsen, gloednieuwe schaatsen die me bekend voorkwamen. Maat 6½. Ik keek rechts van me, naar de echte Céleste, en daarna weer naar het lokaas met de kop van klei.

De echte Céleste gooide haar portier open en stapte op het ijs. Ze liep recht op het gat af! Naar het water, als Jezus!

'Céleste! Niet doen! Ga daar weg! Alsjeblieft. Niet... springen!'

Op de gebarsten rand van de krater, die haar gewicht op de een of andere manier hield, trok ze haar dubbelganger van de staak. En gooide haar, met haar kop vooruit, in het zwarte niets. De pop bleef half onder water nog een paar seconden drijven en werd toen omlaaggetrokken door haar skelet van skistokken en haar plaatstalen voeten.

Het volgende wat ik me herinner is de vaste grond van een open plek op de andere oever. Het restant van een ongebruikte weg die iemand met een bulldozer had proberen te banen totdat iemand anders hem had opgedragen daarmee op te houden, zei Céleste. Hij was met sneeuw bedekt, maar had brede opstaande randen en een diep spoor waar de banden van het busje goed greep op kregen. Ongeveer een kilometer verderop, waar de bomen steeds dichter werden, passeerden we het afbrokkelende betonnen fundament van een huis dat nooit was afgebouwd.

'Waar leidt dit naartoe?' vroeg ik. 'Naar een snelweg? De interstate?'

'Hier in Canada noemen we dat geen interstate. Deze weg leidt naar het Lac St-Nicolas. We zouden er over een minuut of twintig moeten zijn.'

'Canadese minuten?'

Ze keek naar de klok en de snelheidsmeter op het dashboard. 'Of langer. Met de snelheid waarmee je nu rijdt heb je geen horloge nodig, maar een kalender.'

Het ging gewoon niet sneller. Het terrein was afgrijselijk, vol diepe geulen, omgevallen boomstammen en takken. Tweemaal zakte het busje tot aan zijn achterbumpers in zwarte moddergaten die bedrieglijk onder de sneeuw verborgen zaten. De sneeuwbanden gierden rond alsof ze door olie draaiden. Een rupsvoertuig had ons nooit los kunnen trekken, dat wist ik zeker vanwege het vacuümprincipe van von Guericke, maar we wisten het busje telkens los te wrikken met stammen als hefboom en takken als antislipmat; ik duwde en Céleste liet de ploeterende wagen heen en weer wiebelen terwijl de wielen koude modderfonteinen deden opspuiten. Grotendeels op mij.

'Wat gaan we doen bij dat Lac St-Nicolas?' vroeg ik toen ik weer achter het stuur zat, terwijl ik mijn gezicht afveegde met mijn kleverige, naar turf ruikende handschoenen.

'Daar staat het vliegtuigje van Grand-maman. Hoop ik.'

'En daarmee gaan we... wat precies?'

Ze stak haar hand in haar zijzak en hield een ring met gouden sleutels omhoog. 'Wat denk je? En als het er niet staat, rijden we het meer over.'

Daar dacht ik even over na. *Is krankzinnigheid besmettelijk?* 'Voel je je... wel goed, Céleste? Wat vind je van... je weet wel...'

'Van wat?'

'Wat er gebeurd is.' Ik durfde niets met name te noemen. De twee neven waren in een donker gat verdwenen, dat wist ik vrij zeker, van de aardbodem weggevaagd alsof de duivel hen aan hun voeten de hel in had gesleurd. Maar was er een poema geweest?

'Bedoel je dat Baz en Cude...? Dat ze door het ijs zijn gezakt?'

Oké, dat is dus in ieder geval echt gebeurd. 'Ja.'

Céleste dacht daar een poosje over na terwijl we verder hobbelden. Vrij lang zelfs, althans voor haar doen. 'Ik voel me als... een vis die weer vrij rond kan zwemmen.' Ze hield haar hand voor haar mond alsof ze bijna moest overgeven. 'Of een eend die onder het ijs heeft vastgezeten en weer losgekomen is.' Ze hoestte in haar handschoenen, een blaffende, schetterende hoest. Bronchitis? Kroep?

'Gaat het?'

'Of... alsof ik op een bom vastgebonden zat, maar het laatste draadje is doorgeknipt en het tikken is opgehouden.'

Een onverwachte windvlaag huilde door de bomen en leek ons vooruit te duwen, dieper het bos in. Het pad werd gladder maar smaller en slingerde en zwenkte grillig. We reden om grote brokken steen heen en langs torenhoge dennen en sparren. Ten slotte loste het pad helemaal op in plukjes schriele jonge bomen – verbrand of verdronken – en een groepje oude, aftandse esdoorns, hun stammen knoestig en ribbelig van doorstane ziekten. Het oude busje ploeterde hijgend en stuiptrekkend voort.

In de beginnende schemering leek alles van een bovennatuurlijke helderheid. Ik zag met verwondering dat elke sneeuwhoop, iedere tak en elke steen scherp afgetekend was als tegen een zwarte achtergrond, alsof het hele landschap bestond uit een reeks met bovenmenselijk vakmanschap gemaakte schilderijen. Toen keek ik naar Céleste en ik zag, als een reeks snel achter elkaar vertoonde foto's, dezelfde mate van detail, alle lijntjes in haar huidige en toekomstige gezicht...

Net toen er een stukje van het meer in zicht kwam, een verblindend wit oppervlak, sloeg de motor af. Ik knarste en pompte, maar het hart van het busje had het opgegeven. Had ik het af en toe maar eens laten nakijken in een garage. Dit zal ons het leven kosten.

'Laat maar,' zei Céleste, en ze wees naar iets. Ik kneep mijn ogen half dicht, hield een hand boven mijn ogen tegen de ondergaande zon. Op het meer, of misschien op de oever, stond een klein blauw-wit ding. Een boot, dacht ik, daar hebben we niks aan. Erachter een rood-wit huisje, gestreept als een zuurstok.

'Heb je het geweer?' vroeg ze.

Ik was het vergeten. Een ongelooflijk stomme fout. Ik wachtte af wat mijn vader hiervan zou zeggen, maar die zweeg. Ik deed het handschoenenkastje open en pakte de plastic .38 eruit.

'Doet de accu het nog?' vroeg ze.

Ik schakelde het linker knipperlicht in. 'Ja, hoezo?'

'Kun je het zwaailicht en de sirene aanzetten?'

'Jawel, maar...'

'Ik ken de man die daar woont. We moeten proberen hem eh... af te leiden, in de war te brengen, een rookgordijn op te trekken.'

Ik haalde het draagbare zwaailicht onder Célestes stoel vandaan. Ik sloot het snoer aan op de sigarettenaansteker en klikte het zwaailicht vast op het dak. En zette de twee knoppen om.

'Wie woont daar?'

'Hier, je jas,' zei ze terwijl de sirene loeide en het rode licht ronddraaide.

'Hou hem maar, ik red me wel.' De adrenaline had me ongevoelig gemaakt voor de kou.

'Trek aan,' herhaalde ze. Haar lichaam trilde en haar woorden lieten een condensspoor achter.

We stapten uit en waadden de heuvel af door een dikke sneeuwlaag die tot onze dijen kwam en van boven hard bevroren was. Zelfs het breken van de korst kostte veel kracht, dus ik nam kleine stappen, zodat Céleste in de door mij gemaakte gaten kon stappen. Toen we het bevroren meer bereikten, zag ik dat er een lange sneeuwvrije baan dwars overheen liep. Aan het dichtstbijzijnde uiteinde daarvan stond het blauw-witte ding. Ernaast stond een in het zwart geklede man zonder hoofd wiens bovenkant half schuilging onder de opengeklapte motorkap.

Het was geen boot, maar een vliegtuigje, met korte 'ski's' als platte metalen schoenen onder de wielen. Toen de piloot ons zag, smeet hij de motorkap dicht en gooide een sigaret op het ijs. Van onder zijn doodskap keek hij naar het busje met het zwaailicht, aarzelde een paar seconden en klom toen in de cockpit.

'Snel!' riep Céleste hees. 'Laat hem niet ontsnappen!'

Ik rende hard tegen de bijtende wind in, glibberend over het ijs, zwaaide met het pistool en slaakte oorlogskreten als een achterlijke indiaan. Mijn gezicht zat ook nog onder de modder, dat was ik bijna vergeten. De piloot stak zijn handen omhoog.

'Kunt u ons een lift geven?' riep ik. Ik hijgde en hapte naar lucht als een vis die giftige zuurstof inademt.

De man schudde zijn hoofd in de kap, maakte geluiden die ik niet kon thuisbrengen. Sissende Donald Duck-geluiden. Hij keek niet naar mij, maar naar iets achter mij. Ik keek achterom en zag Céleste trekkebenend op ons af komen hollen. Ze hield met één hand de kraag van haar jas om haar keel en stond zo te zien op het punt om neer te vallen.

Doffe motorgeluiden in de verte. Ongeveer drie kilometer verderop zwermden een heleboel rode en zwarte sneeuwmobielen op de oever, als een troep rode en zwarte mieren.

'We moeten een lift hebben, inspecteur Déry!' zei Céleste hees en piepend. 'Nu meteen! Anders schieten we uw hoofd eraf!'

Inspecteur Déry, die duidelijk niet in functie was, droeg een zwartleren jack over zijn hoodie, vol ritsen en studs en met de tekst AIGLES NOIRS op de rug. Hij draaide zich naar Céleste toe en stond op. Hij was fors, ongeveer van mijn leeftijd, en had plooien in zijn gezicht, als een hondenkop. Zijn grote, slonzige lijf leek ieder moment te kunnen omvallen.

'Weet je onder welke voorwaarde je grootmoeder mij dit vliegtuig heeft verkocht?' vroeg hij, en het spuug spatte in het rond. Hij liet zijn handen weer langs zijn zij vallen. 'Spotgoedkoop?'

'Handen omhoog,' riep Céleste.

'Dat ik uit je buurt zou blijven. En mijn zoons ook. Dat ik een oogje op je zou houden.' Hij glimlachte. 'Maar aangezien ze nu dood is, en aangezien je vriend een waterpistool op me richt...'

Hij haalde een revolver uit zijn zak terwijl ik richtte en tevergeefs schoot. Er klonk een daverend schot, maar van een andere kant, uit de richting van het huisje. Mijn blik schoot naar Céleste. Ze was zo te zien niet geraakt, maar ze staarde met uitpuilende ogen naar Déry. Ik draaide me om. Het schot had hem gescalpeerd, zijn tanden verbrijzeld en hem op een haar na onthoofd. Aan zijn bovenlip hing een klonter harig grijs spul, en er kwam rook uit een gat op de plek waar zijn neus had gezeten. Hij strompelde de cockpit uit, zijn armen voor zich uitgestrekt als een blinde, de revolver nog steeds in zijn hand. Zijn benen knakten als die van een marionet en hij viel met zijn gezicht in de sneeuw. Of met zijn halve gezicht. Het wit om hem heen werd rood, alsof een kind met een ijslolly had gemorst.

'Op de grond!' Ik sprong met opgeheven armen op Céleste af, greep haar bij haar schouders en trok haar mee naar de grond terwijl een tweede knal de lucht spleet, nog harder dan de eerste. Hij kwam niet uit de richting van het huisje maar van de andere kant, waar het busje stond, en de loden straal vond zijn doelwit.

Na een ondeelbaar ogenblik, te kort om door de hersenen te worden geregistreerd, te kort om pijn te voelen, klonk er van de kant van het huisje een derde en laatste knal – die ons baatte, niet schaadde.

XXXII

Ik heb eerder visioenen gehad, maar nog nooit zoals nu. Niet op deze schaal. Het begint met langzaam uitdovend licht, zoals in een theaterzaal, maar daarna is het meer grijs dan zwart. Ik word door elkaar geschud door een pijnscheut in mijn ribbenkast en ik stroom vol licht en warmte – vuurbollen, vonkenregens, blauwe en rode vlammenspaken. En dan nacht – mijn hoofd vult zich met nacht. Geen sterren, niets. Ik heb geen gedachten, althans niets rationeels, alleen het vermogen om te voelen, als een dier. De chemische stoffen waarmee ik denk, of wat ervan over is, beginnen door mijn hersenen te stromen en ik besef dat we in zwart winterwater gevallen zijn. Uit een vliegtuig? Ik doe mijn ogen open en zie een blauw licht met een haast kerkelijke glans hoog boven me, alsof het schuin omlaag valt door een gebrandschilderd raam, wat onmogelijk is. Mijn zintuigen zijn heel alert en alles wat ze registreren is glashelder, magisch-realistisch scherp. Door iets in het tumult in mijn lichaam zijn mijn ogen in telescopen veranderd en mijn oren in stethoscopen. In de bossen aan alle kanten zie ik elke afzonderlijke boom en de structuur van zijn schors: de ruwe, gekloofde schors van esdoorns, het gevlekte grijs-bruin van naaldbomen, het afbladderende witte papier van berken, de donkergrijze geribbelde stammen van iepen (of hun schimmen, want iepen zijn allemaal dood). Ik zie de prismakleuren van de ijspegels die aan de hoogste takken hangen, de zeshoekige kristallen van de sneeuwvlokken. Maar alles wordt omsloten door kaders ter grootte van postzegels, gekartelde vierkantjes die het begin en het eind van alle dingen behelzen. Er vliegt een witkeelgors voorbij, en ik hoor zijn lied alsof hij op mijn schouder zit en in mijn oor zingt. De dissonante kreten van andere vogels – blauwe gaaien, mezen, raven – versmelten binnen in mij tot een zachte melodie. Er zwemt een nerts (of een muskusrat, of een otter) met een glimmende vacht vlak onder mijn ogen langs en ik hoor het ruisen van zijn donkere, chocoladekleurige lijf – ongetwijfeld het geluid dat het dier zelf ook hoort! De wereld begint te tollen en ik zie een rood-wit gestreept zuurstokhuisje, een turquoise vliegtuigje, een geelbruin-met-zwarte poema. Ik zit schrijlings op het dier, als in een draaimolen, en hoor zijn hartverscheurende gekerm. Zwarte waterdraaikolken, bebloede ijszwaarden, horden jagers die me achternazitten – alles loopt in elkaar over en vervaagt, gevangen in de rondtollende massa. Als die tot stilstand komt, zie ik weer dat blauwe licht, het strooit diamanten in de sneeuw. In de verte slaat een kerkklok het hele uur. Ik zak opnieuw weg, maar als ik tot mezelf kom ben ik weer thuis en sta ik bij het hek van de begraafplaats.

'Het is gelukt! We zijn ontsnapt!' roep ik naar mijn medeplichtige, mijn vroegwijze moordenaresje. Maar ik zie haar niet, en zij hoort mij niet.

Ik lig onder een baldakijn van boomtakken en richt mijn blik op de donker wordende hemel. Ik zal de slagen van zes uur nog horen, maar die van zeven uur niet meer.

Céleste bloedt, ik bloed, ons bloed stroomt samen in een plas rond onze voeten. De motorgeluiden in de verte worden harder, de vijandelijke sluipschutters zijn stil. Ik lach naar Céleste en zij grijnst breed, net als op die foto met haar grootmoeder.

'Ben je gewond?' vraag ik, maar veel geluid komt er niet uit mijn mond. 'Mag ik even naar je verwondingen kijken?'

Ze lijkt het niet te horen. 'Waar gaan we heen?' vraagt ze, en ze kijkt omhoog. 'Naar Neptunus?'

'Kun jij dit ding besturen?'

Ze zegt niets, bestudeert het instrumentenpaneel. Morrelt aan de pook op de grond, schuift hem in alle richtingen. Drukt op een zwart knopje aan de rechterkant, stapt dan op het ijs en geeft de propeller tweemaal een zwieper. Ze klimt weer in de cockpit, trekt een grimas en zet een schakelaar op BOTH. Schuift de gashendel helemaal naar voren. Er gebeurt niets. 'Oliedruk, olietemperatuur, toerental,' mompelt ze. Ze probeert het nog een keer en de propeller begint te draaien. Traag, droomachtig traag, beginnen we over het ijs te hobbelen, alsof we gewond zijn.

De zwart-rode sneeuwmobielen zijn nu vlakbij, binnen schoots-afstand. Kogels striemen over de ijsvlakte als hagelstenen. Er klapt een band. Een spiegel gaat aan scherven. Ik ruik een doordringende kruitgeur, alsof er vuurwerk wordt afgestoken. Céleste brengt het vliegtuigje terug op koers en we meerderen vaart, gaan steeds snel-ler, stuiven over een sneeuwvrij gemaakte baan van vijftig meter. Aan het eind daarvan duwt ze de pook naar voren, de staart van het vliegtuig gaat omhoog. Dan trekt ze hem terug en we beginnen te stijgen.

We kijken naar beneden en zien de jagers die vanaf de oever op ons blijven schieten, de lichtflitsen uit de lopen van hun wapens. We horen een scherpe metalige tik en verliezen ineens hoogte boven een eilandje, schampen de top van de enige boom die er staat. Een van onze vleugels begint te lekken.

Maar we stijgen weer, als een bedreigde vogelsoort, als een vogel die je alleen ziet als je erin gelooft, over boomtoppen en riviertjes, bergen en moerassen, steeds hoger, in de richting van de onder-gaande zon en de wolken in de vorm van dieren ('Witte walvis, witte poema, ijsbeer!' roep ik), in het luchtspoor van onze gevleu-gelde voorzaten ('Trekduif, Labrador-eend, eskimowulp!' roept zij), en het dringt tot me door, als iets wat ik heel lang vergeten was, dat ik nooit van mijn leven meer iets anders zal zien, alleen deze hemelse mist en alles wat erdoor wordt omhuld.

XXXIII

Ik had met dat vliegtuigje wel naar het eind van de wereld willen vliegen, tot in de eeuwigheid – maar het wilde niet starten, ik kreeg het niet van de grond, ik wist niet meer hoe het moest!!

Ik bleef het steeds maar weer proberen en mijn handen wilden niet meer ophouden met trillen, ik pompte met de primer, gaf de propeller een zwieper, duwde de gashendel helemaal naar voren... Ik stopte toen ik iets over zag vliegen – een helikopter, blauw met knaloranje, een gigantische libel in zuurstokkleurtjes. En toen kwamen er twee politiesneeuwmobielen, een rode en een zwarte.

Toen ik naar Nile keek, achterin, zat hij onderuitgezakt in zijn stoel & er liep bloed uit zijn mond & in zijn hals. 'Het is gelukt, we zijn ontsnapt,' zei hij zachtjes. En toen niets meer. Ik riep zijn naam, steeds opnieuw, maar hij gaf geen antwoord. Hij was doodgebloed. Er was een kogel in zijn borstkas gedrongen. Het spijt me, Nile, dat ik niet wist hoe ik je moest redden.

* * *

Er werd een dienst in de kerk van Ste-Davnet gehouden & ik dacht dat er niemand zou komen. Maar ik had me vergist. Volpe was er & hij zat in de voorste bank & huilde zijn ogen uit zijn hoofd, die ouwe schat. Hij zei heel zacht dat het zo zonde was, want Nile begon juist 'alles op de rails te krijgen'. Hij zei ook dat hij het een naar idee vond dat Nile hier in Quebec in de modder werd begraven, ver van het familiegraf in New Jersey waar zijn vader lag. Ik zei dat hij hier begraven wilde worden, bij de andere zwervers & vogelvrijen, naast Moon, en dat je iemands laatste wens moet respecteren. Volpe geloofde me & daar ben ik blij om want het was waar (behalve dat over Moon). Hij vroeg of ik wist wie Nile had vermoord & ik zei nee, maar dat het óf de politie was óf Jacques Déry junior. 'Volgens de politie had hij per ongeluk ook zijn vader doodgeschoten, klopt dat?' 'Dat zou kunnen,' antwoordde ik, maar later ontdekte ik dat dat niet kon. Déry senior was geraakt met een Nitro .500, net als Déry junior. Maar Nile niet. Volpe legde een hand op mijn schouder & vroeg of hij me straks even over 'een privékwestie' kon spreken.

Naast hem zat Brooklyn, die heel mooi is, met benen zo dun als de poten van een bidsprinkhaan & zij kon ook niet ophouden met huilen. Ik heb nog niet met haar gepraat, maar dat ga ik wel doen. Het kleine bankdirecteurtje & zijn bonenstaak van een zoon waren er ook, en het hele dorp Ste-Davnet, of bijna. Er kwamen allemaal mensen naar me toe, ook twee jongens van mijn leeftijd die nog nooit een woord tegen me hadden gezegd.

Ik heb tijdens de dienst niets voorgelezen, geen psalm of zoiets, want ik geloof niet in God, maar ik heb wel een kaart in Niles kist gelegd:

N.
We vinden elkaar
wel weer, jij en ik,
ergens waar het rustig is,
net als zwanen die hun
hele leven lang naar hetzelfde
stille water terugkeren.
C.

De twee Weskarini's, de anarchiste & de kunstenaar, zeiden dat ze het verschrikkelijk vonden wat er met Nile gebeurd was. Het was de eerste keer dat ik de kunstenaar iets hoorde zeggen. De anarchiste zei dat de Cave 'een brandstapel was die wachtte om aangestoken te worden, tot as te verbranden & in de lucht te vliegen'. En dat ze 'erbovenop zaten'. Dat liet ik ze zweren op het gebeente van hun voorouders.

Earl kwam ook naar me toe & hij omhelsde me & gaf me een zak drop & bood me een baan in de winkel aan. Ik bedankte hem & zei dat ik daar zeker over zou nadenken. Hij wees naar mijn arm & ik zei dat het maar een schrammetje was, dat het kogelvrije vest het ergste had opgevangen. Een oude man met een witte baard & met plakband dichtgeplakte schoenen & fietsklemmen aan zijn broek & een lange rode onderbroek die onder zijn broekspijpen uit kwam stond naast hem & het duurde even voordat ik zag dat het meneer Llewellyn was! Hij gaf me een zoen op mijn voorhoofd & drukte me iets in mijn hand: een Amerikaans biljet van twintig dollar dat tot een klein hard vierkantje was opgevouwen. Hij zei dat hij 'vrijgelaten' was & dat Nile hem had beloofd dat hij de kerk mocht opknappen & ik zei dat ik die belofte zou houden. Ik vroeg of hij onderdak nodig had & hij zei van niet, hij woonde in een 'zuurstokhuisje' aan het Lac St-Nicolas. Met 'een Nitro voor mijn veiligheid'. Hij knipoogde tegen me & in een flits viel het kwartje. Wat ben ik toch stom! Dat ik daar niet eerder op gekomen was! Ik wilde hem nog iets vragen – en hem bedanken – maar ik werd in de rede gevallen door een vrouw met krukken & een been dat van haar heup tot haar teen in het gips zat.

Het was Solange Lacoursière – de dierenarts uit Ste-Mad, die niet echt dierenarts maar forensisch zoöloog is. Ze kuste me op allebei mijn wangen & zei dat ze het verschrikkelijk vond wat er allemaal gebeurd is – tenminste, bijna alles – & ik zei dat ik het vreselijk vond wat haar was overkomen. 'Maar... wat is u eigenlijk overkomen?' vroeg ik. Een 'verkeersongeluk', zei ze en ze maakte aanhalingstekens met haar vingers. Het gebeurde op het parkeerterrein van de Cave, nadat ze 'meneer Nightingale' had gesproken. Dus daarom had ze hem nooit teruggebeld – ze lag in het ziekenhuis. 'Was u verliefd op hem?' flapte ik er onhandig uit – ik wou dat ik dat kon terugnemen. Ze gaf geen antwoord. Ze glimlachte alleen heel langzaam & vroeg of ik 'later' faunabeheer wilde gaan studeren. Ik zei dat ik dat nog niet wist en dat 'later' al begonnen was. Ze vroeg of ik nog steeds een dierenrevalidatiecentrum in de kerk wilde beginnen & ik zei dat ik dat ook niet wist. Want hoe zou ik dat kunnen? Volgens oma zou zoiets vijfduizend per maand kosten. Wat ik niet zei was dat ik vanaf, zeg maar, vanavond zo onvoorstelbaar in de war zou zijn dat ik nergens meer toe in staat was, behalve misschien postzegels verzamelen. Dat ik niet zou kunnen leven met mijn schuldgevoel omdat Nile om mij vermoord is, of met mijn woede omdat hij er niet meer is terwijl ik verder moet. Solange vroeg of ik al had gehoord dat er weer poema's waren gezien & ik zei nee. Het interesseerde me echt wel wat ze vertelde, maar ik keek de hele tijd of ik meneer Llewellyn ergens zag, die van de aardbodem verdwenen leek. Ik keek ook of de knokploeg van Baz ergens rondhing, want ik wist zeker dat die alles zou komen verpesten. Maar zijn mensen lieten zich niet zien. Op één na dan.

Misschien vraag je je af hoe er een dienst kon worden gehouden in een vernielde, leeggeroofde kerk. Maar in de dagen voor de begrafenis kwam er opeens een drom mensen uit het niets opdagen – onder wie twee broers die op elkaar leken, in overall en met een pick-up, en twee zusters die op elkaar leken en gereedschap vol verfvlekken bij zich hadden – & die hebben alles gerepareerd, of bijna (het gebrandschilderde glas of de houten vloer niet) & terwijl ze bezig waren, draaiden ze de cassettebandjes van meneer Llewellyn.

En een deel van de gestolen spullen kwam weer boven water, alsof iemand op een terugspoelknop drukte. Ik weet niet wie er op die knop heeft gedrukt & niemand anders lijkt het te weten. Iedereen was superaardig, superbehulpzaam. Ze zeiden allemaal dat mijn vriend 'inspecteur Nightingale' een godsgeschenk was, 'une bénédiction du ciel'.

Ik weet wel dat ik eerder heb gezegd dat ik niet verder kon, dat ik in een Exit Bag wilde vertrekken nadat we deze planeet van een zeker duister element hadden verlost. Of twee. Of drie. Maar ik ben van gedachten veranderd. Niet omdat ik nu opeens positiever over mezelf of over de wereld of over de mensheid denk – daar is meer voor nodig dan wat reparatiewerk & tranen – of omdat ik zo dol ben op knorrige oude dames zoals oma & hoop dat ik lang genoeg leef om er zelf ook een te worden. Nee. Het is omdat ik door een engel met kapotte vleugels ben gered en omdat ik niet wil dat dat allemaal voor niets is geweest.

Maar misschien is het uiteindelijk toch voor niets geweest. Een meisje van mijn leeftijd, met een grijze blazer & een coltrui in de kleur van haar rookgrijze ogen, zat achter in de kerk de hele tijd vuil naar me te kijken. Ze bleef tot het allerlaatst, ze wachtte tot iedereen weg was, en ik wist dat ze voor mij kwam. 'Jij bent dood – jij wordt opengesneden als een vis, jij gaat leegbloeden als een hert,' zei ze. Ze had een vlakke stem, alsof ze onder water praatte.

Nawoord van de auteur

De Laurentians bestaan uiteraard echt en zijn een bezoek meer dan waard. Maar de personages en bijna alle andere plaatsen in dit boek zijn fictief. Ik zou Céleste Jonquères, directeur van het bureau Faunabeheer en -recherche van Quebec, graag willen bedanken voor haar hulp bij mijn research voor deze roman, maar helaas bestaat ze niet, evenmin als dat bureau. Met een beetje geluk zal er misschien ooit zo'n instelling met zo'n directeur bestaan. Voor informatie over de handel in berengal dank ik de World Society for the Protection of Animals en het ministerie van Natuurlijke Hulpbronnen en Natuurbeheer van Quebec. Verder dank ik Marlène, Laura, Nicole, David, Jon en Michele voor hun goede raad en medeplichtigheid, ook al waren ze niet erg enthousiast over mijn oorspronkelijke titels (*Het ondergangslied* en *Het ondergangskoor*).